王承略 劉心明 主编

二十五史藝文經籍志考補萃編

第二十卷

宋史藝文志

〔元〕脱脱 等修 蘇麗娟 馬常録 整理

宋史藝文志補

〔清〕黄虞稷 倪燦 撰 〔清〕盧文弨 録 陳錦春 整理

宋史藝文志 宋史新編藝文志歧異表

上海書報合作社編譯所 編 李凌 整理

宋國史藝文志輯本

趙士煒 輯 陳錦春 馬常録 整理

中興國史藝文志

趙士煒 輯 馬常録 整理

清華大學出版社 北京

圖書在版編目(CIP)數據

二十五史藝文經籍志考補萃編．第20卷/王承略，劉心明主編．--北京：清華大學出版社，2013

ISBN 978-7-302-31681-7

Ⅰ.①二… Ⅱ.①王…②劉… Ⅲ.①中國歷史－古代史－紀傳體 ②《二十五史》－研究 Ⅳ.①K204.1

中國版本圖書館CIP數據核字(2013)第042719號

責任編輯：馬慶洲
封面設計：曲曉華
責任校對：宋玉蓮
責任印製：楊 艷

出版發行：清華大學出版社
網 址：http://www.tup.com.cn，http://www.wqbook.com
地 址：北京清華大學學研大廈A座 **郵 編**：100084
社總機：010-62770175 **郵 購**：010-62786544
投稿與讀者服務：010-62776969，c-service@tup.tsinghua.edu.cn
質量反饋：010-62772015，zhiliang@tup.tsinghua.edu.cn
印刷者：清華大學印刷廠
裝訂者：三河市金元印裝有限公司
經 銷：全國新華書店
開 本：148mm×210mm **印 張**：17.5 **字 數**：606千字
版 次：2013年7月第1版 **印 次**：2013年7月第1次印刷
印 數：1～1500
定 價：60.00元

產品編號：043548-01

《二十五史藝文經籍志考補萃編》編纂委員會

目　　録

宋史藝文志

宋史藝文志補

宋史藝文志　宋史新編藝文志歧異表

宋國史藝文志輯本

中興國史藝文志

宋史藝文志

[元]脱脱 等修
蘇麗娟 馬常録 整理

底本：1958年上海商務印書館縮印《百衲本二十四史》影印元至正六年刻及明成化七年至十六年朱英刻《宋史》本（《藝文志》八卷，統以成化本爲底本影印）

校本：1986年上海古籍出版社、上海書店影印清乾隆四年武英殿刻《宋史》本，1977年中華書局排印標點《宋史》本

一

《易》曰:“觀乎天文,以察時變。觀乎人文,以化成天下。”文之有關於世運,尚矣。然書契以來,文字多而世代日降;秦火而後,文字多而世教日興,其故何哉?蓋世道升降,人心習俗之致然,非徒文字之所爲也。然去古既遠,苟無斯文以範防之,則愈趨而愈下矣。故由秦而降,每以斯文之盛衰,占斯世之治忽焉。

宋有天下,先後三百餘年。考其治化之污隆,風氣之離合,雖不足以儗倫三代,然其時君汲汲於道藝,輔治之臣莫不以經術爲先務,學士搢紳先生,談道德性命之學,不絶于口,豈不彬彬乎進於周之文哉!宋之不競,或以爲文勝之弊,遂歸咎焉,此以功利爲言,未必知道者之論也。

歷代之書籍,莫厄於秦,莫富於隋、唐。隋嘉則殿書三十七萬卷。而唐之藏書,開元最盛,爲卷八萬有奇。其間唐人所自爲書,幾三萬卷,則舊書之傳者,至是蓋亦鮮矣。陵遲逮于五季,干戈相尋,海寓鼎沸,斯民不復見《詩》《書》禮樂之化。周顯德中,始有經籍刻板,學者無筆札之勞,獲覩古人全書。然亂離以來,編帙散佚,幸而存者,百無二三。

宋初,有書萬餘卷。其後削平諸國,收其圖籍,及下詔遣使購求散亡,三館之書,稍復增益。太宗始於左昇龍門北建崇文院,而徙三館之書以實之。又分三館書萬餘卷,别爲書庫,目曰秘閣。閣成,親臨幸觀書,賜從臣及直館宴。又命近習侍衛之臣,縱觀群書。真宗時,命三館寫四部書二本,置禁中之龍圖閣及後苑之太清樓,而玉宸殿、四門殿亦各有書萬餘卷。又以秘閣地隘,分内藏西庫以廣之,其右文之意,亦云至矣。已而王宫火,延及崇文、秘閣,書多煨燼。其僅存者,遷于右掖門外,謂之崇文外院,命重寫書籍,選官詳覆校勘,常以參知政事一人領之。書成,歸于太清樓。仁宗既新作崇文院,命翰林學士張觀等編四庫書,倣《開元四部録》爲《崇文總目》,書凡三萬六百六十九卷。神宗改官制,遂廢館職,以崇文院爲秘書省,秘閣經籍圖書以秘書郎主之,編輯校定,正其脱誤,則主于校書郎。徽宗時,更《崇文總目》之號爲《秘書總目》。詔購求士民藏書,其有所祕未見之書足備觀采者,仍命以官。且以三館書多逸遺,命建局以補全校正爲名,設官總理,募工繕寫。一置宣和殿,一置太清樓,一置祕閣。自熙寧以來,搜訪補輯,至是爲盛矣。

嘗歷考之,始太祖、太宗、真宗三朝,三千三百二十七部,三萬九千一百四十二卷。次仁、英两朝,一千四百七十二部,八千四百四十六卷。次神、哲、徽、欽四朝,一千九百六部,二萬六千二百八十九卷。三朝所録,則两朝不復登載,而録其所未有者。四朝於两朝亦然。最其當時之目,爲部六千七百有五,爲卷七萬三千八百七十有七焉。迨夫靖康之難,而宣和、館閣之儲,蕩然靡遺。高宗移蹕臨安,乃建祕書省於國史院之右,搜訪遺闕,屢優獻書之賞,於是四方之藏,稍稍復出,而館閣編輯,日益以富矣。當時類次書目,得四萬四千四百八十六卷。至寧宗時續書目,又得一萬四千九百四十三卷,視《崇文總目》,又有加焉。自是而後,迄於終祚,國步艱難,軍旅之事,日不暇給,而君臣上下,未嘗頃刻不以文學爲務,大而朝廷,微而草野,其所製作、講説、紀述、賦詠,動成卷帙,絫而數之,有非前代之所及也。雖其間錒裂大道,疣贅聖謨,幽怪恍惚,瑣碎支離,有所不免,然而瑕瑜相形,雅鄭各趣,譬之萬派歸海,四瀆可分,繁星麗天,五緯可識,求約於博,則有要存焉。

宋舊史，自太祖至寧宗，爲書凡四。志藝文者，前後部帙，有亡增損，互有異同。今删其重復，合爲一志，盖以寧宗以後史之所未録者，[①]倣前史分經、史、子、集四類而條列之，大凡爲書九千八百十九部，十一萬九千九百七十二卷云。

經類十：一曰易類，二曰書類，三曰詩類，四曰禮類，五曰樂類，六曰春秋類，七曰孝經類，八曰論語類，九曰經解類，十曰小學類。

周易古經一卷

薛貞　注歸藏三卷

易傳十卷　題卜子夏傳。

周易上下經六卷

繫辭説卦序卦雜卦三卷　韓康伯注。

鄭玄　周易文言注義一卷

王弼　略例一卷　易辨一卷

阮嗣宗[②]　**通易論一卷**

干寶　易傳十卷

易髓八卷　晋人撰，不知姓名。

孔穎達　正義十四卷

玄談六卷

易正義補闕七卷

任貞一　甘棠正義三十卷

---

① 中華書局 1977 年點校本《宋史》校勘記疑“盖”字係“益”字之訛。

② “阮嗣宗”，陳樂素《宋史藝文志考證》（以下簡稱《考證》）：“《唐志》（整理者按，指《新唐書・藝文志》）作宋處宗撰。阮嗣宗疑即宋處宗之誤。《通志》（整理者按，指鄭樵《通志・藝文略》）作晋荆州刺史宋岱撰。”

關朗　易傳一卷

王肅　傳十一卷

陸德明　釋文一卷

衞元嵩　周易元包十卷　蘇元明傳,[①]李江注。

李鼎祚　集解十卷

史文徽[②]　易口訣義六卷

成玄英　流演窮寂圖五卷

蔡廣成　啓源十卷　又　周易外義三卷

沙門一行　傳十二卷

王隱　要削三卷

陸希聲　傳十三卷

郭京　舉正三卷

東鄉助　物象釋疑一卷

邢璹　補闕周易正義略例疏三卷

李翺　易詮七卷

張弧　周易上經王道小疏五卷

張韓[③]　啓玄一卷

青城山人　揲蓍法一卷

王昭素　易論三十三卷

縱匡乂　周易會通正義三十三卷

---

① “元”,武英殿本同,中華本據晁公武《郡齋讀書志》(以下簡稱晁《志》)、俞文豹《吹劍録》改作“源”。

② “史文徽”,《考證》:《崇文總目》、晁《志》、王應麟《玉海》(以下稱《玉海》)均作“史證”,鄭樵《通志·藝文略》(以下簡稱《通志》)作“史之證”,陳振孫《直齋書録解題》(以下簡稱陳《録》)認爲“避諱作‘證’字”,錢大昕《廿二史考異》認爲“‘徽’字當作‘徵’之訛”。

③ “韓”,《考證》:《通志》作“元”,朱彝尊《經義考》(以下稱《經義考》)引程迥作“轅”。

陰弘道[1]　**周易新論傳疏十卷**

陳摶　**易龍圖一卷**

范諤昌　**大易源流圖一卷**　**又**　**證墜簡一卷**

胡旦　**易演聖通論十六卷**

石介　**口義十卷**

冀震　**周易義略十卷**

代淵　**周易旨要二十卷**

何氏　**易講疏十三卷**　不著名。

陸秉　**意學十卷**

古易十三卷　出王洙家。

王洙　**言象外傳十卷**

劉牧　**新注周易十一卷**　**又**　**卦德通論一卷**　**易數鈎隱圖一卷**

吴祕　**周易通神一卷**

黄黎獻　**畧例一卷**　**又**　**室中記師隱訣一卷**

龔鼎臣　**補注易六卷**

彭汝礪　**易義十卷**

趙令湑　**易發微十卷**

喬執中　**易説十卷**

趙仲鋭　**易義五卷**

謝湜　**易義十二卷**

譚世勣　**易傳十卷**

陸太易　**周易口訣七卷**

冀珍　**周易闡微詩六卷**

李贇　**周易説九卷**

---

① “弘”,原作“洪”,乃宋人避諱改,今回改。

張杲[①]　周易罔象成名圖一卷
裴通　周易玄解三卷
邵雍　皇極經世十二卷　又　叙篇系述二卷　觀物外篇六卷　門人張滑記雍之言。觀物内篇解二卷　雍之子伯温編。
邵伯温　周易辨惑一卷
常豫　易源一卷
徐庸　周易意藴凡例總論一卷　又　卦變解二卷
宋咸　易訓三卷　又　易補注十卷　又　劉牧王弼易辨二卷
皇甫泌　易解十九卷
鄭揚庭[②]　時用書二十卷　又　明用書九卷　易傳辭三卷　易傳辭後語一卷
陳良獻　周易發隱二十卷
石汝礪　乾生歸一圖十卷
鮑極　周易重注十卷
葉昌齡　圖義二卷
胡瑗　易解一十二卷　口義十卷　繫辭説卦三卷
歐陽修　易童子問三卷
阮逸　易筌六卷
王安石　易解十四卷
尹天民　易論要纂一卷　又　易説拾遺二卷
司馬光　易説一卷　又　三卷　繫辭説二卷
鮮于侁　周易聖斷七卷
蘇軾　易傳九卷

---

① "张杲",《考證》云:"《唐志》作'張果',入神仙類。此作'杲',形近而誤;亦不當入易類。"

② "鄭揚庭",《考證》:晁《志》作鄭夬揚庭撰,揚庭爲夬字。

程頤　易傳九卷　又　易繫辭解一卷
張載　易説十卷
吕大臨　易章句一卷
龔原　續解易義十七卷　又　易傳十卷
李平西　河圖傳一卷
李覯[①]　删定易圖序論六卷
張弼　易解義十卷
顧叔思　周易義類三卷
劉槩　易繫辭十卷
晁説之　録古周易八卷
晁補之[②]　太極傳五卷　因説一卷　太極外傳一卷
游酢　易説一卷
耿南仲　易解義十卷
安泳　周易解義一部　卷亡。
陳瓘　了齋易説一卷
鄒浩　繫辭纂義二卷
張根　易解九卷
周易六十四卦賦一卷　題潁川陳君作，名亡。
林德祖　易説九卷
陳禾　易傳十二卷
李授之　易解通義三十卷
朱震　易傳十一卷　卦圖三卷　易傳叢説一卷
張汝明　易索十三卷
郭忠孝　兼山易解二卷　又　四學淵源論三卷

---

① “覯”，原作“遘”，乃宋人避宋高宗諱改，今回改。
② “補”，武英殿本同，中華本據晁《志》、陳《録》改作“説”。

任奉古　周易發題一卷
陳高　八卦數圖二卷
林僬　易説十二卷　變卦八卷　變卦纂集一卷
凌唐佐　集解六卷
袁樞　學易索隱一卷
夏休　講義九卷
郭雍　傳家易解十一卷
沈該　易小傳六卷
都絜　易變體十六卷
鄭克　揲蓍古法一卷
吴沆　易旋璣三卷
李椿年　易解八卷　疑問一卷
李光　易説十卷
李衡　易義海撮要十二卷
洪興祖　易古經考異釋疑一卷
張行成　元包數總義二卷　述衍十八卷　通變四十八卷
晁公武　易詁訓傳十八卷
胡銓　易傳拾遺十卷
程大昌　易原十卷　又　易老通言十卷
楊萬里　易傳二十卷
林栗　易經傳集解三十六卷
李舜臣　易本傳三十三卷
曾穜　大易粹言十卷
吕祖謙　定古易十二篇爲一卷　又　音訓二卷　周易繫辭精義二卷
朱熹　易傳十一卷　又　本義十二卷　易學啓蒙三卷　古易音訓二卷

張浚　易傳十卷

倪思　易訓三十卷

趙善譽　易説二卷

劉文郁　易宏綱八卷

吴仁傑　古易十二卷　又　周易圖説二卷　集古易一卷

王日休　龍舒易解一卷

劉翔　易解六卷

胡有開　易解義四十卷

鄒巽　易解六卷

鄭剛中　周易窺餘十五卷

楊簡　已易一卷

潘夢旂　大易約解九卷

麻衣道者　正易心法一卷

鄭東卿　易説三卷

項安世　周易玩辭十六卷

程迥[①]　**易章句十卷　又　外編一卷　占法**[②]　**古易考一卷**

林至　易裨傳一卷

葉適　習學記言周易述釋一卷

李椿　觀畫二卷

王炎　筆記八卷

鄭汝諧　易翼傳二卷

湯義　周易講義三卷

樂只道人　義文易論微六卷　姓名亡。

朱氏　三宫易一卷　名亡。

---

① "迥",原誤作"廻",據陳《録》改。

② 《考證》:陳《録》作"占法一卷"。

劉烈　虚谷子解卦周易三卷

劉牧　鄭夫[①]　註周易七卷

楊文焕　五十家易解四十二卷

孫份　周易先天流衍圖十二卷　程敦厚序。

劉半千　羲易正元一卷

馮椅　易學五十卷

商飛卿　講義一卷

周易卦類三卷

易辭微三卷

易正經明疑録一卷

易傳四卷

口義六卷

易樞十卷

繫辭要旨一卷

並不知作者。

易乾鑿度三卷

易緯七卷

易緯稽覽圖一卷

易通卦驗二卷

並鄭玄注。

流演通卦驗一卷　不知作者。

王柏　讀易記十卷　又　涵古易説一卷　大象衍義一卷

曾幾　易釋象五卷

劉禹偁　易解十卷

程達[②]　易解十卷

---

① 中華本校勘記認爲"夫"當作"夬",《考證》同。《考證》又認爲"劉牧"二字衍。

② "達",據《考證》引《新安文獻志》當作"逵",形近而誤。

戴溪　易總說二卷

趙汝談　易說三卷

真德秀　復卦說一卷

吳如愚　易說一卷

李光　易傳十卷

李燾　易學五卷　又　大傳雜說一卷

朱承祖　易摭卦總論一十卷

林起鼇　易述古言二卷

方實孫　讀易記八卷

魏了翁　易集義六十四卷　又　易要義一十卷

鄭子厚　大易觀象三十二卷　張埜補注。

右易類二百十三部，一千七百四十卷。　王柏《讀易記》以下不著録十九部，一百八十六卷。

尚書十二卷　漢孔安國傳。

古文尚書二卷　孔安國隸。

伏勝　大傳三卷　鄭玄注。

汲冢周書十卷　晉太康中，於汲郡得之。孔晁注。

陸德明　釋文音義一卷

孔穎達　正義二十卷

馮繼先　尚書廣疏十八卷　又　尚書小疏十三卷

尹恭初　尚書新修義疏二十六卷

胡旦　尚書演聖通論七卷

胡瑗　洪範口義一卷

蘇洵　洪範圖論一卷

程頤　堯典舜典解一卷

王安石[①]　**新經書義十三卷　又　洪範傳一卷**

蘇軾　書傳十三卷

書説一卷　程頤門人記。

孔武仲　書説十三卷

曾肇　書講義八卷

陳諤　開寶新定尚書釋文三卷

孟先　禹貢治水圖一卷　尚書洪範五行記一卷

王晦叔[②]　**周書音訓十二卷**

司馬光等　無逸講議一卷[③]

吴安詩等　無逸説命解二卷

劉彝　洪範解六卷

曾旼等　講義三十卷

葉夢得　書傳十卷

張綱　解義三十卷

吴孜　大義三卷

吴棫　裨傳十三卷

張九成　尚書詳説五十卷

洪興祖　口義發題一卷

陳鵬飛　書解三十卷

程大昌　書譜二十卷　又　禹貢論五卷　禹貢論圖五卷　禹貢後論一卷

晁公武　尚書詁訓傳四十六卷

史浩　講義二十二卷

---

① “王安石”,據《考證》引晁《志》、陳《録》當爲“王雱”。

② “王晦叔”,《考證》云:“王曙字晦叔,此避諱稱字。”

③ “司馬光等無逸講議一卷”,武英殿本同,中華本據晁《志》、《玉海》改“光”作“康”。據《考證》,“議”當作“義”。

吕祖謙 書説三十五卷
黄度 書説七卷
李舜臣 尚書小傳四卷
吴仁傑 尚書洪範辨圖一卷
陳伯達 翼範一卷
朱熹 書説七卷 黄士毅集。
林之奇 集解五十八卷[①]
陳經 詳解五十卷
康伯成 書傳一卷
夏僎 書解十六卷
王炎 小傳十八卷
孫泌 尚書解五十二卷
蔡沈 書傳六卷[②]
胡瑗 尚書全解二十八卷
成申之 四百家集解五十八卷
楊玉集[③] 尚書義宗三卷
三墳書三卷 元豐中，毛漸所得。
尚書治要圖五卷
尚書解題一卷
渾灝發旨一卷
並不知作者。
王柏 讀書記十卷 又 書疑九卷 書附傳四十卷
袁燮 書鈔十卷
袁覺 讀書記二十三卷

① "集解"，《考證》據《經義考》認爲書名當作《尚書全解》。
② "書傳"，《考證》據蔡沈自序認爲書名當作《書集傳》。
③ "玉"，武英殿本作"王"。

黄倫　尚書精義六十卷

趙汝談　書説二卷

卞大亨　尚書類數二十卷

胡銓　書解四卷

李燾　尚書百篇圖一卷

劉甄　書青霞集解二十卷

應鏞　書約義二十五卷

魏了翁　書要義二十卷

右書類六十部,八百二卷。　王柏《讀書記》以下不著録十三部,二百四十四卷。

韓詩外傳十卷　漢韓嬰傳。

毛詩二十卷　漢毛萇爲詁訓傳,鄭玄箋。

鄭玄　詩譜三卷

陸璣　草木鳥獸蟲魚疏二卷

孔穎達　正義四十卷

陸德明　詩釋文三卷

成伯璵　毛詩指説統論一卷　又　毛詩斷章二卷

張訢　別録一卷

毛詩正數二十卷

毛詩釋題二十卷

毛詩小疏二十卷

鮮于侁　詩傳六十卷

李常　詩傳十卷

魯有開　詩集十卷

胡旦　毛詩演聖通論二十卷

宋咸　毛詩正紀三卷　又　外義二卷

劉字[①]　**詩折衷二十卷**

蘇子才　毛詩大義三卷

周軾[②]　**箋傳辨誤八卷**

丘鑄　周詩集解二十卷

歐陽修　詩本義十六卷　又　補注毛詩譜一卷

蘇轍　詩解集傳二十卷

彭汝礪　詩義二十卷

趙令湑　講義二十卷

喬執中　講義十卷

毛漸　詩集十卷

沈銖　詩傳二十卷

孔武仲　詩説二十卷

王殷範[③]　**毛詩序義索隱二卷**

王安石　新經毛詩義二十卷

舒王詩義外傳十二卷

新解一卷　程頤門人記其師之説。

張載　詩説一卷

趙仲鋭　詩義三卷

游酢　詩二南義一卷

范祖禹　詩解一卷

楊時　詩辨疑一卷

茅知至　周詩義二十卷

蔡卞　毛詩名物解二十卷

---

① “字”，武英殿本同，中華本據陳《録》、鄭樵《通志》(以下稱《通志》)改作“宇”。

② “軾”，《考證》引《祕書省四庫闕書目》、《通志》作“式”。

③ “殷”，原作“商”，宋人避諱改，今回改。

董逌　廣川詩故四十卷

吴良輔　詩重文説七卷

劉孝孫　正論十卷

吴景山　十五國風咨解一卷

劉泉　毛詩判篇一卷

吴棫　毛詩叶韻補音十卷

李樗　毛詩詳解四十六卷

晁公武　毛詩詁訓傳二十卷

吕祖謙　家塾讀詩記三十二卷

鄭樵　詩傳二十卷　又　辨妄六卷

范處義　詩學一卷　又　解頤新語十四卷　詩補傳三十卷

朱熹　詩集傳二十卷　詩序辨一卷

張貴謨　詩説三十卷

鄭諤　毛詩解義三十卷

黄度　詩説三十卷

吴氏　詩本義補遺二卷　名亡。

戴溪　續讀詩記三卷

錢文子　白石詩傳一十卷　又　詩訓詁三卷

黄邦彦　講義三卷

鮮于戣　詩頌解三卷

黄穮①　詩解二十卷　總論一卷

林岊　講義五卷

三十家毛詩會解一百卷　吴純編，王安石解義。

毛詩釋篇目疏十卷

詩疏要義一卷

---

①　"穮"，武英殿本同，中華本徑改作"櫄"。

毛詩玄談一卷

毛詩章疏二卷[①]

毛詩提綱一卷

毛詩名物性門類八卷

義方二十卷

釋文二十卷

通義二十卷

毛鄭詩學十卷

詩關雎義解一部

比興窮源一卷

並不知作者。

陳寅　詩傳十卷

許奕　毛詩説三卷

李燾　詩譜三卷

王應麟　詩考五卷　又　詩地理考五卷　詩草木鳥獸蟲魚廣疏六卷

輔廣　詩説一部

嚴粲　詩集一部

王質　詩總聞二十卷

魏了翁　詩要義二十卷

王柏　詩辨説二卷　又　詩可言二十卷

高端叔　詩説一卷

曹粹中　詩説三十卷

項安世　毛詩前説一卷　又　詩解二十卷

鄭庠　詩古音辨一卷

---

① “二”,武英殿本作“三”。按:《通志》亦作“二”。

右詩類八十二部,一千一百二十卷。 陳寅《詩傳》以下不著録十四部,二百四十五卷。

儀禮十七篇 高堂生傳。

大戴禮記十三卷 戴德纂。

禮記二十卷 戴聖纂。

鄭玄　古禮注十七卷　又　周禮注十二卷　禮記注二十卷　禮記月令注一卷

崔靈恩　三禮義宗三十卷

成伯璵　禮記外傳十卷 張幼倫注。

韋彤　五禮精義十卷　又　五禮緯書二十卷

丘光庭　兼明書四卷

杜肅　禮畧十卷

陸德明　音義一卷　又　古禮釋文一卷

賈公彦　儀禮疏五十卷　又　禮記疏五十卷　周禮疏五十卷

孔穎達　禮記正義七十卷

聶崇義　三禮圖集註二十卷

楊逢殷　禮記音訓指説二十卷

上官均　曲禮講義二卷

歐陽丙　三禮名義五卷

魯有開　三禮通義五卷

殷介[①]　**集五禮極義一卷**[②]

孫玉汝　五禮名義十卷

余希文　井田王制圖一卷

---

① "殷介",《考證》據《新唐志》、《通考》認爲當作"商价"。

② "五禮極義",《考證》:《新唐志》作"喪禮極議",《通考》作"喪禮極義"。

胡先生中庸義一卷 盛喬纂集。

李弘澤[1] 直禮一卷

張誂 喪禮十卷

禮粹二十卷 不知作者。

王懲 中禮八卷

程顥 中庸義一卷

吕大臨 大學一卷 又 中庸一卷 禮記傳十六卷

喬執中 中庸義一卷

游酢 中庸解義五卷

王安石 新經周禮義二十二卷

王昭禹 周禮詳解四十卷

陸佃 禮記解四十卷 又 禮象十五卷 述禮新説四卷 儀禮義十七卷

何洵直 禮論一卷

陸佃 大裘議一卷

郭忠孝 中庸説一卷

龔原 周禮圖十卷

郭雍 中庸説一卷

陳祥道 註解儀禮三十二卷 又 禮例詳解十卷 禮書一百五十卷

陳暘 禮記解義十卷

李格非 禮記精義十六卷

楊時 周禮義辨疑一卷 又 中庸解一卷

喻樗 大學解一卷

司馬光等 六家中庸大學解義一卷

---

① "弘",原作"洪",宋人避諱改,今回改。

江興山　周禮秋官講義一卷

馬希孟　禮記解七十卷

四先生中庸解義一卷　程頤、吕大臨、游酢、楊時撰。

方慤　禮記解義二十卷

王普　深衣制度一卷

夏休　周禮井田譜二十卷　破禮記二十卷

周燔　儀禮詳解十七卷

李如圭　儀禮集釋十七卷

史浩　周官講義十四卷

鄭諤　周禮解義二十二卷

黄度　周禮説五卷

徐焕　周官辨畧十八卷

陳傅良　周禮説一卷

徐行[①]　周禮微言十卷

易祓　周禮總義三十六卷

朱熹　儀禮經傳通解二十三卷　又　大學章句一卷　或問二卷　中庸章句一卷　或問二卷　中庸輯畧二卷

十先生中庸集解二卷　朱熹序。

三家冠婚喪祭禮五卷　司馬光、程頤、張載定。

吴仁傑　禘祫綿蕞書三卷

劉彝　周禮中義十卷

張九成　中庸説一卷　大學説一卷

戴溪　曲禮口義二卷　學記口義二卷[②]

---

① "徐行",《考證》云:"《玉海》引《中興續目》(整理者按,指趙士煒輯《中興館閣續書目》)作徐筠。"

② "二",武英殿本作"三"。

司馬光　中庸大學廣義一卷

錢文子　中庸集傳一卷

胡銓　禮記傳十八卷　又　周禮傳十二卷　二禮講義一卷

倪思　中庸集義一卷

汪應辰　二經雅言二卷

張淳　儀禮識誤一卷

俞庭椿　周禮復古編三卷

黄幹　續儀禮經傳通解二十九卷　又　儀禮集傳集註十四卷

林椅　周禮綱目八卷　摭説一卷

鄭景炎　周禮開方圖説一卷

李心傳　丁丑三禮辨二十三卷

鄭伯謙　太平經國書統集七卷

鄭氏　三禮名義疏五卷　不著名。　又　三禮圖十二卷

江都集禮圖五十卷

三禮圖駁議二十卷

儀禮類例十卷

周禮類例義斷二卷

二禮分門統要三十六卷

禮記小疏二十卷

並不知作者。

石塾　中庸集解二卷

項安世　中庸説一卷　又　周禮丘乘圖説一卷

衛湜　禮記集説一百六十卷

楊簡　孔子閒居講義一卷

鄭樵　鄉飲禮七卷

張虙　月令解十二卷

晁公武　中庸大傳一卷

楊復　儀禮圖解十七卷

魏了翁　儀禮要義五十卷　又　禮記要義三十三卷　周禮折衷二卷　周禮要義三十卷

趙順孫　中庸纂疏三卷

袁甫　中庸詳説二卷

陳堯道　中庸説十三卷　又　大學説十一卷

真德秀　大學衍義四十三卷[①]

謝興甫　中庸大學講義三卷

王與之　周禮訂義八十卷

王應麟　集解踐祚篇一册

右禮類一百十三部,一千三百九十九卷。　石塾《中庸集解》以下不著録二十六部,四百六十九卷。[②]

蔡琰　胡笳十八拍四卷

孔衍　琴操引三卷

謝莊　琴論一卷

梁武帝　鍾律緯一卷

陳僧智匠　古今樂録十三卷

趙邦利[③]　彈琴手勢譜一卷　又　彈琴右手法一卷[④]

唐玄宗　金風樂弄一卷

太宗　九絃琴譜二十卷

琴譜六卷

唐宗廟用樂儀一卷

---

① "三",武英殿本作"二"。

② "六十九卷",武英殿本作"二十九卷"。按:考其卷數,實爲"七十三"卷。

③ "邦",《考證》據《玉海》引《中興館閣書目》認爲當作"邪"。

④ "右",《考證》據《玉海》引《中興館閣書目》認爲當作"古"。

唐肅明皇后廟用樂儀一卷

崔令欽　教坊記一卷

吴兢　樂府古題要解二卷

王昌齡　續樂府古解題一卷

劉貺　大樂令壁記三卷

大樂圖義一卷　不知作者。

田琦　聲律要訣十卷

薛易簡　琴譜一卷

段安節　琵琶録一卷　又　樂府雜録二卷

樂府古題一卷

陸鴻漸[①]　教坊録一卷

李勉　琴説一卷

陳拙　琴籍九卷

徐景安　新纂樂書三十卷

趙惟簡[②]　琴書三卷

宋仁宗　明堂新曲譜一卷　又　景祐樂髓新經一卷　審樂要記二卷

徽宗　黄鍾徵角調二卷

沈括　樂論一卷　又　樂器圖一卷　三樂譜一卷　樂律一卷

馮元　宋郊[③]　景祐廣樂記八十一卷

宋祁　大樂圖一卷

聶崇義[④]　景祐大樂圖二十卷

---

① "陸鴻漸",《考證》云:"應作陸羽,鴻漸乃羽字。"

② "趙惟簡",《考證》引《新唐書・藝文志》(以下簡稱《新唐志》)作"趙惟暕"。

③ "郊",武英殿本同,中華本據《宋史・樂志》、《玉海》改作"祁"。

④ "崇義",武英殿本同,中華本據《宋史・樂志》、馬端臨《文獻通考》(以下簡稱《通考》)改作"冠卿"。

劉次莊　樂府集十卷　樂府集序解一卷

大周正樂八十八卷　三代周竇嚴訂論。[①]

蜀雅樂儀三十卷

房庶補亡樂書總要三卷　真館飲福等一卷

蔡攸　燕樂三十四册

范鎮　新定樂法一卷

崔遵度　琴箋一卷

李宗諤　樂纂一卷

陳康士　琴調三卷　又　琴調十七卷　琴書正聲十卷　琴調十七卷　琴譜記一卷　琴調譜一卷　楚調五章一卷　離騷譜一卷

李約　琴曲東杓譜序一卷

琴調廣陵散譜一卷

獨孤寔　九調譜一卷

齊嵩　琴雅畧一卷

僧辨正　琴正聲九弄九卷

朱文齊　琴雜調譜十二卷

蕭祐　一作祜　無射商九調譜一卷

吕謂　一作"濆"　廣陵止息譜一卷

張淡正　琴譜一卷

蔡翼　琴調一卷

僧道英　琴德譜一卷

王邈　琴譜一卷

沈氏　琴書一卷　失名。

琴譜調八卷　李翶用指法。

---

① "三代周竇嚴",武英殿本同,中華本據《宋史·竇儼傳》、《通考》改作"五代周竇儼"。

琴署一卷
琴式圖一卷
琴譜纂要五卷
胡瑗　景祐樂府奏議一卷　又　皇祐樂府奏議一卷
阮逸　皇祐新樂圖記三卷
陳暘　樂書二百卷
僧靈操　樂府詩一卷
吴良輔　琴譜一卷　又　樂書五卷　樂記三十六卷
楊傑　元豐新修大樂記五卷
劉昺　大晟樂書二十卷　又　樂論八卷　運譜四議二十卷　政和頒降樂曲樂章節次一卷　政和大晟樂府雅樂圖一卷
鄭樵　系聲樂譜二十四卷
李南玉　古今大樂指掌三卷
郭茂倩　樂府詩集一百卷
李昌文　阮咸弄譜一卷
滕康叔　韶武遺音一卷
蝴蟾　琴聲律二卷　又　琴圖一卷
令狐揆　樂要三卷
王大方[①]　琴聲韻圖一卷　昭微古今琴樣一卷
劉籍　琴義一卷
沈建　樂府廣題二卷
馬少良[②]　琴譜三均三卷
喻修樞　阮咸譜一卷
吴仁傑　樂舞新書二卷

---

① “王大方”,《新唐志》、《玉海》卷一一〇作“王大力”。
② “少”,武英殿本作“以”。

蔡元定　律吕新書二卷
李如箎　樂書一卷　琴説一卷
古樂府十卷
趙德先　樂説三卷　又　樂書三十卷
歷代樂儀三十卷
樂苑五卷
琴箋知音操一卷
樂府題解一卷
大樂署三卷
歷代歌詞六卷
律吕圖一卷
倣蔡琰胡笳十八拍
並不知作者。
右樂類一百十一部,一千七卷。

春秋七卷　正經。
杜預　春秋左氏傳經傳集解三十卷　又　春秋釋例十五卷
何休　公羊傳十二卷　又　左氏膏肓十卷
范甯　穀梁傳十二卷
董仲舒　春秋繁露十七卷
汲冢師春一卷　《師春》純集疏《左傳》卜筮事。
荀卿　公子姓譜二卷　一名《帝王歷紀譜》。
劉炫　春秋述議略一卷　又　春秋義囊二卷
孔穎達　春秋左氏傳正義三十六卷
公羊疏三十卷
楊士勛　春秋穀梁疏十二卷

黄敬密[1]　春秋指要圖一卷
李瑾　春秋指掌圖十五卷
陳岳　春秋折衷論三十卷
春秋災異録六卷
春秋謚族圖五卷
陸德明　三傳釋文八卷
陸希聲　春秋通例三卷
趙匡　春秋闡微纂類義統十卷
陸淳　集傳春秋纂例十卷　又　春秋辨疑七卷　集註春秋微旨三卷
盧仝　春秋摘微四卷
楊藴　春秋公子譜一卷
左丘明　春秋外傳國語二十一卷　韋昭注。
柳宗元　非國語二卷
葉真　是國語七卷
馮繼先[2]　春秋名號歸一圖　又　春秋名字同異録五卷
杜預　春秋世譜七卷
張暄　春秋龜鑑圖一卷
馬擇言　春秋要類五卷
徐彦　公羊疏三十卷
葉清臣　春秋纂類十卷
孫復　春秋尊王發微十二卷　春秋總論一卷
李堯俞　春秋集議略論二卷
王沿　春秋集傳十五卷

---

① "敬",原作"恭",宋人避諱改,今回改。
② "先",《經義考補正》作"元"。

章拱之　春秋統微二十五卷

王哲[①]　春秋通義十二卷　又　皇綱論五卷

丁副　春秋演聖統例二十卷　春秋三傳異同字一卷

朱定序　春秋索隱五卷

杜諤　春秋會義二十六卷

朱瑗[②]　春秋口義五卷

劉敞　春秋傳十五卷　又　春秋權衡十七卷　春秋説例十一卷　春秋意林二卷

蘇轍　春秋集傳十二卷

王安石　左氏解一卷

楊彦齡　左氏春秋集表二卷[③]　又　左氏蒙求二卷

沈括　春秋機括二卷

趙瞻　春秋論三十卷　又　春秋經解義例二十卷

唐既濟　春秋邦典二卷

孫覺　春秋經社要義六卷　春秋經解十五卷　春秋學纂十二卷

晁補之　左氏春秋傳雜論一卷

劉攽　内傳國語十卷

春秋人譜一卷　孫子平、練明道同撰。

朱長文　春秋通志二十卷

家安國　春秋通義二十四卷

張大亨　春秋通訓十六卷　又　五禮例宗十卷

陸佃　春秋傳二十卷[④]　又　補遺一卷

---

① "哲",《四庫提要》作"晳",疑形近而誤。

② "朱",武英殿本同,中華本據陳《録》、《通志》改作"胡"。

③ "集",武英殿本同,中華本據《玉海》改作"年"。

④ "春秋傳",武英殿本同,中華本據《宋史》、《玉海》改作"春秋後傳"。

程頤　春秋傳一卷
黎錞　春秋經解十二卷
王裴　春秋義解十二卷
張冒德　春秋傳類音十卷
韓台　春秋左氏傳口音三卷
陳德寧　公羊新例十四卷　又　穀梁新例六卷
陰弘道[①]　注春秋叙一卷
張翰　一作“幹”　春秋排門顯義十卷
李撰　春秋總要十卷
袁希　一作“孝”政　春秋要類五卷
張德昌　春秋傳類十卷
沈綽　春秋諫類二卷
郭翔　春秋義鑑三十卷
王仲孚　春秋類聚五卷
黄彬　春秋叙鑑三卷[②]
春秋精義三十卷
洪勳　春秋圖鑑五卷
春秋加減一卷
王叡　春秋守鑑一卷
春秋龜鑑一卷
張傑　春秋指玄十卷
塗昭良　春秋科義雄覽十卷　春秋應判三十卷
丁裔昌　春秋解問一卷
邵川　春秋括義三卷

---

① “弘”，原作“洪”，宋人避諱改，今回改。
② “三”，武英殿本作“二”。

劉英　春秋列國圖一卷

春秋十二國年曆一卷

謝璧　春秋綴英二卷

李塗　春秋事對五卷　蔡延龜注。

春秋扶懸三卷

春秋比事三卷

春秋要義十卷

春秋策問三十卷

春秋夾氏三十卷

李融　春秋樞宗十卷

姜虔嗣　春秋三傳纂要二十卷

惠簡　春秋通畧全義十五卷

元保宗　春秋事要十卷

鞏濬[1]　一作"潛"。春秋琢瑕一卷

張傳靖　左傳編紀十卷

崔昇　春秋分門屬類賦三卷　楊均注。

裴光輔　春秋機要賦一卷

尹玉羽卿[2]　春秋音義賦十卷　冉遂良注。　又　春秋字源賦二卷　楊文舉注。

李象　續春秋機要賦一卷

玉霄　春秋括囊賦集注一卷

王鄒彦　春秋蒙求五卷

張傑　春秋圖五卷　春秋指掌圖二卷

蹇遵品　左傳引帖斷義十卷　春秋纂類義統十卷　本十二卷，第

---

① "濬"，武英殿本作"叡"。

② "卿"，武英殿本同，中華本據《玉海》删。

二、第四闕。

春秋通義十二卷

春秋新義十卷

春秋十二國年曆一卷　一名《春秋齊年》。

春秋文權五卷

魯有開　春秋指微十卷　國語音義一卷

宋庠　國語補音三卷

林槩　辨國語三卷

崔表　世本圖一卷

楊藴　春秋年表一卷

謝湜　春秋義二十四卷　又　總義三卷

崔子方　春秋經解十二卷　春秋本例例要二十卷

吕奎　春秋要旨十二卷

吴元緒　左氏鼓吹一卷

劉易　春秋經解二卷

吴孜　春秋折衷十二卷

范柔中　春秋見微五卷

鄒氏　春秋總例一卷

謝子房　春秋備對十三卷

朱振[①]　春秋指要一卷　又　春秋正名頤隱要旨十二卷　春秋正名頤隱旨要叙論一卷　春秋講義三卷

沈滋仁　春秋興亡圖鑑一卷

陳禾　春秋傳十二卷　又　春秋統論一卷

任伯雨　春秋繹聖新傳十二卷

鄭昂　春秋臣傳三十卷

---

① "振",《考證》引《宋史》本傳作"震"。

鄧驥　春秋指蹤二十一卷

石公孺　春秋類例十二卷

王當　春秋列國諸臣傳五十一卷

張根　春秋指南十卷

李棠　春秋時論一卷

葉夢得　春秋讞三十卷　又　春秋考三十卷　春秋傳二十卷　石林春秋八卷　春秋指要總例二卷

胡安國　春秋傳三十卷　又　通例一卷　通旨一卷

余安行　春秋新傳十二卷

韓璜　春秋人表一卷

范仲[①]　春秋左氏講義四卷

黄叔敖　春秋講義五卷

洪皓　春秋紀詠三十卷

胡銓　春秋集善十三卷

鄧名世　春秋四譜六卷　辨論譜説一卷

劉本　春秋中論三十卷

畢良史　春秋正辭二十卷

環中　左氏春秋二十國年表一卷　春秋列國臣子表十卷

鄭樵　春秋地名譜十卷　又　春秋傳十二卷　春秋考十二卷

周彦熠　春秋名義二卷

毛邦彦　春秋正義十二卷

王日休　春秋孫復解辨失一卷　又　春秋公羊辨失一卷　春秋左氏辨失一卷　春秋穀梁辨失一卷　春秋名義一卷

董自任　春秋總鑑十二卷

---

① “仲”,武英殿本同,中華本據《玉海》改作“沖”。

夏沐[①]　春秋素志三百一十五卷　又　春秋麟臺獨講十一卷

延陵先生講義二卷

吕本中　春秋解二卷

晁公武　春秋故訓傳三十卷

王炫[②]　春秋門例通解十卷

林栗　經傳集解三十三卷

時瀾　左氏春秋講義十卷

徐得之　左氏國紀二十卷

蕭楚　春秋經辨十卷

胡定　春秋解十二卷

林拱辰　春秋傳三十卷

陳傅良　春秋後傳十二卷　又　左氏章指三十卷

王汝猷　春秋外傳十五卷

程迥　春秋顯微例目一卷　又　春秋傳二十卷

朱臨　春秋私記一卷　春秋外傳十卷

王葆　東宫春秋講義三卷　春秋集傳十五卷

吕祖謙　春秋集解三十卷　又　左傳類編六卷　左氏博議二十卷　左氏説一卷

左氏博議綱目一卷　祖謙門人張成招標注。

左氏國語類編二卷　祖謙門人所編。

沈棐　春秋比事二十卷

李明復　春秋集義五十卷　又　集義綱領二卷

任公輔　春秋明辨十一卷

楊簡　春秋解十卷

---

① “沐”,《考證》據《玉海》引《中興館閣書目》認爲當作“休”。

② “炫”,《考證》引嘉靖《池州府志》作“鎡”。

戴溪　春秋講義四卷

程公説　春秋分記九十卷

春秋釋疑二十卷

春秋考異四卷

春秋加減四卷

春秋直指三卷

左氏紀傳五十卷

春秋四傳二十卷

春秋類六卷

春秋例六卷

春秋表記一卷

王侯世系一卷

春秋釋例地名譜一卷

春秋本旨五卷

左氏摘奇十二卷

並不知作者。

李浹　左氏廣誨蒙一卷

章冲　左氏類事始末五卷

王柏　左氏正傳一十卷

高端叔　春秋義宗一百五十卷

黎良能　左氏釋疑　譜學各一卷

沈棐　春秋比事二十卷

吴曾　春秋考異四卷　又　左氏發揮六卷

方淑　春秋直音三卷

石朝英　左傳約説一卷　又　百論一卷

黄仲炎　春秋通説一十三卷

辛次膺　屬辭比事五卷

李孟傳　左氏説十卷

程大昌　演繁露六卷

李燾　春秋學十卷

王應麟　春秋三傳會考三十六卷

楊士勛　春秋公穀考異五卷

陸宰　春秋後傳補遺一卷

趙震揆　春秋類論四十卷

宇文虚中　春秋紀詠三十卷

王夢應　春秋集義五十卷

李心傳　春秋考義十三卷

魏了翁　春秋要義六十卷

陳藻　林希逸　春秋三傳正附論十三卷

右春秋類二百四十部，二千七百九十九卷。　王柏《左氏正傳》以下不著録二十三部，四百八十八卷。

古文孝經一卷　凡二十二章。

鄭氏　註孝經一卷

唐明皇　註孝經一卷

元行冲　孝經疏三卷

蘇彬　孝經疏一卷

邢昺　孝經正義三卷

司馬光　古文孝經指解一卷　又　古文孝經指解一卷

趙克孝　孝經傳一卷

任奉古　孝經講疏一卷

張元老　講義一卷

范祖禹　古文孝經説一卷

吕惠卿　孝經傳一卷

吉觀國　孝經新義一部　卷亡。
家滋　解義二卷
王文獻　詳解一卷
林椿齡　全解一卷
沈處厚　解一卷
趙湘　孝經義一卷
張師尹　通義三卷
張九成　解四卷
朱熹　刊誤一卷
黄幹　本旨一卷
項安世　孝經説一卷
馮椅　古孝經輯註一卷
古文孝經解一卷
袁甫　孝經説三卷
王行　孝經同異三卷

右孝經類二十六部,三十五卷。　袁甫《孝經説》以下不著録二部,六卷。

論語十卷　何晏等集解。
皇侃　論語疏十卷
韓愈　筆解二卷
陸德明　釋文一卷
馬總　論語樞要十卷
陳鋭　論語品類七卷
論語井田圖一卷
邢昺　正義十卷

周武[1]　集解辨誤十卷
宋咸[2]　增註十卷
王令　註十卷
紀亶　論語摘科辨解十卷
王安石　通类一卷
王雱[3]　解十卷
孔武仲　論語説十卷
吕惠卿　論語義十卷
蔡申　論語纂十卷
蘇軾　解四卷
蘇轍　論語拾遺一卷
程頤　論語説一卷
劉正容[4]　重註論語十卷
陳禾　論語傳十卷
晁説之　講義五卷
楊時　解二卷
謝良佐　解十卷
范祖禹　論語説二十卷
游酢　雜解一卷
龔原　論語解一部　卷亡。
吕大臨　解十卷
尹焞　論語解十卷　又　説一卷

① “武”,《考證》引《玉海》認爲當作“式”。

② “咸”,武英殿本作“成”。

③ “雱”,武英殿本同,中華本據《宋史》本傳、尤袤《遂初堂書目》(以下簡稱尤《目》)改作“雱”。

④ “容”,《考證》據《玉海》認爲當作“叟”。

侯仲良　説一卷

鄒浩　解十卷

汪革　直解十卷

葉夢得　釋言十卷

黄祖舜　解義十卷

張九成　解十卷

吴棫　續解十卷　又　考異一卷　説例一卷

喻樗　玉泉論語學四卷

張栻　解十卷

湯烈　集程氏説二卷

倪思　論語義証二十卷

葉隆古　解義十卷

洪興祖　論語説十卷

史浩　口義二十卷

薛季宣　論語小學二卷

林栗　論語知新十卷

朱熹　論語精義十卷　又　集註十卷　集義十卷　或問二十卷　論語註義問答通釋十卷

鄭汝　解義十卷

張演　魯論明微十卷

意原十卷

錢文子　論語傳贊二十卷

王汝猷　論語歸趣二十卷

徐焕　論語贅言二卷

曾幾　論語義二卷

陳儀之　講義二卷

姜得平　本旨一卷

論語指南一卷　黄祖禹、沈大廉、明宏辨論。[①]

戴溪　石鼓答問三卷

東谷論語一卷　不知作者。

陳耆卿　論語記蒙六卷

孔子家語十卷　魏王肅注。

論語玄義十卷

論語要義十卷

論語口義十卷

論語展掌疏十卷

論語閡義疏十卷

論語世譜三卷

並不知作者。

王居正　論語感發十卷

章良史[②]　論語探古二十卷

黄榦　論語通釋十卷　又　論語意原一卷

卞圜[③]　論語大意二十卷

高端叔　論語傳一卷

真德秀　論語集編一十卷

魏了翁　論語要義一十卷

右論語類七十三部，五百七十九卷。　王居正《論語感發》以下不著録八部，八十二卷。

周公謚法一卷　即《汲冢周書謚法篇》。

班固　白虎通十卷

---

① "禹"、"明"，武英殿本同，中華本據陳《録》、《玉海》改作"舜"、"胡"。

② "章"，武英殿本同，中華本據陳《録》、《玉海》改作"畢"。

③ "圖"，武英殿本同，中華本據陳《録》、《通考》改作"圛"。

沈約　謚法十卷
賀琛　謚法三卷
晉陽方　五經鉤沈五卷
王彦威　續古今謚法十四卷
劉迅　六經五卷①
春秋謚法一卷　即杜預《春秋釋例法篇》。②
陸德明　經典釋文三十卷
馬光極　九經釋難五卷
章崇業　五經釋題雜問一卷
僧十朋　五經指歸五卷
蘇鄂　演義十卷
劉餗　六説五卷
兼講書五卷
授經圖三卷
胡旦　演聖通論六十卷
劉敞　七經小傳五卷
黄敏求③　九經餘義一百卷
丘光庭　兼明書三卷
李肇　經史釋題二卷
顔師古　匡謬正俗八卷
李涪　刊誤二卷
九經要畧一卷
叙元要畧一卷

---

① "經",《考證》引《新唐書》本傳及晁《志》認爲當作"説"。
② "春秋釋例法篇",武英殿本同,中華本據《玉海》改作"春秋釋例謚法篇"。
③ 中華本校勘記曰:"《宋會要・崇儒》五之一九、《玉海》卷四二引《實録》都作'黄敏'。"

謚法三卷

六家謚法二十卷　范正、周沆編。①

程頤　河南經説七卷　又　五言集解三卷

蘇洵　嘉祐謚法三卷　皇祐謚録二十卷②

楊會　經解三十三卷

劉彝　七經中義一百七十卷

蔡攸　政和修定謚法八十卷

楊時　三經義辨十卷

王居正　辨學七卷

鄭樵　謚法三卷

李舜臣　諸經講義七卷

張九成　鄉黨少儀咸有一德論孟子拾遺共一卷③

張載　經學理窟三卷

項安世　家説十卷　附録四卷

黄榦　六經講義一卷

六經疑難十四卷　不知作者。

許奕④　**九經直音九卷　又　正訛一卷　諸經正典十卷**

論語尚書周禮講義十卷

楊甲　六經圖六卷

林觀過　經説一卷

戴勛　西齋清選二卷

葉仲堪　六經圖七卷

---

① “正”，武英殿本同，中華本據《玉海》、《通考》改作“鎮”。

② “祐”，《考證》據《玉海》引《中興館閣書目》認爲當作“朝”。

③ “論”下，《考證》據陳《録》認爲脱“語”字。

④ “許奕”，《考證》：“《經眼録》（整理者按，指莫友芝《宋元舊本書經眼録》）卷一，有宋本《九經直音》十五卷，宋廬陵孫奕撰。”

俞言　六經圖説十二卷

張貴謨　泮林講義三卷

周士貴　經括一卷

游桂　經學十二卷

九經經旨策義九卷　不知作者。

姜得平　詩書遺意一卷

沈貴瑶　四書要義七篇

張九成　中庸大學孝經説各一卷　又　四書解六十五卷

張綱　六經辨疑五卷　又　確論十卷

李焘　五經傳授一卷

王應麟　六經天文編六卷

陳應隆　四書輯語四十卷

劉元剛　三經演義一十一卷　《孝經》、《論》、《孟》。

右經解類五十八部,七百五十三卷。　沈貴瑶《四書要義》以下不著録九部,一百四十六卷、篇。

爾雅三卷　郭璞注。

孔鮒　小爾雅一卷

楊雄　方言十四卷

史游　急就章一卷

劉熙　釋名八卷

許慎　説文解字十五卷

孫炎　爾雅疏十卷

高璉　爾雅疏七卷

徐鍇　説文解字係傳四十卷[①]　又　説文解字韻譜十卷　説文

---

① "係",武英殿本同,中華本徑改作"繫"。

解字通釋四十卷
僧雲棫[①] 補説文解字三十卷
錢承志 説文正隸三十卷
張揖 廣雅音三卷
吕忱 字林五卷
曹憲 博雅十卷
顧野王 玉篇三十卷
韋昭 辨釋名一卷
王僧虔 評書一卷
梁武帝 評書一卷
千字文一卷 梁周興嗣次韻。
顔之推 證俗音字四卷 又 字始三卷
虞荔 鼎録一卷
蕭該 漢書音義三卷
陸法言 廣韻五卷
唐玄宗 開元文字音義二十五卷
庾肩吾 書品論一卷
陸德明 經典釋文三十卷 又 爾雅音義二卷
顔元孫 干禄字書一卷
李嗣真 書後品一卷 續古今書人優劣一卷
王之明 述書後品一卷
張懷瓘 書詁一卷 又 評書藥石論一卷 六體論一卷 古文大篆書祖一卷 書斷三卷
顔真卿 筆法一卷 又 韻海鑑源十六卷
朱禹善 書評一卷 又 有唐名書贊一卷

---

① “雲”，武英殿本同，中華本徑改作“曇”。

林罕　字源偏傍小說三卷
金華苑　二十卷
張參　五經文字五卷
李商隱　蜀爾雅三卷
顔師古　急就篇注一卷
虞世南　筆髓法一卷
唐玄度　九經字樣一卷　又　十體書一卷
張彦遠　法書要録十卷
杜林岳　集備要字録二卷
王僧虔　圖書會粹六卷
吕總　續古今書人優劣一卷
蔡希宗[1]　法書論一卷
劉伯莊　史記音義二十卷
裴瑜　爾雅注五卷
僧守温　清濁韻鈐一卷
黄伯思　東觀餘論二卷
竇儼　義訓十卷
崔逢　玉璽譜一卷　嚴士元重修,宋魏損潤色。
郭忠恕　佩觿三卷　又　污簡集七卷[2]
辨字圖四卷
歸字圖一卷
正字賦一卷
孫季昭　决疑賦二卷
徐玄[3]　三家老子音義一卷

---

① “宗”,《考證》據《通志》、《玉海》認爲當作“綜”。
② “污”,武英殿本同,中華本徑改作“汗”。
③ “玄”,《考證》據《玉海》引《中興館閣書目》認爲當作“鉉”。

鄭文寶　玉璽記一卷

景德韻畧一卷　戚倫等詳定。[1]

宋高宗　評書一卷　亦名《翰墨志》。

邢昺　爾雅疏十卷

歐陽融　經典分毫正字一卷

沈立　稽正辨訛一卷

唐耜　字説集解三十册　卷亡。

錢惟演　飛白書叙録一卷

周越　古今法書苑十卷

祝充　韓文音義五十卷

李舟　切韻五卷

丘世隆　切韻搜隱五卷

劉希古[2]　切韻十玉五卷[3]

胡元質　西漢字類五卷

陳天麟　前漢通用古字韻編五卷

陳彭年等　重修廣韻五卷

韻詮十四卷[4]

僧師悦　韻關一卷

丘雍　校定韻畧五卷

韻選五卷

韻源一卷

孫愐　唐韻五卷

天寶元年集切韻五卷

---

① "倫",《考證》據《玉海》引《中興館閣書目》認爲當作"綸"。

② "希",武英殿本同,中華本據《宋史》本傳、《玉海》改作"熙"。

③ "十",武英殿本同,中華本據《玉海》改作"拾"。

④ "韻詮",《考證》:"《崇文目》(整理者按,指《崇文總目》):《韻銓》十五卷,武元之撰。"

釋智猷[①]　辨體補修加字切韻五卷
丁度　切韻十卷[②]　又　景祐禮部韻畧五卷
墨藪一卷　不知作者。
賈昌朝　群經音辨三卷
夏竦　重校古文四聲韻五卷　又　聲韻圖一卷
司馬光　切韻指掌圖一卷　又　類編四十四卷
劉温潤　羌爾雅一卷
宋祁　摘粹一卷
歐陽修　集古録跋尾六卷　又　二卷
句中正　雍熙廣韻一百卷　序例一卷　又　三體孝經一卷
楊南仲　石經七十五卷　又　三體孝經一卷[③]
燕誨　字傍辨誤一卷
道士謝利貞　玉篇解疑三十卷
象文玉篇二十卷
石懷德　隸書賦一卷
楮長文　書指論一卷
李訓　範金録一卷
翰林隱術一卷
荆浩　筆法一卷
韋氏　筆寶两字五卷
徐浩　書譜一卷　又　古跡記一卷
宋敏求　寶刻叢章三十卷
劉敞　先秦古器圖一卷
李行中　引經字源二卷

---

① “智猷”,武英殿本同,中華本據《新唐志》、《通志》改作“猷智”。
② “切”,武英殿本同,中華本據晁《志》、《通志》改作“集”。
③ “三”,《考證》據《玉海》引《中興館閣書目》認爲當作“二”。

朱長文　續書斷二卷

王安石　字説二十四卷

米芾　書評一卷　又　寶章待訪集一卷

吕大臨　考古圖十卷

李公麟　古器圖一卷

陸佃　爾雅新義二十卷　埤雅二十卷

蔡京　崇寧鼎書一卷

張有　復古編二卷　政和甲午祭禮器欵識一卷

王楚　鍾鼎篆韻二卷

吴棫　韻補五卷

董衡　唐書釋音二十卷

竇苹[1]　唐書音訓四卷

宣和重修博古圖録三十卷

趙明誠　金石録三十卷　又　別本三十卷

薛尚功　重廣鍾鼎篆韻七卷　歷代鍾鼎彝器欵識法帖二十卷

張孟　押韻十卷

許冠　韻海五十卷

吴紆　童訓統類一卷

鄭樵　石鼓文考一卷　又　字始連環二卷　象類書十一卷　論梵書三卷　爾雅注三卷　書考六卷　通志六書畧五卷

郟升卿　四聲類韻二卷　又　聲韻類例一卷

淳熙監本禮部韻畧五卷

劉球　隸韻畧七卷

潘緯　柳文音義三卷

僧應之　臨書闗要一卷

---

① "苹",《考證》據晁《志》、陳《録》認爲當作"苹"。

吕本中　童蒙訓三卷

周燔　六經音義十三卷

李盛　六經釋文二卷

黄瓌　班書韻編五卷

張㚖　石經注文考異四十卷

洪适　隸釋二十七卷　隸續二十一卷

史浩　童丱須知三卷

朱熹　小學之書四卷　又　四子四卷

程端蒙　小學字訓一卷

吕祖謙　少儀外傳二卷

陳淳　北溪字義二卷

婁機　班馬字韻二卷[①]　漢隸字源六卷　廣干禄字書五卷　古鼎法帖五卷

楊師復　漢隸釋文二卷

馬居易　漢隸分韻七卷

翟伯壽　籀文二卷[②]

胡寅　注叙古千文一卷

吕氏　叙古千文一卷

慶元嘉定古器圖六卷

僧妙華　互注集韻二十五卷

羅點　清勤堂法帖六卷

李從周　字通一卷

遼僧行均　龍龕手鑑四卷

黄伯思　法帖刊誤一卷

釋元冲　五音韻鏡一卷

---

① “韻”,武英殿本同,中華本據《宋史》本傳、陳《録》改作“類”。

② “文”,武英殿本同,中華本據陳《録》改作“史”。

施宿　大觀法帖總釋二卷　又　石鼓音一卷

蔡氏　口訣一卷　名亡。

書録一卷

書隱法一卷

筆陣圖一卷

西漢字類一卷

纂注禮部韻畧五卷

翰林禁經三卷

臨汝帖三卷

筆苑文詞一卷

法帖字證十卷

正俗字十卷

書斷例傳五卷

洪韻海源二卷

互注爾雅貫類一卷

諸家小學總録二卷

集古系時十卷

蕃漢語一卷

並不知作者。

劉紹祐　字學摭要二卷

洪邁　次李翰蒙求三卷

集齋彭氏　小學進業廣記一部

王應麟　蒙訓四十四卷　又　小學紺珠十卷　小學諷詠四卷　補注急就篇六卷

右小學類二百六部，一千五百七十二卷。　劉紹祐《字學摭要》以下不著録六部，六十九卷。

凡經類一千三百四部，一萬三千六百八卷。

二

史類十三:一曰正史類,二曰編年類,三曰別史類,四曰史鈔類,五曰故事類,六曰職官類,七曰傳記類,八曰儀注類,九曰刑法類,十曰目録類,十一曰譜牒類,十二曰地理類,十三曰霸史類。

司馬遷　史記一百三十卷　裴駰等集注。　**又　史記一百三十卷**　陳伯宣注。

班固　漢書一百卷　顔師古注。

范曄　後漢書九十卷　章懷太子李賢注。

趙抃　新校前漢書一百卷

余靖　漢書刊誤三十卷

劉昭　補注後漢志三十卷

陳壽　三國志六十五卷　裴松之注。

房玄齡　晉書一百三十卷

楊齊宣[①]　**晉書音義三卷**

沈約　宋書一百卷

蕭子顯　南齊書五十九卷

姚思廉　梁書五十六卷　又　陳書三十六卷

魏收　後魏書一百三十卷

魏澹　後魏書紀一卷　本七卷。

張太素　後魏書天文志二卷　本百卷,惟存此。

---

① 中華本校勘記曰:"《新唐書》卷五八《藝文志》、《玉海》卷四六都説《晉書音義》三卷,何超撰。《考異》卷七三謂'此書何超所撰,楊齊宣爲序,志誤以爲齊宣'。"

李百藥　北齊書五十卷

令狐德棻　後周書五十卷

顔師古　隋書八十五卷

柳芳　唐書一百三十卷　唐書叙例目一卷

劉煦　唐書二百卷

歐陽修　宋祁　新唐書二百五十五卷　目録一卷

李檜　補注唐書二百二十五卷

薛居正　五代史一百五十卷

歐陽修　新五代史七十四卷　徐無黨注。

張守節　史記正義三十卷

司馬貞　史記索隱三十卷

張泌[①]　漢書刊誤一卷

三劉漢書標注六卷　劉敞、劉攽、劉奉世。

劉攽　漢書刊誤四卷

吕夏卿　唐書直筆新例一卷

吴縝　新唐書糾繆二十卷　又　五代史纂誤三卷

朱梁列傳十五卷

張昭遠　後唐列傳三十卷

任諒　史論三卷

韓子中　新唐史辨惑六十卷

吴仁傑　两漢刊誤補遺十卷

富弼　前漢書綱目一卷

劉巨容　漢書纂誤二卷

汪應辰　唐書列傳辨證二十卷

西漢刊誤一卷　不知作者。

---

① “泌”,《考證》據《玉海》引《中興館閣書目》認爲當作“佖”。

王旦　國史一百二十卷

吕夷簡　宋三朝國史一百五十五卷

鄧洵武　神宗正史一百二十卷

王珪　宋兩朝國史一百二十卷

王孝迪　哲宗正史二百一十卷

李燾　洪邁　宋四朝國史三百五十卷

宋名臣録八卷

宋勳德傳一卷

宋两朝名臣傳三十卷

咸平諸臣録一卷

熙寧諸臣傳四卷

两朝諸臣傳三十卷

並不知作者。

張唐英　宋名臣傳五卷

葛炳奎　國朝名臣叙傳二十卷

右正史類五十七部,四千四百七十三卷。　葛炳奎《國朝名臣叙傳》不著録一部,二十卷。

荀悦　漢紀三十卷

袁宏　後漢紀三十卷

胡旦　漢春秋一百卷　問答一卷

皇甫謐　帝王世紀九卷

竹書三卷　荀勗、和嶠編。

蕭方[①]　三十國春秋三十卷

---

① "蕭方",武英殿本同,中華本據《梁書》本傳、《隋書·經籍志》(以下簡稱《隋志》)改作"蕭方等"。

孫盛　晉陽春秋三十卷①
杜延業　晉春秋畧二十卷
裴子野　宋畧二十卷
王通元經薛氏傳十五卷
馬總　通曆十卷
柳芳　唐曆四十卷
崔龜從　續唐曆二十二卷
裴煜之　唐太宗建元實跡一卷
路惟衡　帝王曆數圖十卷
陳嶽　唐統紀一百卷
丘悦　三國典畧二十卷
封演　古今年號録一卷
薛黨②　大唐聖運圖畧三卷
帝王照録一卷
王起　五位圖三卷
苗台符　古今通要四卷
馬永易　元和録三卷
大唐中興新書紀年三卷　不知作者。
韋昭度　續皇王寶運録十卷
程匡柔　大唐補紀三卷
凌璠③　唐録政要十三卷
唐天祐二年日曆一卷
杜光庭　古今類聚年號圖一卷

---

① "春"，武英殿本同，中華本據《隋志》、《新唐志》删。
② "黨"，武英殿本同，中華本據《新唐志》、《玉海》改作"璠"。
③ "璠"，武英殿本同，中華本據《新唐志》、《玉海》改作"璠"。

唐創業起居注三卷　温大雅撰。

唐高祖實録二十卷　許敬宗、房玄齡等撰。

唐太宗實録四十卷　許敬宗撰。

唐高宗復修實録三十卷①

唐武后實録二十卷

唐中宗實録二十卷

唐睿宗實録十卷　又　五卷

並劉知幾、吴兢撰。

唐玄宗實録一百卷　元載、令狐峘撰。

唐肅宗實録三十卷　元載撰。

唐代宗實録四十卷　令狐峘撰。

唐德宗實録五十卷　裴洎等撰②。

唐建中實録十五卷　沈既濟撰。

唐順宗實録五卷　韓愈撰。

唐憲宗實録四十卷

唐穆宗實録二十卷

並路隋等撰。

唐敬宗實録十卷　李讓夷等撰。

唐文宗實録四十卷　魏纂修撰③。

唐武宗實録二十卷

唐宣宗實録三十卷

唐懿宗實録二十五卷

唐僖宗實録三十卷

唐昭宗實録三十卷

---

① “復”,武英殿本同,中華本據《新唐志》、《玉海》改作“後”。

② “洎”,武英殿本同,中華本據《新唐志》、《玉海》改作“垍”。

③ “纂”,武英殿本同,中華本據《新唐志》、《玉海》改作“謩”。

唐哀宗實録八卷①

並宋敏求撰。

五代梁太祖實録三十卷　張衮、郄象等撰。

五代唐懿宗紀年録一卷②

五代唐獻祖紀年録一卷

五代唐莊宗實録三十卷

並趙鳳、張昭遠等撰。③

五代唐明宗實録三十卷　姚顗等撰。

五代唐愍帝實録三卷　張昭遠等撰。

五代唐廢帝實録十七卷　張昭等同撰。

五代晉高祖實録三十卷

五代晉少帝實録二十卷

並竇貞固等撰。

五代漢高祖實録十卷　蘇逢吉等撰。

五代漢隱帝實録十五卷

五代周太祖實録三十卷

並張昭、尹拙、劉温叟等撰。

五代周世宗實録四十卷　宋王溥等撰。

南唐烈祖實録二十卷　高遠撰。

後蜀高祖實録三十卷

後蜀主實録四十卷

並李昊撰。

宋太祖實録五十卷　李沆、沈倫修。

太宗實録八十卷　錢若水修。

---

① “宗”，武英殿本同，中華本據晁《志》、陳《録》改作“帝”。

② “宗”，武英殿本同，中華本據《崇文總目》、《通志》改作“祖”。

③ “趙”，武英殿本作“超”。

真宗實録一百五十卷　晏殊等同修。

仁宗實録二百卷　韓琦等修。

英宗實録三十卷　曾公亮等修。

神宗實録朱墨本三百卷　舊録本用墨書,添入者用朱書,删去者用黄抹。

宋高宗日曆一千卷

孝宗日曆二千卷

光宗日曆三百卷

寧宗日曆五百一十卷　重修五百卷

神宗日録二百卷①　趙鼎、范冲重修。

神宗實録考異五卷　范冲撰。

哲宗實録一百五十卷

徽宗實録二百卷

並湯思退進。

徽宗實録二百卷　李燾重修。

欽宗實録四十卷　洪邁修。

高宗實録五百卷　傅伯壽撰。

孝宗實録五百卷

光宗實録一百卷

並傅伯壽、陸游等修。

寧宗實録四百九十九册

理宗實録初藁一百九十册

理宗日曆二百九十二册　又　日曆一百八十册

度宗時政記七十八册

德祐事蹟日記四十五册

孫光憲　續通曆十卷

---

①　“日録”,武英殿本作“日曆”,中華本據《宋史》、陳《録》改作“實録”。

范質　五代通録六十五卷
劉蒙叟　甲子編年二卷
顯德日曆一卷　周扈蒙、董淳、賈黄中撰。
龔穎　運曆圖三卷
陳彭年　唐紀四十卷
宋庠　紀年通譜十二卷
鄭向　五代開皇記三十卷　两朝實録大事二卷
王玉　文武賢臣治蜀編年志一卷
武密　帝王興衰年代録二卷
五代春秋一卷
十代編年紀一卷
並不知作者。
章寔　歷代統紀一卷
司馬光　資治通鑑三百五十四卷　又　資治通鑑舉要曆八十卷　通鑑前例一卷　稽古録二十卷　歷年圖六卷　通鑑節要六十卷　帝統編年紀事珠璣十二卷　歷代累年二卷
劉恕　資治通鑑外紀十卷　又　疑年譜一卷　通鑑問疑一卷
章衡　編年通載十卷
王巖叟　繫年録一卷　元祐時政記一卷
諸葛深　紹運圖一卷
楊備　歷代紀元賦一卷
胡仔　孔子編年五卷
朱繪　歷代帝王年運銓要十卷
司馬康　通鑑釋文六卷
李燾　續資治通鑑長編一百六十八卷　又　四朝史藁五十卷　江左方鎮年表十六卷　混天帝王五運圖古今須知一卷　宋政録十二卷　宋異録一卷　宋年表一卷　又　年表一卷

史炤　資治通鑑釋文三十卷
晁公邁　歷代記年十卷
熊克　九朝通略一百六十八卷
中興小曆四十一卷
吕祖謙　大事記二十七卷　又　宋通鑑節五卷[①]　吕氏家塾通鑑節要二十四卷
朱熹　通鑑綱目五十九卷　又　提要五十九卷
宋聖政編年十二卷　不知作者。
汪伯彦　建炎中興日曆一卷
袁樞　通鑑紀事本末四十二卷
喻漢卿　通鑑總攷一百十二卷
吴曾　南北征伐編年二十三卷
徐度　國紀六十五卷
胡宏　皇王大紀八十卷
李丙　丁未録二百卷
李心傳　建炎以來繫年要録二百卷
國史英華一卷　不知作者。
何許　甲子紀年圖一卷
曾慥　通鑑補遺一百篇
李孟傳　讀史十卷
崔敦詩　通鑑要覽六十卷
王應麟　通鑑答問四卷
胡安國　通鑑舉要補遺一百二十卷
沈樞　通鑑總類二十卷
張根　歷代指掌編九十卷

① “節”下,《考證》疑脱“要”字。

李心傳　孝宗要略初草二十三卷
張公明　大宋綱目一百六十七卷
洪邁　節資治通鑑一百五十卷　又　太祖太宗本紀三十五卷　又　四朝史紀三十卷　又　列傳一百三十五卷
黄維之　太祖政要一十卷
吕中　國朝治迹要略十四卷

右編年類一百五十一部，一萬五百七十五卷。《寧宗實録》以下不著録六部，無卷。曾慥《通鑑補遺》以下不著録十五部，九百六十八卷。

王瓘　廣軒轅本紀一卷[①]
汲冢周書十卷
郭璞　注穆天子傳六卷
趙曄　吴越春秋十卷
皇甫遵　注吴越春秋十卷
司馬彪　九州春秋十卷
趙瞻　史記牴牾論五卷
漢書問答五卷
劉珍等　東觀漢紀八卷
孔衍　春秋後語十卷
李延壽　南史八十卷　又　北史一百卷
元行冲　後魏國典三十卷
金陵六朝記一卷
王豹　金陵樞要一卷
李匡文　漢後隋前瞬貫圖一卷
李康　唐明皇政録十卷

① “一”，武英殿本作“三”。

袁皓　興元聖功録　功臣録三十卷

唐僖宗日曆一卷

劉肅　唐新語十三卷

唐總記三卷

渤海填　唐廣德神異録四十五卷

歐陽迥　一作“炳”　唐録備闕十五卷

裴潾　大和新脩辨謗略三卷

程匡榮　一作“柔”　唐補注記　“注記”一作“紀”三卷

曹玄圭　唐列聖統載圖十卷

郭脩　唐年紀録一卷

南卓　唐朝綱領圖五卷

唐紀年記二卷

吴兢　開元名臣録三卷　又　唐太宗勳史一卷　唐書備闕記十卷

高峻　小史一百十卷

許嵩　建康實録二十卷

張詢古　五代新説二卷

劉軻　帝王曆數歌一卷　又　唐年歷代一卷

裴庭裕　東觀奏記三卷

新野史十卷　題“顯德元年終南山不名子撰”。

張傳靖　唐編記　一作“紀”　十卷

胡旦　唐乘　一作“策”　七十卷

王淞　唐志二十一卷

孫甫　唐史記七十五卷

王皡　唐餘録六十卷

李匡文　兩漢至唐年紀一卷

王禹偁　五代史闕文二卷

陶岳　五代史補五卷
詹玠　唐宋遺史四卷
劉直方　大唐機要三十卷
蘇轍　古史六十卷
孫沖　五代紀七十七卷
王軫　五朝春秋二十五卷
劉攽　五代春秋一部　卷亡。
劉恕　十國紀年四十二卷
常璩　華陽國志十卷
江南志二十卷
李清臣　平南事覽二十卷　吴書實録三卷　記楊行密事。
真宗聖政紀一百五十卷　又　政要十卷
仁宗觀文覽古圖記十卷[①]
丁謂　大中祥符奉祀記五十卷　目二卷　又　大中祥符迎奉聖像記二十卷　目二卷
李維　大中祥符降聖記五十卷　目三卷
王欽若　天禧大禮記五十卷　目二卷
吕夷簡　三朝寶訓三十卷
李淑　三朝訓覽圖十卷
錢惟演　咸平聖政録三卷
李昭遘　永熙政範二卷
張商英　神宗正典六卷
林希　兩朝寶訓二十一卷
舒亶　元豐聖訓三卷　六朝寶訓一部　卷亡。
鄭居中　崇寧聖政二百五十五册　又　聖政録三百二十三册

① “覽”,《考證》據《玉海》引《中興館閣書目》認爲當作“鑒”。

賈緯　備史六卷　史系二十卷
楊九齡　正史雜論十卷
河洛春秋二卷
歷代善惡春秋二十卷
李筌　閫外春秋十卷
薛韜玉　帝照一卷
沈汾　元類一卷
楊岑　皇王寶運録三十卷
瞿 一作“翟” 驤　帝王受命編年録三十卷
徐廙　三朝革命録三卷
錢信　皇猷録一卷
歷代鴻名録八卷
韋光美　嘉號録一卷
崔倜　帝王授受圖一卷
牛檢　帝王事迹相承圖三卷
歷代君臣圖二卷
龔穎　年 一作“運” 曆圖八卷
賈欽文　古今代曆一卷[①]
張敦素　通記 一作“紀” 建元曆二卷
柳粲[②]　補注正閏位曆三卷
杜光庭　帝王年代州郡長曆二卷
王起　五運圖一卷
曹玄圭　五運圖 一作“録” 十二卷
張洽　五運元紀一卷

① “代”,武英殿本同,中華本據《新唐志》改作“年代”。
② “粲”,武英殿本同,中華本據《新唐志》改作“璨”。

古今帝王記十卷
衞牧 帝王真僞記七卷
紀年志一卷
武密 帝王年代録三十卷
鄭伯邕 帝王年代圖一卷 又 帝王年代記三卷
焦璐 聖朝年代記 一作"紀"十卷
韋光美 帝王年號圖一卷
汪奇 古今帝王年號録一卷
李昉 歷代年號一卷
蓋君平 重編史雋三十卷
孫昱 十二國史十二卷
西京史略二卷
史記掇英五卷
並不知作者。
鄭樵 通志二百卷
蕭常 續後漢書四十二卷
李杞 改修三國志六十七卷
陳傅良 建隆編一卷 一名《開基事要》。
葵幼學[①] 宋編年政要四十卷 又 宋實録列傳舉要十二卷
洪偃 五朝史述論八卷 洪邁孫。
趙甡[②] 中興遺史二十卷
樓昉 中興小傳一百篇
右別史類一百二十三部,二千二百十八卷[③]。 趙甡《中興遺史》以下不著録二部,一百二十卷篇。

---

① "葵",中華本徑改作"蔡"。
② "趙甡",武英殿本同,中華本據陳《録》改作"趙甡之"。
③ "十八",武英殿本作"八十"。

馬史精略五十六卷
趙世逢　兩漢類要二十卷
周護　三史菁英三十卷　十七史贊三十卷
三代説辭十卷 不知作者。
孫玉汝　南北史練選十八卷①
史畧三卷
楊侃　兩漢博聞十二卷
林鉞　漢雋十卷
宗諫　三國採要六卷
薛儆　晉書金穴鈔十卷
荀綽　晉略九卷
張陟　晉略二十卷
杜延業　晉春秋略二十卷
晉史獵精一百三十卷
胡寅　讀史管見三十卷　又　三國六朝攻守要論十卷
趙氏　六朝採要十卷
杭暕　金陵六朝帝王統紀一卷
薛韜玉　唐要録二卷
張栻　通鑑論篤四卷
孫甫　唐史論斷二卷
石介　唐鑑五卷
范祖禹　唐鑑十二卷　又　帝學八卷
陳季雅　兩漢博議十四卷
李舜臣　江東十鑑一卷
陳傅良　西漢史鈔十七卷

---

① “練選”,《考證》引洪邁《容齋續筆》認爲當作“選練”。

東萊先生西漢財論十卷　呂祖謙論，門人編。
劉希古　歷代紀要五十卷
喬舜　古今語要十二卷[①]
賈昌朝　通紀八十卷
趙善譽　讀史輿地攷六十三卷　一名《輿地通鑑》。
裴松之　國史要覽二十卷
鄭暐　史雋十卷
曹化　史書集類三卷
朱黼　紀年備遺正統論一卷
唯室先生兩漢論一卷　陳長方。
張唐英　唐史發潛六卷
倪遇　漢論十三卷
陳惇修　唐史斷二十卷
王諫　唐史名賢論斷二十卷
程鵬　唐史屬辭四卷　唐帝王號宰臣録十卷
名賢十七史確論一百四卷　不知作者。
胡旦　五代史略四十二卷
韓保升　文行録五十卷
李堊　續帝學一卷
姚虞賓　諸史臣謨八卷
鄭少微　唐史發揮十二卷
陳天麟　前漢六帖十二卷
陳應行　讀史明辨二十四卷　又　讀史明辨續集五卷
師古　三國志質疑十四卷　又　西漢質疑十九卷　東漢質疑九卷

① 類事類重出，著者當作"喬舜封"。

何博士備論四卷 何去非。

陳亮 通鑑綱目二十三卷

葉學士唐史鈔十卷 不知名。

唐仲友 唐史義十五卷 又 續唐史精義十卷

楊天惠 三國人物論三卷

李石 世系手記一卷

两漢著明論二十卷

十二國史略三卷

章華集三卷

縱横集二十卷

十三代史選五十卷

南史摭實韻句三卷

議古八卷

史譜七卷

五代纂要賦一卷

國朝撮要一卷

約論十卷

並不知作者。

李燾 歷代宰相年表三十三卷 又 唐宰相譜一卷 王謝世表一卷 五代三衙將帥年表一卷

竇濟 皇朝名臣言行事對十二卷

李心傳 舊聞證誤十五卷

龔敦頤 符祐本末一十卷

洪邁 記紹興以來所見二卷

右史鈔類七十四部,一千三百二十四卷。 李燾《歷代宰相年表》以下不著録八部,七十五卷。

班固　漢武故事五卷

蔡邕　獨斷二卷

裴烜之　承祚實跡一卷

王琳[①]　魏鄭公諫録五卷

武平一　景龍文館記十卷

吴兢　貞觀政要十卷　又　開元昇平源一卷

蘇瓌　中樞龜鑑一卷

韓琬　御史臺記十二卷

韋述　集賢注記二卷

崔庭光[②]　德宗幸奉天録一卷

沈既濟　選舉志三卷

馬宇　鳳池録五卷

韋執誼　翰林故事一卷

李吉甫　元和國計略一卷

劉公鉉　鄴城舊事六卷

韋處厚　翰林學士記一卷

元稹　承旨學士院記一卷

李德裕　西南備邊録一卷　又　两朝獻替記二卷　柳氏舊聞一卷[③]

令狐澄　貞陵遺事一卷

令狐綯　制表疏一卷

李司空論事七卷　唐蔣皆編，[④]李絳所論。

南卓　綱領圖一卷

---

① “琳”，武英殿本同，中華本據《新唐志》、陳《録》改作“綝”。

② “庭光”，武英殿本同，中華本據《新唐志》、《崇文總目》改作“光庭”。

③ “柳氏”，武英殿本同，中華本據《新唐志》、晁《志》改作“次柳氏”。

④ “皆”，武英殿本同，中華本徑改作“偕”。

鄭處誨　明皇雜録二卷　又　天寶西幸略一卷

吴湘事迹一卷　不知作者。

王仁豁[①]　開元天寶遺事一卷

盧駢　御史臺三院因話録一卷

柳玭　續貞陵遺事一卷

鄭向　起居注故事三卷

蘇頌　邇英要覽一部　卷亡。

樂史　貢舉故事二十卷　目一卷

鄭略[②]　敕語堂判五卷

李巨川　勤王録二卷

楊鉅　翰林舊規一卷

張著　翰林盛事一卷

李構　御史臺故事三卷

李肇　翰林内誌一卷　又　翰林志一卷

蘇易簡　續翰林志二卷

杜宗事迹一卷[③]

梁宣底三卷

汾陰后土故事三卷　自漢至唐。

武成王配饗事迹二十卷

并不知作者。

林勤　國朝典要雜編一卷

李大性　典故辨疑二十卷

吕夷簡　林希　進　五朝寶訓六十卷　三朝太平寶訓二十卷

---

① "豁",武英殿本同,中華本徑改作"裕"。

② "略",武英殿本同,中華本據陳《録》、尤《目》改作"畋"。

③ "宗",武英殿本同,中華本據《新唐志》、《崇文總目》改作"悰"。

三朝訓鑒圖十卷　仁宗製序。

沈該　進　神宗寶訓一百卷

神宗寶訓五十卷　不知集知姓名①。

洪邁　集哲宗寶訓六十卷

欽宗寶訓四十卷

高宗聖政六十卷

高宗寶訓七十卷

孝宗寶訓六十卷

並國史實録院進。

史彌遠　孝宗寶訓六十卷

紹興求賢手詔一卷

高宗聖政編要二十卷②　乾道、淳熙中修。

高宗聖政典章十卷　不知作者。

宋朝大詔令二百四十卷　紹興中，出於宋綬家。

永熙寶訓二卷　李妨子宗諤纂③。

仁宗観文鑒古圖十卷

王洙　祖宗故事二十卷

李淑　耕籍類事五卷

林特　東對西祀朝謁太清宫慶賜總例二十六卷

韓絳　治平會計録六卷

李常　元祐會計録三卷

崔立　故事稽疑十卷

孝宗聖政五十卷

彭龜年　内治聖鑒二十卷

---

① “不知集知姓名”，武英殿本同，下“知”字應爲“者”。

② “高宗”，武英殿本同，中華本據陳《録》、《通考》改作“高宗孝宗”。

③ “妨”，武英殿本同，中華本徑改作“昉”。

光宗聖政三十卷

富弼　契丹議盟別録五卷

朱勝非　秀水閑居録二卷

吕本中　紫微雜記一卷

蔡絛　北征紀實二卷

萬俟卨　大后回鑾事實十卷

湯思退等　永祐陵迎奉録十卷

大惟簡　塞北紀實三卷

宋敏求　朝貢録二十卷

張養正　六朝事迹十四卷

吴彦夔　六朝事迹別集十四卷

韓元吉　金國生辰語録一卷

劉珙　江東救荒録五卷

宋介　執禮集二卷

陳曄　通州鬻海録一卷

龔頤正　續稽古録一卷

洪邁　漢苑群書三卷①　又　會稽和買事宜録七卷

程大昌　北邊備對六卷

慶曆邊議三卷

開禧通和録一卷

開禧持書録二卷

開禧通問本末一卷

金陵叛盟記十卷

並不知作者。

① “邁”、“漢”,武英殿本同,中華本據陳《録》改作“遵”、“翰”。

宋祥[①] 尊號録一卷 又 掖垣叢志三卷

董熠 活民書三卷 又 活民書拾遺一卷

史館故事録三卷

五國故事二卷

並不知作者。

尉遲偓[②] 中朝故事二卷

孔武仲 金華講義十三卷

王禹偁 建隆遺事一卷

田錫 三朝奏議五卷

曾致堯 清邊前要五十卷

李至 皇親故事一卷

杜鎬 鑄錢故事一卷

丁謂 景德會計録六卷

王曙 群牧故事三卷

两朝誓書一卷 景德中,興契丹往復書。[③]

辛怡顯 雲南録三卷

沈該 翰林學士年表一卷

蘇耆 次續翰林志一卷

錢惟演 金陵遺事三卷[④]

晁迥 別書金坡遺事一卷

李宗諤 翰林雜記一卷

王皡 言行録一卷

---

① "祥",武英殿本同,中華本據《宋史》、陳《録》改作"庠"。

② "握",《考證》:《崇文總目》、《通志》作"樞"。陳《録》作"偓"。書今存,見《四庫全書》,作"偓"。

③ "興",武英殿本同,中華本徑改作"與"。

④ "陵",武英殿本同,中華本作"坡"。

王旦　名賢遺範録十四卷
余靖　國信語録一卷
李淑　三朝訓鑒圖十卷
陳湜　三朝逸史一卷
沈立　河防通議一卷
富弼　救濟流民經畫事件一卷
田況　皇祐會計録六卷
陳次公　安南議十篇
宋咸平[①]　朝制要覽十五卷
李上交　近事會元五卷
范鎮　國朝事始一卷　又　東齋記事十二卷
太平盛典三十六卷
國朝寶訓二十卷
慶曆會計録二卷
經費節要八卷

並不知作者。

張唐英　君臣政要四十卷
陳襄　國信語録一卷
趙槩　日記一卷
司馬光　日録三卷
郟亶　吴門水利四卷
王安石　熙寧奏對七十八卷
程師孟　奏録一卷
羅從彦　宋遵堯録八卷
何澹　歷代備覽二卷

---

① “平”,武英殿本同,中華本據陳《録》、《玉海》删。

王禹　王家三世書誥一卷

司馬光　涑水記聞三十二卷

周必大　鑾坡録一卷　又　淳熙玉堂雜記一卷

陳模　東宫備覽一卷

三朝政録十二卷

廣東西城録一卷

交廣圖一卷

並不知作者。

曾鞏　宋朝政要策一卷

畢仲衍　中書備對十卷

李清臣　張誠一　元豐土貢録二卷

龐元英　文昌雜録七卷

韓絳　吴充　樞密院時政記十五卷

蘇安　靜邊説一卷

薛向　邊陲利害三卷

仁宗君臣政要二十卷　不知何人編。

范祖禹　仁皇訓典六卷

曾鞏①　德音寶訓三卷

汪浹　榮觀集五卷

張舜民　使邊録一卷②

朱匪躬③　館閣録十一卷

劉永壽　章獻事迹一卷

曾布　三朝正論二卷

林虙　元豐聖訓二十卷

---

① "鞏",《考證》據《玉海》引《中興館閣書目》認爲當作"肇"。

② "邊",武英殿本同,中華本據晁《志》改作"遼"。

③ "朱",武英殿本同,中華本作"宋"。

家安國　平蠻録三卷

羅畸　蓬山記五卷

明堂詔書一卷　不知集者。

高聿　鹽池録一卷

吴若虚　崇聖恢儒集三卷

洪楡　創業故事十二卷

耿延禧　建炎中興記一卷

程俱　麟臺故事五卷

洪興祖　續史館故事録一卷

張戒　政要一卷[①]

李源[②]　三朝政要增釋二十卷

歐陽安永　祖宗英睿龜鑑十卷

陳騤　中興館閣録十卷

趙勰　廣南市舶録三卷

嚴守則　通商集三卷

契丹禮物録一卷

金華故事一卷

两朝交聘往來國書一卷

並不知作者。

臧梓　吕丞相勤王記一卷

李攸　通今集二十卷　又　宋朝事實三十五卷

袁夢麟　漢制叢録二十卷

倪思　合宫嚴父書一卷

詹儀之　淳熙經筵日進故事一卷　又　淳熙東宫日納故事

---

① “政要”,《考證》據《玉海》引《中興館閣書目》認爲當作“太祖政要”。

② “李”,《考證》據陳《録》認爲當作“吕”。

一卷

李心傳　建炎以來朝野雜記十一卷　又　朝野雜記甲集二十卷　乙集二十卷

陸游　聖政草一卷①

彭百川　治迹統類四十卷　又　中興治迹統類三十卷

江少虞　皇朝事實類苑二十六卷

張綱　列聖孝治類編一百卷

黄度　藝祖憲監三卷　又　仁皇從諫録三卷

趙善譽　宋朝開基要覽十四卷

右故事類一百九十八部，二千九十四卷。彭百川《治迹統類》以下不著録七部，二百二十一卷。

東漢百官表一卷　不知作者。

陶彦藻②　職官要録七卷　又　職官要録補遺十八卷

李吉甫　百司舉要一卷③

唐玄宗　六典三十卷

杜英師　唐職該一卷

梁載言　具員故事十七卷

大唐宰相歷任記二卷

任戩④　官品纂要十卷

宰輔年表一卷

官品式律一卷

歷代官號十卷

---

① "聖政草"，《考證》據陳《録》認爲當作"高宗聖政草"。

② "陶彦藻"，《考證》：《隋志》作"陶藻"，《舊唐志》作"陶操"。

③ "百司舉要"，《考證》：諸志皆作"元和百司舉要"，"元和"二字不當省。

④ "戩"，武英殿本作"職"。

並不知作者。

楊侃　職林三十卷

孔至道　百官要望一卷

閻承琬　君臣政要三十卷

蒲宗孟　省曹寺監事目格子四十七卷

郄殷象　梁循資格一卷

王涯　唐循資格一卷

杜儒童　中書則例一卷

譚世勣　本朝宰執表八卷

張文褚[①]　**唐文昌損益三卷**

萬當世　文武百官圖二卷

陳繹　宰相拜罷圖一卷[②]　**又　樞府拜罷録一卷　三省樞密院除目四卷**

司馬光　百官公卿表十五卷

孫逢吉　職官分紀五十卷

梁勗　職官品服三十三卷

趙氏　唐典備對六卷　不知名。

三省儀式一卷

職事官遷除體格一卷

循資格一卷

循資曆一卷

唐宰相後記一卷

國朝撮要一卷

宋朝宰輔拜罷圖四卷

---

① “文褚”,武英殿本同,中華本據《新唐志》改作“之緒”。

② “圖”,武英殿本同,中華本據晁《志》、《通考》改作“録”。

宋朝官制十一卷

三省總括五卷

並不知作者。

王益之　漢官總録十卷　又　職源五十卷

宋朝相輔年表一卷　《中興館閣書目》云："臣繹上，《續表》曰臣易記"。

蔡元道　祖宗官制舊典三卷

趙隣幾　史氏懋官志五卷

趙曄　宋官制正誤沿革職官記三卷

何異　中興百官題名五十卷

龔頤正[①]　**宋特命録一卷**

司馬光　官制遺藁一卷

徐自明　宰輔編年録二十卷

蔡幼學　續百官公卿表二十卷　又　續百官表質疑十卷

曾三異　宋新舊官制通攷十卷　又　宋新舊官制通釋二卷

范仲[②]　**宰輔拜罷録二十四卷**

徐均[③]　**漢官考四卷**

董正工　職官源流五卷

金國明昌官制新格一卷　不知何人撰。

楊王休　諸史闕疑三卷

趙粹中　史評五卷

王應麟　通鑑地理攷一百卷　又　通鑑地理通釋十四卷　又　漢藝文志攷證十卷　又　漢制攷四卷

右職官類五十六部，五百七十八卷。　楊王休《諸史闕疑》以下不

---

① "龔頤正"本名敦頤，史鈔類著録《符祐本末》、故事類著録《續稽古録》、職官類著録《宋特命録》、傳記類著録《清江三孔先生列傳譜述》皆作"龔頤正"。

② "仲"，武英殿本同，中華本徑改作"沖"。

③ "均"，武英殿本同，中華本據晁《志》、陳《録》改作"筠"。

著録六部,一百三十六卷。

劉向　古列女傳九卷

漢武内傳二卷　不知作者。

郭憲　洞冥記四卷

班昭　女戒一卷

伶玄　趙飛燕外傳一卷

皇甫謐　高士傳十卷

袁宏　正始名士傳二卷

葛洪　西京雜記六卷

習鑿齒　襄陽耆舊記五卷

蕭韶　太清紀十卷

杜寶　大業雜記十卷

劉餗　國史異纂三卷

梁載言　梁四公記一卷

趙毅　大業略記三卷

顔師古　大業拾遺一卷

賈潤甫[①]　**李密傳三卷**

李筌　中台志十卷

杜儒童　隋季革命記五卷

隋平陳記一卷

魏徵　隋靖列傳一卷

徐浩　廬陵王傳一卷

劉仁軌　河洛行年記十卷

---

①　"潤",武英殿本同,中華本據《新唐志》、《崇文總目》改作"閏"。

李恕己[①]　誡子拾遺四卷

越國公行狀一卷　唐鍾紹京事迹。

陳翃　郭令公家傳十卷　又　忠武公將佐略一卷

殷亮　顏杲卿家傳一卷　又　顏真卿行狀一卷

李邕　狄梁公家傳一卷

包諝　河洛春秋二卷

陳鴻　東城父老傳一卷

張鷟　朝野僉載二十卷　又　僉載補遺三卷

李匡文　明皇幸蜀廣記圖二卷

郭湜　高力士外傳一卷

姚汝能　安禄山事迹三卷

三朝遺事一卷　載張説、姚崇、宋璟事，不知作者。

甘伯宗　名醫傳七卷

臨川名　一作"賢"士賢　一作"名"迹傳三卷

李淑　一作"渤"[②]　六賢傳一卷

孫仲[③]　遺士傳一卷　賢牧傳十五卷

張茂樞　張氏家傳三卷

吴操　蔣子文傳一卷

王方慶　魏玄成傳一卷

郭元振傳一卷

范質　桑維翰傳三卷

李翰　張中丞外傳一卷

温畬　一作"畬"[④]　天寶亂離記一卷

---

① "己"，武英殿本同，中華本據《新唐志》、《崇文總目》删。

② "淑"，《考證》據《新唐志》、《通志》認爲當作"渤"。

③ "仲"，《考證》據《玉海》認爲當作"冲"。

④ "畬"，《考證》據《新唐志》、《崇文總目》認爲當作"畬"。

劉諫　一作"綀"　國朝傳記三卷

賀楚　奉天記一卷

太和摧兇記一卷

楊棲白　南行記一卷

王坤　僖宗幸蜀記一卷

牛朴　登庸記一卷

江文秉　都洛私記十卷

胡嶠　陷遼記三卷

元澄　秦京内外雜記一卷

蜀記一卷

西戎記二卷

顔師古　獬豸記一卷

靜亂安邦記一卷

睢陽得死集一卷　載張巡、許遠事,不知作者。

沈既濟　江淮記亂一卷

李公佐　建中河朔記六卷

陳岠　朝廷卓絶事記一卷

谷況　燕南記三卷

鄭澥　涼國公平蔡録一卷

李涪　刊誤一卷

陸贄　玄宗編遺録二卷

韓昱　壺關録三卷

林恩　補國史五卷

馬總　唐年小録六卷

杜祐　實佐記一卷[①]

---

① "杜祐實佐記",《考證》:《新唐志》、《崇文總目》均作"杜佑實佐記"。

陳諫等　彭城公事迹三卷
王昌齡　瑞應圖一卷
路隋　平淮西記一卷　又　邠志三卷
李肇　國史補三卷
李潛用　乙卯記一卷
房千里　投荒雜録一卷
李繁　鄴侯家傳十卷
李石　開成承詔録二卷
李德裕　異域歸忠傳二卷　又　大和辨謗略三卷　會昌伐叛記一卷
高少逸　四夷朝貢録十卷
李商隱　李長吉小傳五卷
蔡京　王貴妃傳一卷
李璋　太原事蹟雜記十三卷
張雲　咸通庚寅解圍録一卷
鄭樵　彭門紀亂三卷
韓偓　金鑾密記一卷
朱朴　日曆一卷
李氏　大聖列聖園陵記一卷①　不知名。
丘旭　賓朋宴語一卷
盧言　雜説一卷
于政立　類林十卷
李奕　唐登科記一卷
唐顯慶登科記五卷
徐鍇　登科記十五卷

① “大聖”，武英殿本同，中華本據陳《録》、尤《目》改作“大唐”。

樂史　登科記三十卷
登科記一卷
登科記二卷　起建隆至宣和四年。
張觀　二十二國祥異記三卷
徐岱　奉天記一卷
徽宗　宣和殿記一卷　又　嵩山崇福記一卷　太清樓特宴記一卷　筠莊縱鶴宣和閣記一卷　宴延福宮承平殿記一卷　明堂記一卷　艮嶽記一卷
陳繹　東西府記一卷
沈立　都水記二百卷　又　名山記一百卷
章惇　導洛通汴記一卷
李清臣　重修都城記一卷
王革　天泉河記一卷
上黨記叛一卷
宋巨　一作"宗拒"[①]　明皇幸蜀録一卷
趙源一[②]　奉天録四卷
陸贄　遣使録一卷
李繁　北荒君長録三卷
陸希聲　北户雜録三卷
蘇特　一作"時"　唐代衣冠盛事録一卷
鄭言　平剡録一卷
復交阯録二卷
哥舒翰幕府故吏録一卷
李巨川　許國公勤王録三卷

---

① 《考證》云:《宋志》作"宗拒",誤。
② "源",《考證》:《新唐志》、《崇文總目》、陳《録》均作"元"。

乾明[①] 一作“寧” 會稽録一卷

三楚新録一卷

英雄佐命録一卷

世宗征淮録一卷

濠州干戈録一卷

樂史 孝悌録二十卷 讚五卷

曹希逵[②] 一作“逢” 孝感義聞録三卷

張續[③] 建中西狩録一卷

元宏 錢塘平越州録一卷

潘氏家録一卷 潘美行狀、告辭。

胡訥 孝行録二卷 又 賢惠録二卷 民表録三卷

李陞 登封誥成録一百卷

凌准 邠志二卷

郭廷晦[④] 妖亂志三卷

韋琯 國相事狀七卷

雲南事狀一卷

劉中州事迹一卷

魏玄成故事三卷

趙寅 趙君錫遺事一卷

楊時 開成紀事二卷

楊九齡 桂堂編事二十卷

范鎮 東齋記事十二卷

李隱 一作“随” 唐記奇事十卷

---

① “乾明”,《考證》:《新唐志》、《崇文總目》均不著撰人,當注云“不知作者”。

② “逵”,《考證》認爲當作“達”。

③ “續”,武英殿本同,中華本據《新唐志》、《通志》改作“讀”。

④ “晦”,武英殿本同,中華本據《新唐志》、《崇文總目》改作“誨”。

史演　咸寧王定難實序一卷

登科記解題二十卷　欒史[①]　廣孝悌　一作"新"　書五十卷

危高[②]　孝子拾遺十卷

紹興名臣正論一卷　題瀟湘樵夫序。

吕頤浩遺事一卷　頤浩出處大槩。

吕頤浩逢辰记一卷　頤浩歷官次序。

朱勝非年表一卷　勝非孫昱上。

朱勝非行狀一卷　劉岑撰。

奉神述一卷　真宗製。

史浩　會稽先賢祠傳贊二卷

張栻　諸葛武侯傳一卷

趙彦博　昭明事實二卷[③]

吕文靖公事狀一卷　不知作者。

王巖叟　韓忠獻公别録一卷

韓忠獻公家傳一卷　韓琦五世孫庚卿作。

吕祖謙　歐公本末四卷

韓莊敏公遺事一卷　韓宗武記。

邵伯温　邵氏辨誣三卷

薛齊誼　六一居士年譜一卷

胡剛中家傳一卷　男胡興宗撰。

黄璞　閩中名士傳一卷

岳珂　籲天辨誣五卷

李綱等　張忠文節誼録一卷

---

① "欒史",武英殿本同,中華本據《宋史·欒黄目傳》移置"登科記解題二十卷"之上。

② "高",《考證》引《崇文總目》、《通志》均作"皋"。

③ "昭明事實",《考證》引陳《録》作"昭明太子事實"。

陳曄　种師道事迹一卷

張琰　种師道祠堂碑一卷

談氏家傳一卷　談鑰撰。

王淹　槐庭濟美録十卷

英顯張侯平寇録一卷　不知作者。

洪适　五代登科記一卷

周鑄　史越王言行録十二卷

劉氏傳忠録三卷　劉學裘撰。

陳瓘墓誌一卷　自撰。

了齋陳先生言行録一卷　陳瓘男正同編。

趙文定公遺事一卷　不知何人編。

常諫議長洲政事録一卷　常安民撰。

朱文公行狀一卷　黄榦撰。

李亳　趙鼎行狀三卷

岳珂　鄂國金佗粹編二十八卷

吴柔勝　宗澤行實十卷

李朴　豐清敏遺事一卷

劉岳李魏傳二卷　張穎撰。

劉球　劉鄜王事實一十卷

尹機　宿州事實一卷

石茂良　避羌夜話一卷①　又　靖康録一卷②

中興禦侮録一卷

皇華録一卷

南北歡盟録一卷

---

①　“羌”，武英殿本同，中華本據晁《志》、陳《録》改作“戎”。

②　“靖康録一卷”，《考證》據陳《録》及徐夢莘《三朝北盟會編》認爲作者當是“朱邦基”。

裔夷謀夏録二卷

並不知作者。

張師顔　金虜南遷録一卷

張棣　金亮講和事迹一卷

洪遵　泉志十五卷

張甲　浸銅要録一卷

姚康　唐登科記十五卷

馬宇　段公別集二卷[①]

張陟　唐年經略志十卷

柳玭　柳氏序訓一卷

柳理[②]**　柳氏家學一卷**

李躍　嵐齋集一卷

段公路　北户雜録一卷

鄭暐　蜀記三卷

野史甘露新記二卷

諱行録一卷

大和野史三卷

逸史一卷

拓跋記一卷

文場盛事一卷

楊妃外傳一卷

並不知作者。

蕭時和[③]**　天祚永歸記一卷**

---

① "集",武英殿本同,中華本據《新唐志》、《崇文總目》改作"傳"。

② "理",原作"程",據《考證》改,中華本徑改之,未出校。

③ "時",武英殿本同,中華本據《新唐志》、《崇文總目》改作"叔"。

薛國存[①]　**河南記二卷**

李綽　張尚書故實一卷

劉昶　嶺外録異三卷

王振　汴水滔天録一卷

王權　汴州記一卷

高若拙　後史補三卷

黄彬　莊宗召禍記一卷

晉朝陷蕃記一卷　不知作者。

余知古　渚宫舊事十卷

張昭　太康平吴録二卷

王仁裕　入洛記一卷　又　南行記一卷

崔氏登科記一卷　不知作者。

范質　魏公家傳三卷

趙普　飛龍記一卷

勾延慶　成都理亂記八卷

錢儼　戊申英政録一卷

閻自若　唐宋汎聞録一卷[②]

曹彬别傳一卷　曹彬之孫偃撰。

陳承韞　南越記一卷

蔣之奇　廣州十賢贊一卷

安德裕　滕王廣傳一卷[③]

王延德　西州使程記一卷

張緒　續錦里耆舊傳十卷[④]

---

① "國",武英殿本同,中華本據《新唐志》、《崇文總目》改作"圖"。

② "閻"、"汎",中華本同,武英殿本作"高"、"汍"。

③ "王",武英殿本作"天"。

④ "耆舊",武英殿本作"蓍左"。

沈立　奉使二浙雜記一卷

路政[1]　乘軺録一卷

李畋　孔子第子贊傳六十卷　又　乖崖語録一卷　載張詠政績。

張齊賢　洛陽搢紳舊聞記五卷

張逵　蜀寇亂小録一卷

曾致堯　廣中台記八十卷　又　緑珠傳一卷

許載　吴唐拾遺録十卷

樂史　唐滕王外傳一卷　又　李白外傳一卷　洞僊集一卷

許邁傳一卷

楊貴妃遺事二卷　題岷山叟上。

李昉談録一卷　李宗諤撰。

潘美事迹一卷

平蜀録一卷

國朝名將行狀四卷

議盟記一卷

寇凖遺事一卷

丁謂談録一卷

郭贄傳畧一卷

並不知作者。

任升[2]　梁益記十卷

錢惟演　錢俶貢奉録一卷

王旦遺事一卷　王素撰。

寇瑊　奉使録一卷

王皞　唐餘録六十卷

---

① "政",武英殿本同,中華本據晁《志》、陳《録》改作"振"。

② "升",《考證》:《玉海》引《中興館閣書目》同,晁《志》、陳《録》均作"弁"。

蔡元翰　唐制舉科目圖一卷

劉涣　西行記一卷

王曾　筆録一卷

富弼　奉使語録二卷　又　奉使別録一卷

王曙　戴斗奉使録一卷

燕北會要録一卷

虜庭雜記十四卷

契丹須知一卷

陰山雜録十五卷

契丹實録一卷

學士年表一卷

韓琦遺事一卷

孫沔遺事一卷

並不知作者。

歐陽修　歸田録八卷

王起　甘陵誅叛録一卷

趙翢　廣州牧守記十卷　又　交阯事迹八卷

曹叔卿　儂智高一卷

滕甫　征南録一卷

馮炳　皇祐平蠻記二卷

劉敞　使北語録一卷

宋景文公筆記五卷　《契丹官儀》及《碧雲霞》附。①

宋敏求　三川官下記二卷　又　諱行後録五卷　入番録二卷　春明退朝録三卷

韓正彦　韓琦家傳十卷

---

① “霞”,武英殿本同,中華本徑改作“騢”。

韓漳愛棠集二卷

趙寅　韓琦事實一卷

杜滋談録一卷　杜師秦等撰。

李復圭　李氏家傳三卷

朱定國　歸田後録十卷

陳昉　北庭須知二卷

王通元經薛氏傳十五卷

宋如愚　劍南須知十卷

黄靖國再生傳一卷　廖子孟撰。

曾鞏行述一卷　曾肇撰。

曾肇行述一卷　楊時撰。

韓琦別録三卷　王嵓叟撰。

章邦傑　章氏家傳德慶編一卷

胡氏家傳録一卷　不知作者。

河南劉氏家傳二卷　劉唐老上。

李遠　青唐録一卷

李格非　永洛城記一卷[①]　又　洛陽名園記一卷

趙君錫遺事一卷　趙演撰。

蘇轍　儋耳手澤一卷　潁濱遺老傳二卷

蔡京　黨人記一卷

吴栻　雞林記二十卷

王雲　雞林志三十卷

韓文公歷官記一卷　程俱撰。

羅誘　一作“羅綺”　宜春傳信録三卷

吕希哲　吕氏家塾廣記一卷

---

① “永”,《考證》據《通志》認爲當作“水”。

安燾行狀一卷 榮輯撰。

馬永易 壽春雜志一卷

李季興 東北諸蕃樞要二卷

何述 温陵張賢母傳一卷

洪興祖 韓子年譜一卷

孔傳 闕里祖庭記三卷 又 東家雜記二卷

趙令畤 侯鯖録一卷

王襄 南陽先生傳二十卷[①]

鄭熊 番禺雜記三卷

范太史遺事一卷

范祖禹家傳八卷

並范冲編。

韓琦定策事一卷 幹肖冑撰。

喻子材 豐公逸事一卷

劉安世譚録一卷 韓瓘撰。

种諤傳一卷 趙起撰。

劉棐 孝行録二卷

汪若海 中山麟書一卷

胡瑗言行録一卷 關注撰。

胡珵 道護録一卷

劉安世言行録二卷

范純仁言行録三卷

使高麗事纂二卷

平燕録一卷

三蘇言行五卷

---

① “生”,武英殿本同,中華本據陳《録》改作“民”。

並不知作者。

趙世卿　安南邊說五卷

洪适　宋登科記二十一卷

董正工　續家訓八卷

洪邁[①]　皇族登科題名一卷

俞觀能　孝悌類鑒七卷

馮忠嘉　海道記一卷

淮西記一卷

朱熹　五朝名臣言行録十卷　又　三朝名臣言行録十四卷

四朝名臣言行録十六卷

四朝名臣言行續録十卷

並不知何人編。

吕祖謙　閫範三卷

費樞　廉吏傳十卷

徐虔[②]　卻掃編三卷

張景儉　嵩獄記三卷

史愿　北遼遺事二卷

張隱　文士傳五卷

郴州記一卷[③]

洪厓先生傳一卷

開運陷虜事迹一卷

殊俗異聞集一卷

契丹機宜通要四卷

契丹事迹一卷

---

① 據《讀書附志》,此書乃趙士輵、耿延年所編,《考證》云:《宋志》作洪邁撰,誤。

② "虔",武英殿本同,中華本據陳《録》改作"度"。

③ "郴",武英殿本作"柳"。

古今家誡二卷

南嶽要録一卷

豪異祕録一卷

燕北雜録一卷

遼登科記一卷

三國史記五十卷

並不知作者。

高得相　海東三國通曆十二卷

金富軾　奉使語録一卷

董弅　誕聖録三卷

王安石　舒王日録十二卷

倪思　北征録七卷

張舜民　郴行録一卷

闞耆孫　建隆垂統畧一卷

張浚　建炎復辟平江實録一卷

龔頤正　清江三孔先生列傳譜述一卷

邵伯温　邵氏聞見録一卷

陸游　老學菴筆記一卷

陳師道　後山居士叢談一卷

僧祖秀　游洛陽宫記一卷

李綱[①]　近世厚德録一卷

安丙　靖蜀編四卷

張九成　無垢心傳録十二卷

黎良能　讀書日録五卷

賀成大　濂湘師友録三十三卷

① “綱”,武英殿本同,中華本據陳《録》改作“元綱”。

汪藻　裔夷謀夏録三卷　又　青唐録三卷

晁公武　稽古後録三十五卷　又　昭德堂藁六十卷　讀書志二十卷　嵩高樵唱二卷

范成大　吴門志五十卷　又　攬轡録一卷　驂鸞録一卷　虞衡志一卷　吴船志一卷

洪邁　贅藁三十八卷[①]　又　詞科進卷六卷　蘇黄押韻三十二卷

張綱　見聞録五卷

吴芾　湖山遺老傳一卷

李燾　陶潛新傳三卷　又　趙普别傳一卷

右傳記類四百一部,一千九百六十四卷。　張九成《無垢心傳録》以下不著録二十一部,三百十二卷。

① "三",武英殿本作"二"。

三

衛宏　漢舊儀三卷

應劭　漢官儀一卷

蔡質　漢官典儀一卷

漢制拾遺一卷　不知何人編。

蕭嵩　唐開元禮一百五十卷　一云王立等作。①　**又　開元禮儀鏡五卷**

韋彤　開元禮儀釋二十卷

開元禮儀鏡略十卷

開元禮百問二卷

開元禮教林一卷

開元禮類釋十二卷

並不知作者。

顔真卿　歷古創置儀五卷

柳珵　唐禮纂要六卷

韋公肅　禮閣新儀三十卷

王彦威　一本作"崔靈恩"**續曲臺禮三十卷**

王經②　**大唐郊祀録十卷**

李隨　吉凶五服儀一卷

紅亭紀吉儀一卷　獨孤儀及陸贄撰。

孟詵　家祭禮一卷

---

① "王立",《考證》據《新唐志》、陳《録》認爲當是"王仲丘"。

② "經",武英殿本同,中華本據《新唐志》、《崇文總目》改作"涇"。

徐閏　家祭儀一卷

鄭正則　祠享儀一卷　又　家祭儀一卷

賈頊[①]　家薦儀一卷

范傅式[②]　寢堂時饗儀一卷[③]

孫日用　仲享儀一卷

袁郊　服飾變右元録三卷[④]

裴茝　書儀三卷

劉岳　吉凶書儀二卷

陳致雍　曲臺奏議集　又　州縣祭祀儀　五禮儀鏡六卷　寢祀儀一卷

朱熹　二十家古今祭禮二卷

政和五禮新儀二百四十卷　鄭居中、白時中、慕容彦達、強淵明等撰。[⑤]

杜衍　四時祭享儀一卷

劉温叟　開寶通禮二百卷

盧多遜　開寶通禮儀纂一百卷

賈昌朝　太常新禮四十卷

沿情子　新禮一卷　不知名。

大中祥符封禪記五十卷　丁謂、李宗諤等撰。

大中祥符祀汾陰記五十卷　丁謂等撰。

張知白　御史臺儀制六卷

宋綬　天聖鹵簿記十卷

文彦博　高若訥　大饗明堂記二十卷

---

① "頊",武英殿本同,中華本據陳《録》改作"項"。

② "傅",《考證》據《新唐志》、陳《録》認爲當作"傳"。

③ "儀",《考證》:陳《録》作"禮"。

④ "右",《考證》據《新唐志》、陳《録》認爲當作"古"。

⑤ "達",中華本據陳《録》改作"逢",武英殿本脱"達強淵"三字。

文彦博　大饗明堂記要二卷
歐陽修　太常因革禮一百卷
韓琦　參用古今家祭式　無卷。
許洞　訓俗書一卷
王安石　南郊式一百十卷
李德芻　聖朝徽名録十卷
國朝祀典一卷　不知作者。
陳襄　郊廟奉祀禮文三十卷
諸州釋奠文宣王儀注一卷　元豐間重修。
司馬光　書儀八卷　又　涑水祭儀一卷　居家雜儀一卷
范祖禹　祭儀一卷
幸太學儀一卷　元祐六年儀。
納后儀一卷　元祐七年儀。
吕大防　大臨　家祭儀一卷
横渠張氏祭儀一卷　張載撰。
釋奠祭器圖及諸州軍釋奠儀注一卷　崇寧中頒行。
藍田吕氏祭説一卷　吕大均撰。
伊川程氏祭儀一卷　程頤撰。
宣和重脩鹵簿圖記三十五卷　蔡攸等撰。
李沆　皇宋大典三卷
夏休　辨太常禮官儀定章九冕服一卷
紹興太常初定儀注三卷
范寅賓　五祀新儀撮要十五卷
鄭樵　鄉飲禮三卷　又　鄉飲禮圖三卷
史定之　鄉飲酒儀一卷
中興禮書二卷　淳熙中，禮部、太常寺編。
歷代明堂事迹一卷

儀物志三卷

祀祭儀式一卷

太常圖一卷

並不知作者。

葉克　刊　南劒鄉飲酒儀一卷

汪檝　鄉飲規約一卷

淳熙編類祭祀儀式一卷　齊慶冑所撰。

張維　釋奠通祀圖一卷

李亶　公侯守宰士庶通禮三十卷

趙師羿　熙朝盛典詩二卷

趙希蒼　趙氏祭録二卷

朱熹　釋奠儀式一卷　又　四家禮範五卷　家禮一卷

李宗思　禮範一卷

韓挺　服制一卷

張叔椿　五禮新儀十五卷

高閌　送終禮一卷

陳孔碩　釋奠儀禮考正一卷

周端朝　冠婚喪祭禮二卷　集司馬氏、程氏、吕氏禮。

管鋭　嘗聞録一卷

吴仁傑　廟制罪言二卷　又　郊祀贅説二卷

潘徽　江都集禮一百四卷　本百二十卷,今残闕。

和峴　祕閣集二十卷

王皥　禮閣新編六十三卷

黄廉　大禮式二十卷

何洵直　蔡確　禮文三十卷

唐吉凶禮儀禮圖三卷

龐元英　五禮新編五十卷

大觀禮書賓軍等四禮五百五卷　看詳十二卷

大觀新編禮書吉禮二百三十二卷　看詳十七卷

歐陽修　太常禮院祀儀二十四卷①

和峴　禮神志十卷

孫奭　大宋崇祀録二十卷

賈昌朝　慶曆祀儀六十三卷

朱梁南郊儀注一卷

吴南郊圖記一卷

王涇　一作"浮"　祠儀一卷

陳繹　南郊附式條貫一卷

向宗儒　南郊式十卷

陳暘　北郊祀典三十卷

蔣猷　夏祭敕令格式一部　卷亡。

宋郊　明堂通儀二卷

明堂祫饗大禮令式三百九十三卷　元豐間。

明堂大饗視朔頒朔布政儀範敕令格式一部　宣和初,卷亡。

王欽若　天書儀制五卷　又　鹵簿記三卷

馮宗道　景靈宫供奉敕令格式六十卷

景靈宫四孟朝獻二卷

諸陵薦獻禮文儀令格式并例一百五十一册　紹聖間,卷亡。

張諤　熙寧新定祈賽式二卷

張傑　春秋車服圖五卷

劉孝孫　一儀實録衣服名義二卷②

祭服制度十六卷

---

① "二",武英殿本作"三"。

② "一",武英殿本同,中華本作"二"。

祭服圖三册 卷亡。

五服志三卷

裴茝 五服儀二卷

劉筠 五服年月 “年月”一作“用” 敕一卷

喪服加減一卷

李至 王辭録三卷①

朝會儀注一卷 元豐間。

大禮前天興殿儀二卷 元豐間。

葉均 徽號册寶儀注一卷

宋綬 内東門儀制五卷

李淑 閤門儀制十二卷 又 王后儀範三卷

梁顥 閤門儀制十二卷 又并 目録十四卷

閤門集例并目録 大臣特恩三十卷

閤門儀制四卷

閤門令四卷

蜀坤儀令一卷

皇后册禮儀範八册 大觀間,卷亡。

帝系后妃吉禮并目録一百一十卷 重和元年。

王巖叟 中宫儀範一部 卷亡。

王與之 祭鼎儀範六卷

高中 六尚供奉式二百册 卷亡。

王叡 雜録五卷

營造法式二百五十册 元祐間,卷亡。

張直方 打毬儀一卷

李詠 打毬儀注一卷

---

① “王”,武英殿本同,中華本據《宋史·禮志》、《崇文總目》改作“正”。

高麗人貢儀式條令三十卷　元豐間。

高麗女真排辨式一卷　元豐間。

諸蕃進貢令式十六卷　董氈、鬼章一，閣婆一，占城一，層檀一，大食一，勿巡一，注輦一，羅、龍、方、張、石蕃一，于闐、拂菻一，交州一，龜茲、回鶻一，伊州、西州、沙州一，三佛齊一，丹眉流一，①大食陀婆離一，人俞盧和地一，陀婆離一，俞盧和地一。

王晉　使範一卷

李商隱　使範一卷　家範十卷

盧僎　家範一卷

司馬光　家範四卷②

孟詵　家祭儀一卷

周元陽　祭録一卷

賈氏　葬王播儀一卷

鄭洵瑜③　書儀一卷

杜有晉　書儀二卷

鄭餘慶　書儀三卷

右儀注類一百七十一部，三千四百三十八卷。

律十二卷

律疏三十卷　唐長孫無忌等撰。

唐式二十卷

李林甫　開元新格十卷　又　令三十卷　唐律令事類四十卷　度支長行旨五卷

大和格後敕四十卷

---

① “眉流”，成化本原作“流眉”，武英殿本作“流眉”，張元濟修作“眉流”。

② “四”，武英殿本作“一”。

③ “洵”，《考證》:《祕書省四庫闕書目》作“珣”。

元泳　式苑四卷

宋璟　旁通開元格一卷

蕭旻[①]　開元禮律格令要訣一卷

裴光庭　開元格令科要一卷

狄兼謩　開成刑法格十卷　開成詳定格十卷

張戣　大中統類十二卷

大中刑法總要六十卷

大中已後雜敕三卷

大中後雜敕十二卷

梁令三十卷

梁式二十卷

梁格十卷

天成長定格一卷

天成雜敕三卷

天福編敕三十一卷

張昭　顯德刑統二十卷

姜虔嗣　江南刑律統類十卷

江南格令條八十卷

蜀雜制敕三卷

盧紓　刑法要録十卷

黄克昇　五刑纂要録三卷

刑法纂要十二卷

斷獄立成三卷

黄懋　刑法要例八卷

張員　法鑑八卷

---

① "旻",武英殿本作"昊"。

田晉　章程體要二卷
王行先 一作“仙” 令律手鑑二卷
張履冰　法例六贓圖二卷
張伾　判格三卷
盛度　沿革制置敕三卷
王皞　續疑獄集四卷
趙綽　律鑑一卷　法要一卷
外臺祕要一卷
百司考選格敕五卷
憲問十卷
建隆編敕四卷
開寶長定格三卷
太平興國編敕十五卷
蘇易簡　淳化編敕三十卷
柴成務　咸平編敕十二卷
丁謂　田農敕五卷[①]
陳彭年　大中祥符編敕四十卷　又　轉運司編敕三十卷
韓琦　端拱以來宣敕劄子六十卷　又　嘉祐編敕十八卷　總例一卷
晁迥　禮部考試進士敕一卷
吕夷簡　一司一務敕三十卷
賈昌朝　慶曆編敕十二卷　總例一卷
貢舉條制十二卷 至和二年。
吴奎　嘉祐録令十卷　又　驛令三卷
審官院編敕十五卷

① 田農，武英殿本同，中華本據《宋史・刑法志》、《崇文總目》改作“農田”。

王珪　在京諸司庫務條式一百三十卷
銓曹格敕十四卷
孫奭　律音義一卷
王誨　群牧司編十二卷
張稚圭　大宗正司條六卷
王安禮　重修開封府熙寧編十卷
沈立　新修審官西院條貫十卷　又　總例一卷
支賜式十二卷
支賜式二卷
官馬俸馬草料等式九卷
熙寧新編大宗正司敕八卷
陳繹　熙編三司式四百卷[①]　又　隨酒式一卷
馬遞鋪特支式二卷
熙寧新定諸軍直禄令二卷
曾肇　將作監式五卷
蒲宗孟　八路敕一卷
李承之　禮房條例并目録十九册　卷亡。
章惇　熙寧新定孝贈式十五卷　又　熙寧新定節式二卷
熙寧新定時服式六卷
熙寧新定皇親録令十卷
司農寺敕一卷　式一卷
熙寧將官敕一卷
吴充　熙寧詳定軍馬敕五卷
沈括　熙寧詳定諸色人厨料式一卷
熙寧新脩凡女道士給賜式一卷

① “熙編”,武英殿本同,中華本作“熙寧編”。

諸敕式二十四卷

諸敕令格式十二卷　又　諸敕格式三十卷

張叙　熙寧葬式五十五卷

范鏜　熙寧詳定尚書刑部敕一卷

張誠一　熙寧五路義勇保甲敕五卷　總例一卷　又　學士院等處敕式交并看詳二十卷①

御書院敕式令二卷

許將　熙寧開封府界保甲敕二卷　申明一卷

沈希顔　元豐新定在京人從敕式三等　卷亡。

李定　元豐新修國子監大學小學元新格十卷　又　令十三卷

賈昌朝　慶曆編敕　律學武學敕式共二卷

武學敕令格式一卷　元豐間。

明堂赦條一卷　元豐間。

曾伉　新修尚書吏部式三卷

蔡碩　元豐將官敕十二卷

貢舉醫局龍圖天章寶文閣等敕令儀式及看詳四百一十卷　元豐間。

宗室及外臣葬敕令式九十二卷　元豐間。

皇親禄令并釐修敕式三百四十卷

吴雍　都提舉市易司敕令并釐正看詳二十一卷　公式二卷　元豐間。

水部條十九卷　元豐間。

朱服　國子監支費令式一卷

元絳　讞獄集十三卷

崔台符　元豐編敕令格式并赦書德音　申明八十一卷

① “二十”，武英殿本作“十二”。

吏部四選敕令格式一部　元祐初,卷亡。

元豐户部敕令格式一部　元祐初,卷亡。

六曹條貫及看詳三千六百九十四册　元祐間,卷亡。

元祐諸司市務敕令格式二百六册　卷亡。

六曹敕令格式一千卷　元祐初。

紹聖續修武學敕令格式看詳并浄條十八册　建中靖國初,卷亡。

樞密院條二十册　看詳三十册　元祐間,卷亡。

紹聖續修律學敕令格式看詳并浄條十二册　建中靖國初,卷亡。

諸路州縣敕令格式并一時指揮十三册　卷亡。

六曹格子十册　卷亡。

中書省官制事目格一百二十卷

尚書省官制事目格參照卷六十七册　卷亡。

門下省官制事目格并參照卷舊文浄條釐析總目目録七十二册　卷亡。

徽宗崇寧國子監筭學敕令格式并對脩看詳一部　卷亡。

崇寧國子監畫學敕令格式一部　卷亡。

沈錫　崇寧改脩法度十卷

諸路州縣學法一部　大觀初,卷亡。

大觀新脩内東門司應奉禁中請給敕令格式一部　卷亡。

國子大學辟廱并小學敕令格式申明一時指揮目録看詳一百六十八册　卷亡。

鄭居中　政和新脩學法一百三十卷

李圖南　宗子大小學敕令格式十五册　卷亡。

何執中　政和重修敕令格式五百四十八册　卷亡。

政和禄令格等三百二十一册　卷亡。

宗祀大禮敕令格式一部　政和間,卷亡。

張動[1]　直達綱運法并看詳一百三十一册　卷亡。
王韶　政和敕令式九百三卷
白時中　政和新修御試貢士敕令格式一百五十九卷
孟昌齡　政和重修國子監律學敕令格式一百卷
接送高麗敕令格式一部　宣和初,卷亡。
奉使高麗敕令格式一部　宣和初,卷亡。
明堂敕令格式一千二百六册　宣和初,卷亡。
兩浙福建路敕令格式一部　宣和初,卷亡。
薛昂　神霄宫使司法令一部　卷亡。
劉次莊　青囊本旨論一卷
王晉　使範一卷
和凝　疑獄集三卷
竇儀　重詳定刑統三十卷
盧多遜　長定格三卷
吕夷簡　天聖編敕十二卷
天聖令文三十卷　吕夷簡、夏竦等撰。
八行八刑條一卷　大觀元年御製。
崇寧學制一卷　徽宗學校新法。
附令敕十八卷　慶曆中編,不知作者。
五服敕一卷　劉筠、宋綬等撰。
張方平　嘉祐驛令三卷　又　嘉祐禄令十卷
王安石　熙寧詳定編敕等二十五卷
新編續降并叙法條貫一卷　編治平、熙寧詔旨并官吏犯罪叙法、條貫等事。
曾布　熙寧新編常平敕二卷
審官東院編敕二卷　熙寧七年編。

---

① “動”,《考證》疑爲“勸”字之誤。

張大中　編修入國條貫二卷　又　奉朝要録二卷

范鏜　熙寧貢舉敕二卷

八路差官敕一卷　編熙寧總條、審官東院條、流内銓條。

熙寧法寺斷例十二卷

熙寧歷任儀式一卷　不知作者。

蔡確　元豐司農敕令式十七卷

李承之　江湖淮浙鹽敕令賞格六卷

曾伉　元豐新修吏部敕令式十五卷

崔台符　元豐敕令式七十二卷

吕惠卿　新史吏部式二卷[①]**　又　縣法十卷**

程龜年　五服相犯法纂三卷

孫奭　律令釋文一卷

續附敕令一卷　慶曆中編，不知作者。

三司條約一卷　慶曆中纂集。

陸佃　國子監敕令格式十九卷

曾旼　刑名斷例三卷

章惇　元符敕令格式一百三十四卷

鄭居中　學制書一百三十卷

蔡京　政和續編諸路州縣學敕令格式十八卷

白時中　政和新修貢士敕令格式五十一卷

李元弼　作邑自箴一卷

張守　紹興重修敕令格式一百二十五卷

紹興重修六曹寺監庫務通用敕令格式五十四卷　秦檜等撰。

紹興重修吏部敕令格式并通用格式一百二卷　朱勝非等撰。

紹興重修常平免役敕令格式五十四卷　秦檜等撰。

---

① “史”，《考證》以爲當作“修”。

紹興重修貢舉敕令格式申明二十四卷 紹興中進。
紹興參附尚書吏部敕令格式七十卷 陳康伯等撰。
紹興重修在京通用敕令格式申明五十六卷 紹興中進。
大觀告格一卷
鄭克　折獄龜鑑三卷
乾道重修敕令格式一百二十卷 虞允文等撰。
淳熙重修吏部左選敕令格式申明三百卷 龔茂良等撰。
諸軍班直禄令一卷
鄭至道　諭俗編一卷
趙緒[①]　金科易覽一卷
劉高夫　金科玉律總括詩三卷
金科玉律一卷
金科類要一卷
刑統賦解一卷[②]

並不知作者。

韓琦　嘉祐詳定編敕三十卷
王日休　養賢録三十二卷
淳熙重修敕令格式及隨敕申明二百四十八卷
淳熙吏部條法總類四十卷 淳熙二年,敕令所編。
慶元重修敕令格式及隨敕申明二百五十六卷 慶元三年詔重修。
慶元條法事類八十卷 嘉泰元年,敕令所編。
開禧重修吏部七司敕令格式申明三百二十三卷 開禧元年上。
嘉定編修百司吏職補授法一百三十三卷 嘉定六年上。
嘉定編修吏部條法總類五十卷 嘉定中詔修。
趙仝　疑獄集三卷

---

① “緒”,《考證》:晁《志》後志作“綽”。

② “解一”,武英殿本作“四”。

九族五服圖制一卷　不知何人編。

大宗正司敕令格式申明及目録八十一卷　紹興重修。

編類諸路茶鹽敕令格式目録一卷

　　右刑法類二百二十一部,七千九百五十五卷。

吴兢　西齊書目録一卷

毋煚　古今書録四十卷

李肇　經史釋文題三卷

朱遵度　群書麗藻目録五十卷

隆安西庫書目二卷　不知作者。

唐秘閣四部書目四卷

唐四庫搜訪圖書目一卷

梁天下郡縣目一卷

後唐統類目一卷

杜鎬　龍圖閣書目七卷　又　十九代史目二卷

太清樓書目四卷

玉宸殿書目四卷

韋述　集賢書目一卷

學士院雜撰目一卷

歐陽伸　一作"坤"　**經書目録十一卷**

楊九齡　經史書目七卷

楊松珍　歷代史目十五卷

宗諫　注十三代史目十卷

殷仲茂　十三代史目一卷

河南東齋　一作"齊"①　**史書目三卷**

---

① 《考證》:《新唐志》、《崇文總目》均作"東齋",《宋志》一作"齊",誤。

曾氏　史鑑三卷
孫玉汝　唐列聖實録目二十五卷
唐書叙例目録一卷
沈建　樂府詩目録一卷
蔣彧　書目一卷
劉德崇　家藏龜鑑目十卷
田鎬　尹植　文樞密要目七卷
劉沆　書目二卷
禁書目録一卷　學士院、司天監同定。
王堯臣　歐陽修　崇文總目六十六卷
沈氏萬卷堂目録二卷
歐陽修　集古録五卷
李淑　邯鄲書目十卷
吴秘　家藏書目二卷
祕閣書目一卷
史館書新定書目録四卷[①]　不知作者。
李德芻　邯鄲再集書目三十卷
崔君授　京兆尹金石録十卷
國子監書目一卷
荆州田氏書總目三卷　田鎬編。
劉涇　成都府古石刻總目一卷
趙明誠　金石録三十卷　又　諸道石刻目録十卷
徐士龍　求書補闕一卷
董逌　廣川藏書志二十六卷

---

① “史館書新定書目録”,《考證》據《玉海》認爲首“書”字及“録”字衍。

鄭樵　求書闕記七卷　又　求書外記十卷　集古今系時録一卷[①]　圖譜有無記二卷　群玉會記三十六卷

陳貽範　潁川慶善樓家藏書目二卷

遂初堂書目二卷[②]　尤袤集。

徐州江氏書目二卷

吕氏書目二卷

三川古刻總目一卷

鄱陽吴氏籯金堂書目三卷

孫氏群書目録二卷

紫雲樓書目一卷

川中書籍目録二卷

祕書省書目二卷

陳騤　中興館閣書目七十卷　序例一卷

石延慶　馮至游　校勘群書備儉三卷

晁公武　讀書志四卷

張攀　中興館閣續書目三十卷

諸州書目一卷

滕強恕　東湖書　自志[③]　一卷

右目録類六十八部,六百七卷。

何承天　姓苑十卷

林寶　姓苑三卷　又　姓史四卷　元和姓纂十卷

五姓證事二十卷

---

① “古今”,武英殿本作“占今”,中華本據《通考》删“今”字。

② “初”,原作“安”,武英殿本同,中華本據陳《録》改,今從之。

③ “自志”,二字作小注,武英殿本同,中華本徑改作書名,用大字。

竇從則[1] 系纂七卷
陳湘 姓林五卷
李利涉 姓氏秘畧三卷 又 編古命氏三卷 五聲類氏族五卷
孔平 姓系氏族一卷
姓略六卷
崔日用 姓苑略一卷
魏子野 名字族十卷
同姓名譜六卷
尚書血脉一卷
春秋氏族譜一卷
春秋宗族謚譜一卷
帝王歷記譜二卷
帝系圖一卷
李匡文 天潢源派譜説 一作"統" 一卷 又 唐皇室維城録一卷 又 李氏房從譜一卷
李茂嵩 一作"高" 唐宗系譜一卷
唐書總記帝系三卷
宋玉牒三十三卷
仁宗玉牒四卷
英宗玉牒四卷
李衢 皇室維城録一卷
宋敏求 韻類次宗室譜五十卷
司馬光 宗室世表三卷
臣寮家譜一卷

---

① "則",武英殿本同,中華本據《新唐志》、《崇文總目》改作"一"。

黄恭之　孔子系葉傳三卷
文宣王四十二　一作"三"　代家狀一卷
闕里譜系一卷
趙異世　趙氏大宗血脉譜一卷　趙氏龜鑑血脉圖録記一卷
令狐峘[①]　陸氏宗系碣一卷
陸師儒　陸氏英賢記三卷[②]
蔣王惲家譜一卷
王方慶　王氏譜一卷
唐汭家譜一卷[③]
劉復禮　劉氏大宗血脉譜一卷
劉與家卷[④]
王僧孺　徐義倫家譜一卷
李用休家譜二卷
徐商徐詵家譜四卷
周長球家譜一卷
費氏家譜一卷
錢氏集録三卷
陸景獻　吴郡陸氏宗系譜一卷
毛漸　毛氏世譜一部　卷亡。
曾肇　曾氏譜圖一卷
洪興祖　韓愈年譜一部　卷亡。
周文　汝南周氏家譜一卷
崔班　歐陽家譜一卷

---

① "峘",武英殿本同,中華本徑改作"峘"。
② "英賢記",《考證》:《新唐志》"記"上有"徵"字。
③ "汭",《考證》:《祕書省四庫闕書目》、《通志》均作"納"。
④ "劉與家卷",武英殿本同,中華本據《新唐志》、《通志》改作"劉輿家譜一卷"。

梁元帝　古今同姓名録二卷

竇澄之　扶風竇氏血脉家譜一卷

李林甫　唐室新譜一卷　又　天下郡望姓氏族譜一卷

唐相譜一卷　不知作者。

孔至　姓名古今雜録一卷①

陶茇麟　陶氏家譜一卷

李匡文　元和縣主昭穆譜一卷　又　皇孫郡王譜一卷　玉牒行樓一卷　偕日譜一卷

刑曉　帝王血脉小史記五卷　又　帝王血脉圖小史後記五卷

韋述　百家類例三卷

韋述　蕭穎士　宰相甲族一卷

裴楊休②　百氏譜五卷

曹大宗　姓源韻譜一卷

杜信　京兆杜氏家譜一卷

劉沆　劉氏家譜一卷

唐顔氏家譜一卷

韓吏部譜録二卷

李氏郇王家譜一卷

並不知作者。

唐邴　唐氏譜略一卷

楊侃　家譜一卷

宋仙源積慶圖一卷　起僖宗迄哲宗。③

宗室齒序圖一卷

天源類譜一卷

---

① “名”，武英殿本同，中華本據《新唐志》、《崇文總目》改作“氏”。

② “楊”，武英殿本作“揚”。

③ “僖宗”，武英殿本同，中華本據《玉海》改作“僖祖”。

祖宗屬籍譜一卷

向敏中家譜一卷　向緘撰。

邵思　姓解三卷

錢惟演　錢氏慶系譜二卷

王回　清河崔氏譜一卷

孫祕　尊祖論世録一卷

蘇洵　蘇氏族譜一卷

錢明逸　熙寧姓纂六卷

魏予野[①]　古今通系圖一卷

李復　南陽李英公家譜一卷

成鐸　文宣王家譜一卷

吴逵　帝王系家譜一卷[②]

黄邦俊　群史姓纂韻六卷

顔嶼　兖國公正枝譜一卷

採真子　千姓編一卷

符彦卿家譜一卷　符承宗撰。

建陽陳氏家譜一卷

萬氏譜一卷

趙群東祖李氏家譜二卷[③]

鮮于氏血脉圖一卷

長樂林氏家譜一卷

並不知作者。

丁維皐　百族譜三卷

鄧名世　古今姓氏書辨證四十卷

---

① “予”,《考證》:“予”爲“子”之誤,上文同類有魏子野《名字族》十卷。

② “家”,武英殿本同,中華本據陳《録》、《玉海》删。

③ “群”,武英殿本同,中華本據《新唐志》、《崇文總目》改作“郡”。

李燾 晉司馬氏本支一卷 又 齊梁本支一卷
徐筠 姓氏源流考七十八卷
李氏 歷代諸史總括姓氏録一卷

右譜牒類一百十部,四百三十七卷。

桑欽 水經四十卷 酈道元注。
城塚記一卷 按序,魏文帝三年,劉裕得此記。
葛洪 關中記一卷
雷次宗 豫章古今記三卷
沈懷遠 南越志五卷
梁元帝 貢職圖一卷[①]
楊衒之 洛陽伽藍記三卷
煬帝開河記一卷 不知作者。
魏王泰[②] 坤元録十卷
沙門辨機[③] 大唐西域記十二卷
梁載言 十道四蕃志十五卷
韋述 兩京新記五卷
達奚弘通 西南海蕃行記一卷
馬温之[④] 鄴都故事二卷
李吉甫 元和郡國圖志四十卷
元結 九疑山圖記一卷
賈耽 皇華四達十卷 又 貞元十道録四卷 國要圖一卷
方志圖二卷

---

① “貢職”,武英殿本同,中華本徑改作“職貢”。
② “魏王泰”,《考證》:《新唐志》稱魏王泰,宜也,《宋志》當改爲“李泰”。
③ “辨”,是書今存,當作“辯”。
④ “之”,《考證》據《通志》、《玉海》認爲此字衍。

三代地理志六卷

地理論六卷

劉之推　文括九土　一作"州"　要略三卷

樂史　坐知天下記四十卷

王曾　九域圖三卷

王洙　皇祐方域圖記三十卷　要覽一卷

韓郁　十道四蕃引一卷

趙珣　開元分野圖一卷　又　十道記一卷

十八路圖一卷　圖副二十卷　熙寧間天下州府軍監縣鎮圖。

李德芻　元豐郡縣志三十卷　圖三卷

沈括　天下郡縣圖一部　卷亡。

陳坤臣　郡國人物志一百五十卷

歐陽忞　巨鼇記五卷

孫結　唐國鑑圖一卷

曹璠　國照十卷　又　元和國計圖十卷

韋澳　諸道山河地名要略九卷　一名《處分語》,一名《新集地理書》。

陳延禧　隋朝洛都記一卷　又　蜀北路秦程記一卷　北征雜記一卷

姜嶼　明越風物志七卷

元廣之[1]　金陵地記六卷

劉公衒鉉[2]　鄴城新記三卷

李璋　太原事迹十四卷

盧求　襄陽故事十卷

---

① "元廣之",《考證》:《崇文目》、《通志》地理類均作黄元之。《宋志》誤"黄"爲"廣",復倒置。

② "衒",武英殿本同,中華本據《宋史・藝文志》"劉公鉉《鄴城舊事》"條删。

湘中記一卷

余知古　渚宫故事十卷

張周封　華陽風俗録一卷

韓昱　江州事迹三卷　張密注。

韋宙　一作“寅”　**零陵録一卷**

楊備恩　蜀都故事二卷

許嵩　六朝宫苑記二卷

邢昺　景德朝陵地理記三十卷

韋齊　一作“濟”　**沐**[①]　**雲南行記二卷**

馬敬寔　諸道行程血脉圖一卷

陳隱之　續南荒録一卷

韋皐　一作“皁”[②]　**西南夷事狀二十卷**

西戎記二卷

張建章　渤海國記三卷

顧愔　新羅國記一卷

達奚洪　一作“通”　**海外三十六國記一卷**

雲南風俗録十卷

辛怡顯　至道雲南録三卷

李德裕　黠戛斯朝貢圖一卷

崔峽　列國入貢圖二十卷

郭璞　山海經讚二卷

元結　諸山記一卷

岳瀆福地圖一卷

盧鴻　嵩嶽記一卷

---

① “沐”，武英殿本同，中華本據《新唐志》改作“休”。

② 《考證》：《新唐志》、《祕書省四庫闕書目》均作“皋”，《宋志》一本作“皁”，誤。

華山記一卷

衡山記一卷

峨眉山記二卷

僧法琳　盧山記一卷

陸鴻漸　顧渚山記一卷

令狐見堯　玉笥山記一卷

沈立　蜀江志十卷

宣和編類河防書一百九十二卷

東方朔　十洲記一卷

張華　異物評二卷

劉恂　嶺表録異三卷

嶺表異物志一卷

孟琯　嶺南異物志一卷

南海異事五卷

鄭虔　天寶軍防録一卷

林特　會稽録三十卷①

盛度　庸調租賦三卷

陳傳　歐冶拾遺一卷

毛漸　地理五龍祕法一部　卷亡。

林諝　閩中記十卷

盧肇　海潮賦一卷

僧應物　九華山記二卷　又　九華山舊録一卷

盧求　成都記五卷

樊綽　雲南志十卷　又　南蠻記十卷

李居一　王屋山記一卷

---

①　"稽",《考證》據《玉海》認爲《宋志》誤"計"爲"稽",誤入地理類。

徐雲虔　南詔録三卷

韋莊　蜀程記一卷　又　峽程記一卷

莫休符　桂林風土記一卷

章僚　海使程廣記三卷[①]

張建章　戴斗諸蕃記一卷

曹璠　須知國鏡二卷

王權　大梁夷門記一卷

吴從政　襄沔雜記三卷

竇滂　雲南別録一卷

陸廣微　吴地記一卷

曹大宗　郡國志二卷

韋瑾　域中郡國山川圖經一卷

唐夷狄貢一卷

兩京道里記三卷　不知作者。

張脩[②]　九江新舊録三卷

張氏　燕吴行役記二卷　不知作者。

羅含　湘中山水記三卷

平居誨　于闐國行程録一卷

胡嶠　陷虜記一卷

王德璉　鄱陽縣記一卷

徐鍇　方輿記一百三十卷

范子長　皇州郡縣志一百卷

司馬儼　峽山履平集一卷

潘子韶　峽江利涉集一卷

---

① "海",武英殿本同,中華本據陳《録》、《通志》改作"海外"。

② "脩",《考證》:《新唐志》、《崇文總目》均作"容"。

杜光庭　續成都記一卷

范旻　邕管雜記三卷

李昉　歷代宫殿名一卷

樂史　太平寰宇記二百卷

魏羽　吴會雜録一卷

張參　江左記三卷

陶岳　零陵總記十五卷

李宗諤　圖經九十八卷　又　圖經七十七卷　越州圖經九卷　陽明洞天圖經十五卷

李垂　導河形勝書一卷

王曾　契丹志一卷

楊備　恩平郡譜一卷

劉夔　武夷山記一卷

程世程①　重脩閩中記十卷

郭之美　羅浮山記一卷

周衡　湘中新記七卷

陳倩　茅山記一卷

僧文政　南嶽尋勝録一卷

李上交　豫章西山記二卷

廣西郡邑圖志一卷　張維序。

王靖　廣東會要四卷

張田　廣西會要二卷

劉昌詩　六峯志十卷

薛常州　地理叢考一卷

李和篪　輿地要覽二十三卷

---

①　“程世程”,武英殿本同,中華本據陳《録》、《崇文總目》改作“林世程”。

重脩徐州圖經三卷 嘉定中撰。
離韋志十卷
鴈山行記一卷 不知何人編。
王日休 九丘總要三百四十卷
余嘉 聖域記二十五卷
程大昌 雍録十卷
錢景衎 南嶽勝槩一卷
曾洵 句曲山記七卷
周淙 臨安志十五卷
談鑰 吴興志二十卷①
潘廷立 富川圖志六卷
韓挺 儀真志七卷
劉浩然 合肥志十卷
李説 黄州圖經五卷
童宗説 盱江志十卷
姜得平 又 續志十卷
袁震 臨江軍圖經七卷
李仲 重修臨江志七卷
雷孝友 瑞州郡縣志十九卷
田渭 辰州風土記六卷
袁觀 潼川府圖經十一卷
張津 四明圖經十二卷
史正志 建康志十卷
江文叔 桂林志一卷
蔡戡 靜江府圖志十二卷

---

① “興”，武英殿本同，中華本徑改作“興”。

熊克　鎮江志十卷

葛元隲　武陽志十卷

宋宜之　無爲志三卷

胡兆　秋浦志八卷

羅願　新安志十卷

汪師孟　黄山圖經一卷

范成大　桂海虞衡志三卷

韋楫　昭潭志二卷

晁百揆　尋陽志十二卷

吴芸　沅州圖經四卷

安南土貢風俗一卷　乾道中,安南入貢,客省承詔具其風俗及貢物名數。

程九萬　歷陽志十卷

蘇思恭　曲江志十二卷

毛憲　信安志十六卷

臨賀郡志一卷　不知作者。

蕭玠　晉康志七卷

周端朝　桂陽志五卷

劉子登　武陵圖經十四卷

鄭昉　都梁志二卷

赤城志四十卷　陳耆卿序。

陸游　會稽志二十卷

王中行　潮州記一卷

莆陽人物志三卷　鄭僑序。

王震　閬苑記三十卷

冉木　潛藩武泰志十四卷

趙朴[①]　成都古今集記三十卷

---

① "朴",《考證》據晁《志》、陳《録》認爲當作"抃"。

張朏　齊記一卷

南北對鏡圖一卷

混一圖一卷

西南蠻夷朝貢圖一卷

巨鰲記六卷

交廣圖一卷

平江府五縣正圖經二卷

並不知作者。

李華　湟川開峽志五卷[1]

宋敏求　長安志一十卷　又　東京記二卷　河南志二十卷

陳舜俞　廬山記二卷

謝頤素　海潮圖論一卷

王瓘　北道刊誤志十五卷

林須　霍山記一卷

檀林　甌治拾遺一卷　又　大理國行程一卷

陳冠　熙河六州圖記一卷

王向弼　龍門記三卷

王存　九域志十卷

孟猷　上饒志十卷

滕宗諒　九華山新録一卷

朱長文　吴郡圖經續記三卷

王正論[2]　**古今洛城事類二卷**

王得臣　江夏辨疑一卷

譚掞[3]　**邕管溪洞雜記一卷**

---

① "川",武英殿本作"州"。

② "論",武英殿本同,中華本徑改作"倫"。

③ "譚",武英殿本作"談"。

李洪　鎮洮補遺一卷

李獻父　隆慮洞天録一卷

林嘌　永陽志三十五卷

曾旼　永陽郡縣圖志四卷

劉拯　濠上摭遺一卷

蘇氏　夏國樞要二卷

左文質　吴興統記十卷

孫穆　雞林類事三卷

馬子嚴　岳陽志二卷

程縯　職方機要四十卷

范致明　岳陽風土記一卷　又　池陽記一卷

歐陽忞　輿地廣記三十八卷

虞剛簡　永康軍圖志二十卷

錢紳　同安志十卷

徐兢　宣和奉使高麗圖四十卷①

吴致堯　九疑考古二卷

洪芻　豫章職方乘三卷

董棻　嚴州圖經八卷

厲居正　齊安志二十卷

洪遵　東陽志十卷

許靖夫②　齊安拾遺一卷

環中　汴都名實志三卷

陳哲夫　李渠志一卷　續脩宜春志十卷

唐稷　清源人物志十三卷

---

① “圖”,武英殿本同,中華本據陳《録》改作“圖經”。

② “靖”,《考證》據《輿地紀勝》認爲當作“端”。

李盛　章貢志十二卷

曾賁　括蒼志十卷

陳柏朋　括蒼續志一卷

趙彦勵　莆陽志十五卷

陸琰　莆陽志七卷

李獻父　相臺志十二卷

江行圖志一卷　沈該訂正，不知作者。

同安後志十卷

大禹治水玄奥録一卷

三輔黄圖一卷

高麗日本傳一卷

南劒州圖經一卷

地里圖一卷

指掌圖二卷

南海録一卷

福建地理圖一卷

泉南録二卷

吴興雜録七卷

南朝宫苑記一卷

廬山事迹三卷

並不知作者。

李常　續廬山記一卷

東京至益州地里圖　卷亡。

四明山記一卷

地里圖一卷

南岳衡山記一卷

考城圖經一卷

常州風土記一卷
清溪山記一卷
水山記一卷
茅山新記一卷
青城山記一卷
契丹國土記　契丹疆宇圖二卷
契丹地里圖一卷[①]

並不知作者。

李幼傑　莆陽比事七卷
何友諒　武陽志二十七卷
陳謙　永寧編十五卷
黄以寧　惠陽志十卷
劉牧　建安志二十四卷　又　建安續志類編二卷
鄒孟卿　寧武志十五卷
李皐　汀州志八卷
林英發　景陵志十四卷
楊彦爲　保昌志八卷
傅巖　郥城志十二卷
楊泰之　普州志三十卷
孫祖義　高郵志三卷
宇文紹奕　臨邛志二十卷　又　補遺十卷
林晡　姑孰志五卷
王招　蕪湖圖志九卷
楊櫕　臨漳志十卷
方杰　清漳新志十卷

① “里”，武英殿本作“理”。

章穎　文州古今記十二卷

杜孝嚴　文州續記四卷

孫楙　春陵圖志十卷

張貴謨　臨汝圖志十五卷

徐自明　零陵志十卷　又　浮光圖志三卷

梁克家　長樂志四十卷

張埏　零陵志十卷

陸峻　丁光遠　蘄春志十卷

段子游　均州圖經五卷

李韋之　邵陽圖志三卷

黄汰　邵陽紀舊一卷

鞏嶸　邵陵類考二卷

孫顯祖　靖州圖經四卷

黄曄　龜山志三卷

李震　彭門古今集志二十卷

蔡時[①]　續同安志一卷

程叔達　隆興續職方乘十卷

項預　吴陵志十四卷

朱端章　南康記八卷　又　廬山拾遺二十卷

練文　廬州志十卷

吴機　吉州記三十四卷

錢之望　吴莘　楚州圖經二卷

劉宗　襄陽志四十卷

劉清之　衡州圖經三卷

趙甲　隆山志三十六卷

---

① “時”，武英殿本作“峙”。

鄒補之　毗陵志十二卷

王銖　荆門志十卷

張孝曾　富水志十卷

王棨　重修荆門志十卷

徐得之　郴江記八卷

史本　古沔志一卷

周夢祥　贛州圖經　卷亡。

閻蒼舒　興元志二十卷

許開　南安志二十卷

孫昭先　淮南通川志十卷

余元一　清湘志六卷

鄭少魏　廣陵志十二卷

褚孝錫　長沙志十一卷

鄭紳　桂陽圖志六卷

黄疇若　龍城圖志十卷

胡至　重修龍城圖志十卷

陳宇　房州圖經三卷

虞太中　臨封志三卷[1]

曹叔達[2]　永嘉志二十四卷

周澂　永嘉志七卷

鄭應申　江陰志十卷

梁希夷　新昌志一卷

馬景脩　通川志十五卷

黄環　夷陵志六卷

---

① “封”,《考證》認爲當作“桂”。

② “達”,《考證》據陳《録》認爲當作“遠”。

馬導　夔州志十三卷

四明風俗賦一卷　不知何人撰。

丁介　武陵郡離合記六卷

史定之　番陽志三十卷

楊潛　雲間志三卷

徐筠　脩水志十卷

張元成　嘉禾志四卷

鄧樞　鶴山叢志十卷

王寬夫　古涪志十七卷

李棣　浮光圖志二十卷

林仁伯　古歸志十卷

趙興清　歷陽志補遺十卷

王知新　合淝志十卷[①]

霍箎　澧陽圖志八卷

劉伋　陵水圖志三卷

胡槻　普寧志三卷

王寅孫　沈黎志二十三卷

趙汝廈　程江志五卷　又　瓊管圖經十六卷

劉灝　清源志七卷

沈作賓　趙不迹　會稽志二十卷

邵笥　括蒼慶元志一卷

趙善贛　通義志三十五卷

張士佺　西和州志十九卷

李脩己　同谷志十七卷

李錡　續同谷志十卷

---

① “淝”,《考證》據陳《録》認爲當作“肥”。

義太初　高涼圖志七卷

趙師宬[①]　潮州圖經二卷

鄭郥　洋州古今志十六卷

張憓　甘泉志十五卷

陳峴　南海志十三卷

趙伯謙　韶州新圖經十二卷

俞聞中　叙州圖經三十卷

黎伯巽　靜南志十二卷

任逄　墊江志三十卷

劉德禮　夔州圖經四卷

馬紆　續廬山記四卷

江州圖經一卷

宕渠志二卷[②]

吉陽軍圖經一卷

忠州圖經一卷

珍州圖經三卷

衢州圖經一卷

沅州圖經四卷

復州圖經三卷

果州圖經五卷

思州圖經一卷

南平軍圖經一卷

大寧監圖經六卷

並不知作者。

---

① “宬”,武英殿本作“宬”。

② “宕”,武英殿本作“岩”。

右地理類四百七部，五千一百九十六卷。

越絶書十五卷　或云子貢所作。

趙曄　吴越春秋十卷

司馬彪　九州春秋九卷

常璩　華陽國志十二卷

和苞　漢趙記一卷

范亨　燕書二十卷

蕭方[①]　三十國春秋三十卷

三十國春秋鈔一卷　不知作者。

吴信都鎬　淝上英雄小録二卷[②]

吴録二十卷　徐鉉、高遠、喬匡舜、潘祐等撰。[③]

南唐書十五卷　不知作者。

王顔　南唐烈祖開基志十卷

李昊　蜀書二十卷

蔣文懌　閩中實録十卷

林仁志　王氏紹運圖三卷

毛文錫　前蜀王氏記事二卷

吴越備史十五卷　吴越錢儼託名范坰、林禹撰。

錢儼　備史遺事五卷

王保衡　晉陽見聞要録一卷

董淳　後蜀孟氏記事三卷

徐鉉　湯悦　江南録十卷

---

① “蕭方”，武英殿本同，中華本徑改作“蕭方等”。

② “二”，武英殿本作“三”。

③ “祐”，武英殿本同，中華本據《宋史》本傳、《南唐書・高遠傳》改作“佑”。

路振　九國志五十一卷　又　楚書五卷

鄭文寶　南唐近事集一卷　又　江表志二卷

陳彭年　江南別録四卷

龍衮　江南野史二十卷

曾顔　渤海行年記十卷

胡賓王　劉氏興亡録一卷

陶岳　荆湘近事十卷

周羽冲　三楚新録三卷

曹衍　湖湘馬氏故事二十卷

王舉　天下大定録十卷

盧臧　楚録五卷

張唐英　蜀檮杌十卷

劉恕　十國紀年四十卷

閩王事迹一卷

高氏世家十卷

湖南故事十三卷

十國載記三卷

江南餘載二卷

高宗皇帝過江事實一卷①

廣王事迹一卷

並不知作者。

錢惟演　家王故事一卷

右霸史類四十四部,四百九十八卷。

凡史類二千一百四十七部,四萬三千一百九卷。

---

① "宗",武英殿本同,中華本據《通志》、《崇文總目》删。

四

子類十七：一曰儒家類，二曰道家類，釋氏及神仙附。三曰法家類，四曰名家類，五曰墨家類，六曰縱横家類，七曰農家類，八曰雜家類，九曰小説家類，十曰天文類，十一曰五行類，十二曰蓍龜類，十三曰曆筭類，十四曰兵書類，十五曰雜藝術類，十六曰類事類，十七曰醫書類。

晏子春秋十二卷

曾子二卷

子思子七卷

孟子十四卷

陸善經　孟子註七卷

王雱[①] **注孟子十四卷**

蔣之奇　孟子解六卷

荀卿子二十卷　戰國趙人荀况書。

楊保[②] **注荀子二十卷**

黎錞　校勘荀子二十卷

魯仲連子五卷　戰國齊人。

董子一卷　董無心撰。

尸子一卷　尸佼撰。

子華子十卷　自言程氏名本，字子華，晉國人。《中興書目》曰："近世依託。"朱熹曰："僞書也。"

---

① "雱"，武英殿本同，中華本據晁《志》改作"雱"。

② "保"，武英殿本同，中華本徑改作"倞"。

孔叢子七卷 漢孔鮒撰。朱熹曰:"僞書也。"

桓寬 鹽鐵論十卷

揚雄 太玄經十卷 又 揚子法言十三卷

張齊 太玄正義統論一卷 又 太玄釋文玄説二卷

宋惟澣[①] 太玄經注十卷

王涯 注太玄經六卷

柳宗元 注揚子法言十三卷 宋咸補注。

馬融 忠經一卷

玄測一卷 漢宋衷解,吴陸績釋之。

王符 潛夫論十卷

關朗 洞極元經傳五卷

四注孟子十四卷 揚雄、韓愈、李翺、熙時子四家注。

王通 文中子十卷 宋阮逸注。

太宗 帝範二卷

顔師古 糾繆正俗八卷

王涯 説玄一卷

林慎思 續孟子二卷

韓熙載 格言五卷

真宗正統十卷[②]

徐鉉 質論一卷

許洞 演玄十卷

刁衎 本説十卷

王敏 太平書十卷

賈岡[③] 山東野録七卷

---

① "澣",武英殿本同,中華本據晁《志》改作"幹"。

② "統",武英殿本同,中華本據《玉海》、《通志》改作"説"。

③ "岡",武英殿本同,中華本據《宋史》本傳、陳《録》改作"罔"。

宋咸　過文中子十卷　又　太玄音一卷

章詧　太玄圖一卷　又　太玄經發隱一卷

聱隅子　歔欷鏁微論一卷[1]　黄晞撰。

邵亢　體論十卷

周惇頤　太極通書一卷

司馬光　潛虚一卷　又　文中子傳一卷　集注四家揚子十三卷　集注太玄經六卷　並司馬光集。**家範十卷**

師望　元鑒十卷

范鎮　正書一卷

張載　正蒙書十卷　又　雜述一卷

程頤遺書二十五卷　語録二卷　程頤與弟子問答。

孟子解四卷　程頤門人記。

徐積　節孝語一卷　江端禮録。

吕大臨　孟子講義十四卷

蘇轍　孟子解一卷

王令　孟子講義五卷

龔原　孟子解十卷

陳暘　孟子解義十四卷

張諡[2]　**孟子音義三卷**

丁公著　孟子手音一卷

孫奭　孟子音義二卷

劉安世　語録二卷

王開祖　儒志一卷

游酢　孟子解義十四卷　又　雜解一卷

---

① “鏁”,《考證》據晁《志》、陳《録》認爲當作“瑣”。

② “諡”,武英殿本同,中華本據晁《志》、陳《録》改作“鎰”。

謝良佐　語録一卷

陳禾　孟子傳十四卷

晁説之　易玄星紀譜二卷

陳漸　演玄七卷

許允成　孟子新義十四卷

范冲　要語一卷

張九成　孟子拾遺一卷　語録十四卷

張憲武　勸學録六卷

劉子翬　十論一卷

張行成　潛虚衍義十六卷　又　皇極經世索隱一卷　觀物外篇衍義九卷　翼玄十二卷

鄭樵　刊繆正俗跋正八卷

文軫　信書三卷

宋衷解太玄義經訣十卷[①] 李泝集。

馬休[②] 刪孟子一卷

陳之方　致君堯舜論一卷　又　削荀子疵一卷

徐庸　注太玄經十二卷　又　玄頣一卷

僧全瑩　太玄畧例一卷

王紹珪　古今孝悌録二十四卷

尹惇　孟子解十四卷　語録四卷　尹惇門人馮忠恕、祁寬、吕堅中記。[③]

鄒浩　孟子解十四卷

朱熹　孟子集注十四卷　又　孟子集義十四卷　或問十四卷　延平師弟子問答一卷　語録四十三卷　朱熹門人所記。

---

① “義經”,武英殿本同,中華本據《隋志》、《玉海》改作“經義”。

② “馬”,武英殿本同,中華本據晁《志》、《玉海》改作“馮”。

③ “惇”,武英殿本同,中華本據《宋史》本傳、陳《録》改作“焞”。

張栻　孟子詳説十七卷　又　孟子解七卷

蔡沉　至書一卷

張氏　孟子傳三十六卷

錢文子　孟子傳贊十四卷

王汝猷　孟子辨疑十四卷

諸儒鳴道集七十二卷　濂溪、涑水、横渠等書。

程廻[①]　諸論辨一卷

近思録十四卷　朱熹、吕祖謙編類，周敦頤、[②]程頤、程顥、張載等書。

外書十二卷　程顥、程頤講學。

邵雍　漁樵問對一卷

祝禹圭　東西銘解一卷

蘇籀　遺言一卷

曾發　泮林討古二卷

張九成　語録十四卷

胡宏　知言一卷

麗澤論説集十卷　吕祖謙門人記。

周葵[③]　聖傳録一卷

吴仁傑　鹽石論丙丁二卷

陳舜申　審是集一卷

塗近正　明倫二卷

彭龜年　止堂訓蒙二卷

吕氏鄉約儀一卷[④]　吕大鈞撰。

---

① "廻"，《考證》："《宋志》訛'迴'爲'廻'。"

② "頤"字原闕，武英殿本同，中華本徑補，今從之。

③ "葵"，武英殿本作"揆"。

④ "吕氏鄉約儀一卷"，《考證》：陳《録》、晁《志》均作"吕氏鄉約一卷、鄉儀一卷"，此處"約"下疑脱"一卷鄉"三字。

李公省心雜言一卷　不知名。
董與幾　學政發縱一卷
高登　修學門庭一卷
劉敞　弟子記一卷
石月至言一卷　余應求刊其父之言。
戴溪　石鼓孟子答問三卷
陳師道　後山理究一卷
北山家訓一卷
伊洛淵源十三卷
聞見善善録一卷
質疑請益一卷
並不知作者。
楊浚　韋子内篇三卷　又　聖典三卷
王向　忠經三卷
劉餗[①]　續説苑十卷
法聖要言十卷
李琪　皇王大政論十卷
高舉　帝道書十卷
魯大公　公侯正術十卷
蕭佚　牧宰政術二卷
趙瑩　君臣政論二十五卷　興政論三卷
丘光庭　康教論一卷
張弧　素履子一卷
張陟　里訓十卷
趙湶　中庸論一卷

① “餗”,武英殿本同,中華本據《新唐書》本傳、《通志》改作“貺”。

趙鄰幾　鯫子一卷

朱昂　資理論三卷

何涉　治道中説三十篇　卷亡。

龔鼎臣　中説解十卷

范祖禹　帝學八卷

章懷太子　修身要覽十卷

太宗　文明政化十卷

真宗　承華要略二十卷

名墨縱横家無所增益答邇英聖問一卷　仁宗書三十五事，丁度等答。

顔之推　家訓七卷

狄仁傑　家範一卷

先賢誡子書二卷

開元御集誡子書一卷

古今家戒四卷

黄訥　家戒一卷

柳玢　誡子拾遺十卷

孫奕　示兒編一部

右儒家類一百六十九部，一千二百三十四卷、篇。

河上公　老子道德經注一卷

嚴遵　老子指歸十三卷

王弼　老子注二卷　又　道德略歸一卷

陸修靜　老子道德經雜説一卷

傅奕　道德經音義二卷

唐玄宗　注老子道德經二卷　有序。

唐玄宗　道德經音疏六卷

成玄英　道德經開題序訣義疏七卷

杜光庭　道德經廣聖義疏三十卷

僧文儻　道德經疏義十卷

趙至堅　道德經疏三卷

張惠超　道德經志玄疏三卷

陸氏　道德經傳四卷

扶少明　道德經譜二卷

谷神子註經諸家道德經疏二卷　河上公、葛仙公、鄭思遠、睿宗、玄宗疏。

李若愚　道德經注一卷

喬諷　道德經疏義節解二卷

道德經小解一卷

陳景元　道德注二卷

蔣之奇　老子解二卷　又　老子繫辭解二卷

張湛　列子音義一卷

張昭　補注莊子十卷

張烜　莊子通真論三卷

南華真經篇目義三卷

子暹[①]　訓文子注十二卷

朱弃[②]　文子注十二卷

墨布　一作"希"　子[③]　文子注十二卷

王源[④]　亢倉子注三卷

亢倉子音義一卷

范乾元　一作"九"　四子樞要二卷

---

① "子",武英殿本同,中華本徑改作"李"。

② "弃",《考證》云:當作"弁",疑《宋志》訛"弁"爲"弃"。

③ 晁公武云:"默希子者,唐徐靈府自號也。"《考證》云:《宋志》作"墨"、作"布"均誤。

④ 《考證》、《新唐志》作王士元《亢倉子》二卷。《宋志》作王源,疑误。

衞偕 一作“稽” 白术子三卷

太公等 陰符經注一卷

張果 陰符經注一卷 又 陰符經辨命論一卷

袁淑真 陰符經注一卷 又 陰符經疏三卷

陰符集解五卷

韋洪 陰符經疏訣一卷

蔡望 陰符經注一卷 又 陰符經要義一卷

陰符經小解一卷

張魯 陰符經元義一卷

李靖 陰符機一卷

房山長 注大册黄帝陰符經一卷[①]

梁丘子 注黄庭内景玉經一卷

黄庭外景經一卷

黄庭外景玉經注訣一卷

黄庭五藏論圖一卷

老子黄庭内視圖一卷

胡愔 黄庭内景圖一卷 黄庭外景圖一卷

魏伯陽 周易參同契三卷 參同大易誌三卷

徐從事 注周易參同契三卷

參同契合金丹行狀十六變通真訣一卷

鄭遠之 參同契心鑑一卷

張處 參同契大易圖一卷

晁公武 老子通述二卷

老子道德經三十家注六卷 唐道士張君相集解。

葛玄 老子道德經節解二卷

---

① “册”,武英殿本同,中華本據《通志》改作“丹”。

道德經内解二卷 不知作者。

老子道德經内節解二卷 題尹先生注。

王顧　老子道德經疏四卷

李榮　老子道德經注二卷

李約　老子道德經注四卷

碧雲子　老子道德經藏室纂微二卷 不知名。

老子道德經義二卷

老子指例略一卷

並不知作者。

張湛　列子注八卷

郭象　注莊子十卷

成玄英　莊子疏十卷

文如海　莊子正義十卷　又　莊子邈一卷

黄帝陰符經一卷 舊目云,驪山老母注,李筌撰。

集注老子二卷 明皇、河上公、王弼、王雱等注。①

吕知常　老子講義十二卷

李筌　陰符經疏一卷

陰符玄譚一卷 不知作者。

文子十二卷 舊書目云,周文子撰。

鶡冠子三卷 不知姓名。《漢志》云:"楚人,居深山,以鶡羽爲冠,因號云。"

亢倉子三卷 一名庚桑子。戰國時人,老子弟子。

抱朴子别旨二卷 不知作者。

司馬子微　坐忘論一卷

天機經一卷

道體論一卷

---

① "雱",武英殿本同,中華本據《宋史》本傳、晁《志》改作"雱"。

無能子一卷

並不知作者。

吴筠　玄綱一卷[①]

劉向　關尹子九卷

劉驥　老子通論語二卷

徽宗　老子解二卷　列子解八卷

吕惠卿　莊子解十卷

司馬光　老子道德經注二卷

蘇轍　老子道德經義二卷

趙令穆　老子道德經解二卷

李士表　莊子十論一卷

沈該　陰符經注一卷

朱熹　周易參同契一卷

朱安國　陰符元機一卷

程大昌　易老通言十卷

右道家類一百二部，三百五十九卷。

鳩摩羅什　譯金剛般若波羅蜜經一卷

沙門曇景　譯佛説未曾有因緣經二卷

玄奘　譯波般若波羅蜜多心經一卷

般剌密帝彌伽釋迦　譯首楞嚴經十卷

佛説一乘究竟佛心戒經一卷

佛説三亭厨法經二卷

佛説法句經一卷

佛垂涅槃略説教戒經一卷

---

① “玄綱”，《考證》據陳《録》認爲當作“元綱論”。

四經失譯。

馬鳴大師　摩訶衍論五卷

起信論二卷

僧肇　寶藏論三卷

彦宗①　福田論一卷

道信　大乘入道坐禪次第要論一卷

法林②　辨正論八卷　陳子良注。

慧海大師　入道要門論一卷

淨本和尚　論語一卷③

惠能　仰山辨宗論一卷

勸修破迷論一卷

金沙論一卷

明道宗一卷④

偈宗祕論一卷

四論不知撰人。

法藏　心經一卷

惟慤　首楞嚴經疏六卷

宗密　圓覺經疏六卷　圓覺道場修證儀十八卷　起信論鈔三卷

傅大士　寶誌　金鋼經贊一卷

惠能⑤　金剛經口訣義一卷　金剛大義訣二卷⑥

大白和尚　金剛經訣一卷

---

① “宗”，武英殿本同，中華本據《新唐志》、《通志》改作“琮”。

② “林”，武英殿本同，中華本據《新唐志》、《通志》改作“琳”。

③ “論語”，武英殿本同，中華本據《崇文總目》、《通志》改作“語論”。

④ “宗”，武英殿本同，中華本據《崇文總目》、《通志》改作“宗論”。

⑤ “惠”，《考證》：《新唐志》作“慧”。

⑥ “金剛”，武英殿本同，中華本據上下文及《崇文總目》改作“金剛經”。

法深　起信論疏二卷

忠師　百法明門論疏二卷

蕭子良　統略淨住行法門一卷

元康　中觀論三十六門勢疏一卷

華嚴法界觀門一卷　宋密注。①

傅大士　心王傳語一卷　行道難歌一卷

竺道生　十四科元贊義記一卷

灌頂　國清道場百録一卷

楞伽山主　小參録一卷

道宣　通感決疑録一卷

大唐國師小録法要集一卷

紹修　漳洲羅漢和尚法要三卷②　持琛。

白居易　八漸真議一卷③

張雲　元中語寶三卷

大閬和尚　顯宗集一卷

大雲和尚要法一卷　惠海。

元覺　一宿覺傳一卷

魏靜　永嘉一宿覺禪宗集一卷

達摩血脉一卷

本先　竹林集一卷

寶覺禪師　見道頌一卷　寓言居士注。

道瑾　禪宗理性偈一卷

石頭和尚參同契一卷　宗美注。

---

① "宋",武英殿本同,中華本據晁《志》改作"宗"。

② "洲",武英殿本同,中華本據《崇文總目》、《通志》改作"州"。

③ "八漸",武英殿本同,中華本據《新唐志》、《崇文總目》改作"八漸通"。

惠忠國師語一卷　冉氏。

東平大師默論一卷

義榮　天台國師百會語要一卷

齊竇　神要三卷

懷和　百丈廣語一卷

統休[①]　**無性和尚説法記一卷**

惠明　棲賢法儁一卷

龍濟和尚語要一卷

荷澤禪師微訣一卷

楊士達　禪關八問一卷　宗美。

句令　禪門法印傳五卷

淨惠禪師偈訟一卷[②]

義淨　求法高僧傳二卷

飛錫　往生淨土傳五卷

法海　六祖法寶記一卷　壇經一卷

辛崇[③]　**僧伽行狀一卷**

靈湍　攝山棲霞寺記一卷

師質　前代王修行記一卷[④]

盧求　金剛經報應記三卷

賢首　華嚴經纂靈記[⑤]

元偉　真門聖冑集五卷

---

① 下文著録《無住和尚説法》二卷,題"僧鈍林集",疑即同一人。

② "訟",武英殿本同,中華本徑改作"頌"。

③ "辛",原作"卒",《考證》云:"《唐志》、《崇文目》、《通志》均作辛崇。《宋志》誤'辛'爲'卒'。"今據改。

④ 《考證》據《新唐志》、《崇文總目》、《通志》云:"質"乃"哲"之訛。又,"代"後脱"國"字。

⑤ "華嚴經纂靈記",武英殿本同,中華本下有"五卷"二字。

雲居和尚示化實録一卷

覺旻　高僧纂要五卷

智月　僧美三卷

裴休　拾遺問一卷

神澈　七科義狀一卷

夢微　内典編要十卷

紫陵語一卷

大藏經音四卷

真覺傳一卷

渾混子三卷　解《寶藏論》。

遺聖集一卷

菩提心記一卷

積元集一卷

相傳雜語要一卷

德山集一卷　仰山、溈山語。

會昌破胡集一卷

妙香丸子法一卷

潤文官録一卷　唐人。

迦葉祖裔記一卷

釋門要録五卷

《紫陵》以下不知撰人。①

十朋　請禱集一卷　瑞象歷年記一卷

惟勁禪師贊訟一卷②

釋華嚴漩澓偈一卷

---

① “紫陵”，武英殿本同，中華本據上下文補作“紫陵語”。

② 《考證》云：《崇文目》作“誦”，《通志》作“頌”。《宋志》作“訟”，誤。中華本徑改为“頌”。

馬裔孫　看經贊一卷

法喜集二卷

文益　法眼禪師集一卷

法眼禪師集真贊一卷

高越　舍利塔記一卷

可洪　藏經音義隨函三十卷

建隆　雍熙禪頌三卷

魏德謩　無上祕密小録五卷

程讜　釋氏蒙求五卷

延壽　感通賦一卷

李遵　天聖廣燈録三十卷

吕夷簡　景祐寳録二十一卷

僧肇　寳藏論一卷　又　般若無知論一卷　涅槃無名論一卷

僧慧皓①　高僧傳十四卷

僧佑　弘明集十四卷

僧寳唱　比丘尼傳五卷

僧佑　釋迦譜五卷

甄鸞　笑道論三卷

僧慧可　達摩血脉論一卷

費長房　開皇歷代三寳記十四卷　又　開皇三寳録總目一卷

國清道場百録五卷　僧灌頂纂，僧智顗修。②

僧法琳　破邪論三卷　又　辨正論八卷

僧彦琮　釋法琳别傳三卷

---

①　“皓”，武英殿本同，中華本據《舊唐志》、《新唐志》改作“皎”。

②　“頂”，原作“預”，武英殿本同，本類前已著録《灌頂國清道場百録一卷》，与此爲同書重出，《考證》云“預”字蓋誤，中華本徑改作“頂”，兹從之。

僧慧能　注金壇經一卷[①]　又撰　金剛經口訣一卷
僧慧昕　注壇經二卷
僧辨機　唐西域志十二卷
僧道宣　續高僧傳三卷　又　佛道論衡三卷　三寶感應録三卷　釋迦氏譜一卷
弘明集三十卷[②]
僧政覺　金沙論一卷
僧會神[③]　荷澤顯宗記一卷
華嚴法界觀門一卷　僧法順集，僧宗密注。
僧宗密　禪源諸詮二卷　又　原人論一卷　大乘起信論一卷
魏靜　永嘉一宿覺禪師集一卷
僧道世　法苑珠林一卷[④]
僧慧忠　十答問語録一卷
無住和尚説法二卷　僧鈍林集。
僧普願　語要一卷
龐藴語録一卷　唐于頔編。
僧神清　北山參玄語録十卷[⑤]
僧慧海　頓悟入道要門論一卷
僧義淨　求法高僧傳三卷
僧元應　唐一切經音義一十五卷
僧澄觀　華嚴經疏十卷
僧紹脩　語要一卷

---

① “壇”，《考證》云：“壇”疑爲“剛”字之誤。

② “弘明”，武英殿本同，中華本據《舊唐志》、《新唐志》改作“廣弘明”。

③ “會神”，武英殿本同，中華本據《景德傳燈録》改作“神會”。

④ “一”，武英殿本同，中華本據《新唐志》、《崇文總目》改作“一百”。

⑤ “玄”，原作“元”，係避諱改字，茲回改。又《考證》云：《新唐志》及《崇文總目》無“北山”二字。

裴休　傳心法要一卷

唐六譯金剛經贊一卷　鄭覃等撰。

僧慧祥　古清涼傳二卷

釋迦方志一卷　唐終南大一山僧撰。

僧應之　四注金剛經一卷

僧延壽　宗鏡録一百卷

僧贊寧　僧史略三卷

僧道原　景德傳燈録三十卷

晁迥　法藏碎金十卷

道院集要三卷　不知作者。

僧延昭　衆吼集一卷

僧重顯　瀑布集一卷　又　語録八卷

僧世冲　釋氏詠史詩三卷

僧居本　廣法門名義一卷

僧慧皎　僧史二卷

僧契嵩　輔教編三卷

僧省常　錢塘西湖淨社録三卷

僧道誠　釋氏須知三卷

僧道誠　釋氏要覽三卷

王安石　注維摩詰經三卷

朱士挺　伏虎行狀一卷

僧自嚴行狀一卷　陳嘉謨撰。

李之純　成都大悲寺集二卷　又　成都大慈寺記二卷

僧惟白　續燈録三十卷

僧宗頤①　**勸孝文二卷　又　禪苑清規十卷**

---

① “頤”,《考證》:日本藏經書院《續藏經》作“賾”。

蹇序辰　諸經譯梵三卷

王敏中　勸善録六卷

楊諤　水陸儀二卷

僧智達　祖門悟宗集二卷

樓穎　傅翕小録要集一卷

僧宗永　宗門統要十卷

僧智圓　閑居編五十一卷

僧懷深　注般若波羅密多心經一卷

僧原白　注證道歌一卷

僧宗杲語録五卷　黄文昌撰。

僧慧達　夾科肇論二卷

僧應乾　楞嚴經標指要義二卷

僧靈操　釋氏蒙求一卷

僧馬鳴　釋摩訶衍論十卷

僧闍那多迦　譯羅漢頌一卷

僧菩提達磨　存想法一卷　又　菩提達磨　胎息訣一卷

頌證道歌一卷　篇首題正覺禪師撰。

淨慧禪師語録一卷

蓮社十八卷賢行狀一卷[①]

法顯傳一卷

諸經提要二卷

五公符一卷

寶林傳録一卷

并不知作者。

李通玄　華嚴合論一卷

---

① “十八卷”,武英殿本同,中華本徑删“卷”字。

張戒　注楞伽集注八卷

佛陁多羅　譯圓覺經二卷

般剌密諦　譯楞嚴經十卷

法寶標目十卷　王右編。[①]

僧肇　譯維摩經十卷

晁迥　耄智餘書三卷

八方珠玉集四卷　大圓、塗毒二僧集諸家禪語。

王日休　金剛經解四十二卷　淨土文十一卷　王日休撰。

語録二卷　松源和尚講解答問。

普燈録三十卷　僧正受集。

諸天傳二卷　僧行霆述。

奏對録一卷　佛照禪師淳熙間奏對之語。

崇正辨三卷　胡演撰。[②]

右釋氏類二百二十二部,凡百四十九卷。[③]

劉向　列仙傳三卷

王褒　桐栢真人王君外傳一卷

周李通[④]　**玄洲上卿蘇君記一卷**

葛洪　神仙傳十卷　馬陰二君内傳一卷　上真衆仙記一卷　隱論雜訣一卷　金木萬靈訣一卷　抱朴子養生論一卷　太清玉碑子一卷　葛洪與鄭惠遠問答。

二女真詩一卷　紫微夫人及東華中候王夫人作。[⑤]

---

① "右",《考證》據上文認爲當作"古"。

② "演",武英殿本同,中華本據《宋史》本傳改作"寅"。

③ "凡",武英殿本同,中華本徑改作"九"。按,經統計當爲九百六十九卷。

④ "李",武英殿本同,中華本徑改作"季"。

⑤ "候",武英殿本作"侯"。

施真人　銘真論一卷
旌陽令許遜　靈劒子一卷
黄帝内傳一卷　籛鏗得於石室。
東方朔　十洲三島記一卷
淮南王劉安　太陽真粹論一卷
黄玄鍾　蓬萊山西鼇還丹歌一卷
婁敬　草衣子還丹訣一卷
魏伯陽　還丹訣一卷　周易門户參同契一卷　大丹九轉歌一卷
華佗　老子五禽六氣訣一卷
陸脩靜　老子道德經雜説一卷　五牙導引元精經一卷
黄庭經一卷　其文初爲五言四章，後皆七言，論人身扶養修治之理。
李千乘　黄庭中景經注一卷
尹喜　黄庭外景經注一卷
襄楷　太平經一百七十卷
李堅　東極謝真人傳一卷
王禹錫　海陵三仙傳一卷
施肩吾　真仙傳道集二卷　三住銘一卷　西都群仙會真記一卷①
長孫滋　崔氏守一詩傳一卷
吴筠　神仙可學論一卷　又　形神可固論一卷　著生論一卷　明真辨僞論一卷　心目論一卷　玄門論一卷　元綱論一卷　諸家論優劣事一卷　辨方士惑論一卷②
杜光庭　二十四化詩一卷　又　二十四化圖一卷　神仙感遇

① “都”，武英殿本同，中華本據尤《目》、陳《録》改作“山”。
② “士”，武英殿本同，中華本據《新唐志》、《崇文總目》改作“正”。

傳十卷　墉城集仙録十卷　應現圖三卷　仙傳拾遺四十卷　歷代帝王崇道記一卷　道教靈驗記二十卷　道經降傳世授年載圖一卷

謝良弼[1]　中嶽吴天師内傳一卷

李渤　李天師傳一卷　真系傳一卷

張隱居　演龍虎上經二卷

盧潘　侯真人傳一卷

沈汾　續仙傳三卷

尹文操　樓觀先師本行内傳一卷　玄元聖記經十卷

刁琰　廣仙録一卷

見素子　洞仙傳十卷

傅元鎮　應緣道傳十一卷

晞暘子　賓仙傳三卷　南嶽夫人清虚玉君内傳一卷

范邈　南嶽魏夫人内傳一卷

李遵　三茅君内傳一卷

梁日廣　釋仙論一卷

赤松子　中誡篇一卷　金石論一卷

門天老曆一卷

泠然子　學神仙法一卷

賈嵩　陶先生傳序三卷

吴先主孫氏　太極左仙公神仙本起内傳一卷

華僑[2]　真人周君内傳一卷

劉海蟾詩一卷

太一真君固命歌一卷　晉葛洪譯。

---

① “弼”,武英殿本同,中華本據《新唐志》、《通志》改作“嗣”。

② “僑”,武英殿本同,中華本徑改作“嶠”。

張融　三破論一卷

陶弘景　養性延命録二卷　導引養生圖一卷　神仙玉芝瑞草圖二卷　上清握中訣三卷　登真隱訣三十五卷　真誥十卷

華陽道士韋處玄　注老子西昇經二卷

魏曇巒法師　服氣要訣一卷

陳處士周弘讓　書老子道經一卷

李淳風　正一五真圖一卷

孫思邈　退居志一卷　真氣銘一卷　九幽福壽論一卷　龍虎亂日篇一卷

李用德　晉州羊角山慶曆觀記一卷[①]

王元正　清虛子龍虎丹一卷

驪山母黄帝陰符大丹經解一卷　房山長集。

吴兢　保聖長生纂要坐隅障二卷

僧一行　天真皇人九仙經一卷

尹愔　老子五厨经注一卷

周泣　潁陽書一卷

昝殷　導養方三卷

李廣　中指真訣一卷

僧遵化[②]　養生胎息秘訣一卷

高駢　性箴金液頌一卷

黄仲山　玄珠龜鏡三卷

裴鉉　延壽赤書一卷

張果　紫靈丹砂表一卷　内真妙用訣一卷　休糧服氣法一卷

---

① 《考證》云:《祕書省四庫闕書目》及《通志》道家記類均作"李用能晉州羊角山唐觀記",《廿二史考異》云:"'慶曆'當作'慶唐'。"

② "僧",《考證》據《通志》認爲當作"賈"。

大易誌圖參同經一卷　玄宗與葉靜能、一行答問語。

王紳　太清宫簡要記一卷

康真人　氣訣一卷

盧遵元　太上肘後玉經方一卷

楊知玄　淮南王練聖法一卷①

老子元道經一卷　南統孟謫仙傳授。

李延章　中元論一卷

胡微　玉景内篇二卷

黄庭内景五藏六腑圖一卷　大白山見素女子胡愔撰。

王懸河　三洞珠囊三十卷

王貞範　洞天集二卷

捷神子　唐元指玄篇一卷

中央黄老君洞房内經一卷

黄老中道君洞房内經一卷

黄老神臨藥經一卷

太清真人絡命訣一卷

太上老君血脉論一卷

靈寶服食五芝精一卷

黄帝内經靈樞略一卷

黄帝九鼎神丹經訣十卷

黄帝内丹訣一卷

太極真人風鳴爐火經一卷

紫微帝君王經寶訣一卷

太上老君服氣胎息訣一卷

老子中經二卷

---

① “法”,《考證》據《通志》、《道藏闕經目録》認爲當作“石法”。

老子神仙歷藏經一卷
王母太上還童採華法一卷
紫微帝君紫庭祕訣一卷
茅真君靜中吟一卷
王茅君雜記一卷
陰真君還丹歌一卷
金液還丹歌一卷
元君付道傳心法門一卷
徐真君丹訣一卷
張真君靈芝集一卷
彭君訣黃白五元神丹經一卷
太一真君元丹訣一卷[①]
陳大素　九天飛步内訣真經一卷
河間真人劉演　金碧潛通秘訣一卷
大白山李真人　調元妙經一卷
陳少微　大洞煉真寶經一卷
申天師　服氣要訣一卷
張天師　石金記一卷
玄元先生　日月混元經一卷
鄭先生　不傳氣經一卷
建平然先生　少來苦樂傳一卷
赤城隱士　服藥經三卷
卧龍隱者　少玄胎息歌一卷
蜀郡處士　胎息訣一卷
成都李道士　太上洞玄靈寶修真論一卷

---

① 前“一”字，武英殿本作“乙”。

務元子　混成經一卷

務成子　注太上黄庭内景經一卷

含光子　契真刊謬玉鑰匙一卷

鄧雲子　清虚真人裴君内傳一卷

廣成子　靈仙秘録陰丹經一卷　紫陽金碧經一卷　昇玄養生論

青霞子　旨道篇一卷　又　龍虎金液還丹通玄論一卷　寶藏論一卷

易元子　勸道詩一卷

逍遥子　内指通玄訣三卷　攝生秘旨一卷

升玄子　造化伏汞圖一卷

潁陽子　神仙修真秘訣十二卷

元陽子　金石還丹訣一卷

真一子　金鑰匙一卷

九真中經一卷　赤松子傳。

暢元子　雜録經訣尊用要事一卷

狐剛子　粉團五卷

左掌子　證道歌一卷

中皇子　服氣要訣一卷

桑榆子　新舊氣經一卷

玄明子柳冲用　巨勝歌一卷

葉真卿　玄中經一卷

丁少微　真一服元氣法一卷

洞元子　通元子　通玄指真訣一卷

真常子　服食還丹證驗法一卷

煙蘿子　内真通玄歌一卷

獨孤滔　丹方鏡源文三卷[①]
天台白雲　服氣精義論一卷
徐懷遇　學道登真論一卷
曹聖圖　鉛汞五行圖一卷
張素居　金石靈臺記一卷
高先　大道金丹歌一卷
陳君舉　朝元子玉芝書三卷[②]
吕洞賓　九真玉書一卷
陶植　蓬壺集三卷
修仙要訣一卷　華子期授於甪里先生。
上相青童太上八術知慧滅魔神虎隱文一卷
碧巖張道者　中山玉櫃服神氣經一卷
司世抱陽劒術一卷
金明七真人　三洞奉道科誡三卷
楊歸年　修真延秘集三卷
陰長生　三皇經一卷
馬明生　赤龍金虎中鉛鍊七返還丹訣　卷亡。
上司翼[③]　養生經一卷
王弁　新舊服氣法一卷
傅士安　還丹訣一卷
徐道邈　注老子西昇經二卷
劉仁會　注西昇經一卷
張隨　解參同契一卷

① “方”，武英殿本同，中華本徑改作“房”。
② 《考證》：陳《録》有《玉芝書》三卷，朝元子陳舉撰，陳傅良字君舉。
③ “司”，武英殿本同，中華本徑改作“官”。

李審　頤神論二卷

處士劉詞　混俗頤生録一卷

閭丘方遠　太上經秘旨一卷

道士張乾森　自然券立成儀一卷

張承先　度靈寶經表具事一卷

玉晨奔日月圖一卷

真秘訣一卷　賓冠授達磨。

僧玄玄疑[①]　甄正論三卷

王長生　紫微内庭秘訣三卷

傳授五法立成儀一卷

寒山子　大還心鑑一卷

守文居鎡[②]　長生纂要一卷

莊周氣訣一卷

朗然子詩一卷

山居道士　佩服經符儀一卷　不知名。

蘇登　天老神光經一卷

内外丹訣二卷　集王元正、李黄中等撰。

崔公入藥鏡三卷

混元内外觀十卷

張君房　雲笈七籤百二十卷

樂史　總仙秘録一百三十卷

余卞　十二真君傳二卷

李信之　雲臺異境集一卷

賈善翔　高道傳十卷　猶龍傳三卷

---

① “玄玄疑”,《考證》據《新唐志》認爲當作“玄嶷”。

② “守”,《考證》:“守”當是“宇”之誤。

張隱龍　三茅山記一卷
王松年　仙苑編珠一卷
李昌齡　感應篇一卷
朱宋卿　徐神翁語録一卷
太宗真宗三朝傳授讚詠儀二卷①
真宗　汴水發願文一卷
徽宗　天真示現記三卷
陳摶　九室指玄篇一卷
王欽若　七元圖一卷　先天紀三十六卷　翊聖保德傳三卷
丁謂　降聖記三十卷②
耿肱　養生真訣一卷
青霞子　丹臺新録九卷
李思聰　道門三界詠三卷
張端　金液還丹悟真篇一卷
彭曉　周易參同契分章通真儀三卷③　參同契明鑑訣一卷
姚稱　攝生月令圖一卷
錢景衎　南嶽勝槩編一卷
謝修通　玉笥山祖記實録一卷
張無夢　還元篇一卷
純陽集一卷
上清五牙真秘訣一卷④
二仙傳一卷
成仙君傳一卷

---

① "朝",《考證》據正統《道藏》認爲當作"洞"。
② "三",《考證》據晁《志》、《玉海》認爲當作"五"。
③ "儀",《考證》據《通志》、陳《録》認爲當作"義"。
④ "真",《考證》據《祕書省四庫闕書目》認爲"真"下脱"一"字。

劉真人傳一卷

平都山仙都觀記二卷

師譜一卷

十真記一卷

仙班朝會圖五卷

賴卿記一卷①

大還丹照鑑登仙集一卷

斷穀要法一卷

裴君傳行事訣一卷

太上墨子枕中記二卷

太上太素玉録一卷

太上倉元上録一卷

學仙辨真訣一卷

洞真金元八景玉録一卷

五嶽真形圖一卷

祭六丁神法一卷

神仙雜歌詩一卷

玄門大論一卷

九轉丹歌一卷

太和樓觀内紀本草記一卷

老君出塞記一卷

五嶽真形論一卷

黄帝三陽經五明乾羸坤巴訣一卷

正一肘後脩用訣一卷

正一法文目一卷

---

① “賴卿”,《考證》據《祕書省四庫闕書目》認爲當作“瀨鄉”。

正一論一卷
正一上元九星圖一卷
正一脩行指要三卷
正一法十籙召儀一卷
正一奏章儀一卷
正一醮江海龍王神儀都功版儀一卷
太上符鏡一卷
谷神賦一卷
黄書過度儀一卷
太上八道命籍二卷
靈寶聖真品位一卷
靈寶飛雲天篆一卷
上清佩文訣五卷
上清佩文黑券訣一卷
福地記一卷
曲素憂樂慧辭一卷
皇人三一圖一卷
西昇記一卷
胎精記解結行事訣一卷
高上金真元籙一卷
長睡法一卷
大洞玄保真養生論一卷
曲素訣辭一卷
太上丹字紫書一卷
絶玄金章一卷
紫鳳赤書一卷
靈寶步虛詞一卷

金紐太清陰陽戒文一卷
太上紫書録傳一卷
度太一玉傳儀一卷
奔日月二景隱文一卷
司命楊君傳記一卷
回耀太真隱書一卷
思道誡一卷
潘尊師傳一卷
三尸經一卷
金簡集三卷
無名道者歌一卷
大丹會明論一卷
太清真人九丹神祕經一卷
金鏡九真玉書一卷
八公紫府河車歌一卷
大還祕經一卷
神仙肘後三宫訣二卷
太極紫微元君補命祕録一卷
老君八純玄鼎經一卷
海蟾子　還金篇一卷
太清篇火式一卷
太一真人五行重玄論一卷
龍虎大還丹祕訣一卷
煉五神丹法一卷
太清丹經經一卷
神仙庚辛經一卷
紫白金丹訣一卷

仙公藥要訣一卷

三十六水法一卷

金虎赤龍經一卷

玉清内書一卷

太上老子服氣口訣一卷

燒煉雜訣法一卷

太清金液神丹經三卷

休糧諸方一卷

胎息根旨要訣一卷

修真内煉祕訣一卷

上清修行訣一卷

大道感應論一卷

太上習仙經契録一卷

回耀飛光日月精氣上經一卷

攝生增益録一卷

神氣養形論一卷

服餌仙方一卷

鉛汞指真訣一卷

服食日月皇華訣一卷①

神仙藥名隱訣一卷

鍊花露仙醞訣一卷

繕生集一卷

道術旨歸一卷

按摩要法一卷

醮人神法一卷

---

① “食”,武英殿本作“氣”。

上清大洞真經玉訣一卷
草金丹法一卷
十二月五藏導引一卷
大易二十四篇一卷
服氣鍊神祕訣一卷
老君金書内序一卷
尹真人本行記一卷
陶陸問答一卷
諸家修行纂要一卷
谷神祕訣三卷
太清導引調氣經一卷
大玄部道興論二十七卷①
富貴日用篇一卷
入室思赤子經一卷
餌芝草黄精經一卷
治身服氣訣一卷
玉皇聖台神用訣一卷
燒金石藥法一卷
神仙服食經一卷
三天君烈紀一卷
養生要録三卷
神仙九化經一卷
調元氣法一卷
太上保真養生論一卷
神仙祕訣三論三卷

① “大”,《考證》云當作“太”。

元君肘後術三卷
山水穴竇圖一卷
養生諸神仙方一卷
五經題迷一卷①

右神仙類三百九十四部,一千二百十六卷。

右道家附釋氏神仙類凡七百十七部,二千五百二十四卷。

管子二十四卷　齊管夷吾撰。
商子五卷　衛公孫鞅撰。
慎子一卷　慎到撰。
韓子二十卷　韓非撰。
尹知章　注管子十九卷
杜佑　管氏指略二卷
丁度　管子要略五篇　卷亡。
董仲舒　春秋決事　作"獄"②　十卷　丁氏主,黄氏正。③
李文博　治道集十卷
張去華　大政要録三卷

右法家類十部,九十九卷。

公孫龍子一卷　趙人。
尹文子一卷　齊人。
鄧析子二卷　鄭人。
即郡④　人物志二卷

---

① "五經題迷",《考證》:《道藏缺經目録》作"五金題述",《通志》作"五金題術"。
② "作獄",武英殿本同,中華本據《舊唐志》改作"一作獄"。
③ "主",武英殿本同,中華本據《崇文總目》改作"平"。
④ "即郡",武英殿本同,中華本徑改作"劉邵"。

杜周士　廣人物志二卷

右名家類五部,八卷。

墨子十五卷　宋墨翟撰。

右墨家類一部,十五卷。

鬼谷子三卷

高誘　注戰國策三十三卷

鮑彪　注國策十卷

右縱横家類三部,四十六卷。

夏小正戴氏傳四卷　傅崧卿注。

蔡邕　月令章句一卷

杜臺卿　玉燭寶典十二卷

唐玄宗　删定禮記月令一卷

李林甫　注解月令一卷

韓鄂　歲華紀麗四卷

韋行規　月録一卷

李綽　秦中歲時記一卷　一名《成鎬記》。①

李邕　金谷園記一卷

徐鍇　歲時廣記一百二十卷　内八卷闕。

賈昌朝　國朝時令集解十二卷

宋綬②　歲時雜詠二十卷

劉安靖　時鏡新書五卷

① "成",武英殿本同,中華本據陳《録》改作"咸"。

② "綬",《考證》據《通考》認爲當作"庠"。

孫昱　備閲注時令一卷

歲中記一卷

十二月纂要一卷

保生月録二卷

四時録四卷

並不知作者。

張方　夏時志别録一卷　又　夏時考異一卷

許狀元節序故事十二卷　許尚編。

真宗　授時要録十二卷

孫思邈　齊人月令三卷

宗懍　荆楚歲時記一卷

李綽　輦下歲時記一卷

劉靖　時鑑雜　一作"新"　書四卷

岑賁　月壁一卷

孫翰　月鏡二卷①

嵇含　南方草木狀三卷

賈思勰　齊民要術十卷

則天皇后　兆人本業三卷

陸羽　茶經三卷　又　茶記一卷

温庭筠　採茶録一卷

茶苑雜録一卷　不知作者。

張又新　煎茶水記一卷

韓鄂　四時纂要十卷

賈躭　醫牛經　卷亡。

---

①　"鏡",原作"鑒",《考證》曰:"《紹興目》作《月鏡》。"按,"鏡"係避諱字,兹回改。

淮南王　養蠶經一卷

孫光憲　蠶書三卷

秦處度　蠶書一卷

毛文錫　茶譜一卷

史正志　菊譜一卷

任璹　彭門花譜一卷

周序　洛陽花木記一卷

陶朱公　養魚經一卷

熊寅亮　農子一卷

賈朴　牛書一卷

王旻　山居要術三卷　又　山居雜要三卷　山居種蒔要術一卷

戴凱之　竹譜三卷

無求子　酒經一卷　不知姓名。

大隱翁　酒經一卷

是齋售用一卷

李淳風　四民福禄論二卷

牛皇經一卷

辨五音牛欄法一卷

農家切要一卷

荔枝故事一卷

並不知作者。

封演　錢譜一卷[①]

張台　錢録一卷

于公甫　古今泉貨圖一卷

---

① “錢譜”,《考證》據《新唐志》、《崇文總目》認爲當作“續錢譜”。

侯氏　萱堂香譜一卷

范如圭　田夫書一卷

賈元道　大農孝經一卷

陳靖　勸農奏議三十篇

林勳　本政書十卷　又　本政書比校二卷　治地旁通一卷

王章　水利編三卷

僧贊寧　筍譜一卷

僧仲休①　花品記一卷

丁謂　北苑茶録三卷　又　天香傳一卷

歐陽修　牡丹譜一卷

蔡襄　茶録一卷

沈立　香譜一卷　又　錦譜一卷

茶法易覽十卷

丁度　土牛經一卷

孔武仲　芍藥譜一卷

張峋　花譜一卷

沈括　志懷録三卷②

竇苹　酒譜一卷

馮安世　林泉備五卷

吕惠卿　建安茶用記二卷

劉攽　芍藥譜一卷

王觀　芍藥譜一卷

洪芻　香譜五卷

章炳文　壑源茶録一卷

---

① “休”，武英殿本作“林”。

② “志”，《考證》據晁《志》、陳《録》認爲當作“忘”。

吴良輔　竹譜二卷

葛澧　酒譜一卷

高伸　食禁經三卷

劉异　北苑拾遺一卷

宋子安　東溪茶録一卷①

陳翥　桐譜一卷

張宗誨　花木録七卷

周絳　補山經一卷②

葉庭珪　南蕃香録一卷

樓璹　耕織圖一卷

曾安正③　禾譜五卷

曾之謹　農器譜三卷

陳旉　農書三卷

熊蕃　宣和北苑貢茶録一卷

韓彦直　永嘉橘録三卷

王居安　經界弓量法一卷

　　右農家類一百七部,四百二十三卷、篇。

鬻熊子一卷

吕不韋　吕氏春秋二十六卷　高誘注。

陸賈　新語二卷

賈誼　新書十卷

淮南子鴻烈解二十一卷　淮南王安撰。

許慎　注淮南子二十一卷

高誘　注淮南子十三卷

---

① “東溪茶録”,《考證》據晁《志》認爲當作“東溪試茶録”。

② “山”,武英殿本同,中華本據《四库闕書目》、晁《志》改作“茶”。

③ “正”,武英殿本同,中華本據《四庫闕書目》改作“止”。

劉向　新序十卷　又　説苑二十卷

仲長統　昌言二卷

王充　論衡三十卷

邊誼　續論衡二十卷

應劭　風俗通義十卷

徐幹　中論十卷

蔣子萬機論十卷　魏蔣濟撰。

諸葛亮　武侯十六條一卷

沈顔　聱書十卷

傅子五卷　晉傅玄撰。

陸機　正訓十卷

崔豹　古今注三卷

周蒙　續古今注三卷

張華　博物志十卷

葛洪　抱朴子内篇二十卷　又　抱朴子外篇五十卷

劉子三卷　題劉晝撰。

奚克讓　劉子音釋三卷　又　音義三卷

湘東王繹　金樓子十卷

庾仲容　子鈔三十卷

顧野王　符瑞圖二卷

孫綽子十卷

范泰　古今善言三十卷

沈約　袖中記三卷

尹子五機論三卷

商孝逸[①]　**商子新書三卷**

---

① “孝”,武英殿本同,中華本據《崇文總目》、《通志》改作“子”。

鄭璋　道言録三卷
杜正論[①]　百行章一卷
李文博　治道集十卷
虞世南　帝王略論五卷
劉巖　芻蕘論三卷
李賢　修書要覽十卷
羅隱　兩同書二卷
李直方　正性論一卷
韓熙載　格言五卷　又　格言後述三卷
黄希　聲隅書十卷[②]
李淳風　感應經三卷
魏徵　時物策一卷[③]　又　祥瑞録十卷
朱敬則　十代興亡論十卷
張説　才命論一卷
楊相如　君臣政要論三卷
趙自勔　造化權輿六卷
元子十卷　元結撰。
杜佑　理道要訣十卷
皇甫選　注何亮本書三卷
邵元　體論十卷
馬總　意林三卷　又　意樞二十卷
林慎思　伸蒙子三卷
丘光庭　規書一卷　又　兼明書十二卷

---

① "論",武英殿本同,中華本徑改作"倫"。
② "希"、"聲",武英殿本同,中華本據陳《録》、尤《目》改作"晞"、"謦"。
③ "物",武英殿本同,中華本據《新唐志》、《崇文總目》改作"務"。

牛希濟　理源二卷　又　治書十卷

朱朴　致理書十卷

盧藏用　子書要略三卷

臧嘉猷　史玄機論十卷

歐陽浚　周紀聖賢故實十卷

徐融　帝王指要三卷

張輔　宰輔明鑒十卷[①]

趙湘　補政忠言十篇　卷亡。

徐氏　忠烈圖一卷

孝義圖一卷

趙彦衞　雲麓漫鈔二十卷　又　雲麓續鈔二卷

南唐後主李煜　雜説二卷

劉子法語二十卷　劉鶚撰。　又　通論五卷

宋齊丘　化書六卷　又　理訓十卷

葛澧　經史摭微四卷

劉賡　稽瑞一卷

趙蕤　長短要術九卷

吴筠　兩同書二卷

馬縞　中華古今注三卷

蘇鶚　演義十卷

樂朋龜　五書一卷

徵微子　服飾變古一卷

狐剛子　感應類從譜一卷

通幽子　靈臺隱秘寶符一卷　扶風隱者。

李恂　前言往行録三卷

---

① “鑒”,《考證》:《祕書省四庫闕書目》“鑒”作“鏡”。

尹子五卷

鄭至道　諭俗編一卷

彭仲剛　諭俗續編一卷

黄巖　虚犧範圍圖傳二卷

張時舉　弟子職女誡鄉約家儀鄉儀一卷

李宗思　尊幼儀訓一卷

吕本中　官箴一卷

何薳　春諸記聞十三卷

王普　答問難疑一卷

徐度　崇道却掃編十三卷

吴曾　漫録十三卷

魏泰　書可記一卷　又　續東軒雜録一卷

馮忠恕　涪陵記一卷[①]

洪興祖　聖賢眼目一卷　又　語林五卷

姚寛　叢語上下二卷

唐稷　硯岡筆志一卷

吴箕　常譚二卷

袁采　世範三卷　又　欷歔子一卷

葉適　習學記言四十五卷

項安世　項氏家記十卷

徐彭年　涉世録二十五卷　又　涉世後録二十五卷　坐忘論一卷

吕祖謙　紫微語録一卷

葉模　石杯過庭録三十七卷[②]

---

① "涪陵記",《考證》據《四庫全書總目提要》認爲其下脱"善録"二字。

② "杯",武英殿本同,中華本徑改作"林"。

李石　樂善録十卷

劉鵬　縣務綱目二十卷

周朴　三教辨道論一卷

僧贊寧　物類相感志十卷　又　要言二卷

柳宲　藪記十卷

王錡　動書一卷

宋祁　筆録一卷

龍昌期　天保正名論八卷

胥餘慶　瑞應雜録十卷

刁衎　治道中術三卷

朱景先　默書三卷

鄧綰　馭臣鑒古論二十卷

王韶　敷陽子七卷

天鸞子一卷　不知姓名。

吴宏　群公典刑二十卷

高承　事物紀原十卷

陳瓘　中説一卷

孔平仲　良史事證一卷

李新　塾訓十三卷　又　欲書五卷

李格非　史傳辨志五卷

晁説之　客語一卷

方行可　治本書一卷

王楊英　黼扆誡一卷

何伯熊　機密利害一卷

李旘　審理書一卷

張大櫳　翠微洞隱百八十卷

李易　要論一卷

何亮　本書三卷

劉長源　治本論一卷

鄭樵　十説二卷

潘祖　志筌書二卷①

洪氏　雜家五卷　不知名。

瑞録十卷

冗録一卷

治獄須知一卷

之官申戒一卷

瑞應圖十卷

玉泉子一卷

中興書一卷

汲世論一卷

並不知作者。

東莞子十卷

李子正辨十卷

劉潛　群書集三卷

成嵩　韻史一卷

陳鄂　十經韻對二十卷　又　四庫韻對九十九卷

魏玄成②　祥應　一作"瑞"　圖十卷

劉振　通籍録異二十卷

趙志忠　大遼事跡十卷

右雜家類一百六十八部,一千五百二十三卷、篇。

---

① "祖"、"志",武英殿本同,中華本據陳《録》、《通考》改作"植"、"忘"。

② 魏徵,字玄成。《宋志》避諱稱字。

五

燕丹子三卷

東方朔　神異經二卷　晉張華傳。

師曠　禽經一卷　張華注。

王子年　拾遺記十卷　晉王嘉撰。

干寶　搜神總記十卷

竇櫝記十卷

並不知作者。[①]

殷芸　小說十卷

劉義慶　世說新語三卷

任昉　述異記二卷

吳均　續齊諧記一卷

沈約　俗說一卷

陶弘景　古今刀劍録一卷

江淹　銅劍讚一卷

顧烜[②]　錢譜一卷

顔之推　還冤志三卷

陽松玠　八代談藪二卷

張說　五代新說二卷　又　鑑龍圖記一卷

陸藏用　神告録一卷

---

① 《考證》:"並"字衍,否則《竇櫝記》上有脱文。

② "烜",原作"協",武英殿本同,中華本據《隋志》、《崇文總目》改作"烜"。《考證》曰:"《隋志》、《唐志》、《崇文目》、《讀書志》均作顧烜。《讀書志》避諱闕筆。《宋志》作"協",誤。"兹从之。

劉餗　傳記三卷　又　隋唐佳話一卷　小説三卷

段成式　酉陽雜俎二十卷　又　續酉陽雜俎十卷　廬陵官下記二卷

封演　聞見記五卷

張讀　宣室志十卷

唐臨　冥報記二卷

陸長源　疑辨志三卷[①]

柳宗元[②]　**龍城録一卷**

柳氏小説舊聞六卷　柳公權撰。

柳珵　常侍言旨一卷

盧弘正　昭義軍別録一卷

温造　瞿童述一卷

韋絢　戎幕閑談一卷　又　劉公嘉話一卷　賓客佳話一卷

房千里　南方異物志一卷

鍾輅[③]　**前定録一卷**

劉軻　牛羊日曆一卷

李翺　卓異記一卷

李德裕　志支機竇一卷　又　幽怪録十四卷

李商隱　雜纂一卷[④]

范攄　雲溪友議十一卷

陸勳　集異志二卷

---

① “疑辨”,武英殿本同,中華本據《新唐志》、《崇文總目》改作“辨疑”。

② “元”,原誤作“源”,武英殿本同,中華本據陳《録》改,今從。

③ “鍾輅”,《考證》:《新唐志》作“鍾簵”。同類下文有鍾輅《感定録》一卷,疑同一書,訛“前”爲“感”。

④ “李商隱雜纂”,《考證》:《廿二史考異》云:“同類下文李義山《雜藁》與此當是一書。”《宋志》一稱名,一稱字,儼若兩人。

李復言　續玄怪録五卷

李亢[①]　獨異志十卷

袁郊　甘澤謡一卷

裴紫芝　續卓異記一卷

鄭遂　洽聞記二卷

康駢[②]　劇談録二卷

馬贄[③]　雲仙散録一卷

尉遲樞　南楚新聞三卷

皇甫枚[④]　三水小牘二卷

王叡　炙轂子雜録五卷

胡璩[⑤]　談賓録五卷

劉崇遠　金華子雜編三卷

趙璘　因話録六卷

郭良輔　武孝經一卷

女孝經一卷　侯莫陳邈妻鄭氏撰。

皇甫松[⑥]　酒孝經一卷

羅邵　會稽新録一卷

李隱　大唐奇事十卷　又　瀟湘録十卷

陳輸[⑦]　異聞集十卷

焦潞[⑧]　稽神異苑十卷

---

① “亢”,《考證》:《崇文總目》作“元”,《四庫全書總目提要》作“冗”。

② “駢”,《考證》:《新唐志》、《崇文總目》均作“軿”。

③ “馬”,武英殿本同,中華本據陳《録》改作“馮”。

④ “枚”,《考證》:《崇文總目》、陳《録》均作“牧”。

⑤ “璩”,《考證》:《新唐志》、晁《志》均作“璩”。

⑥ “皇甫松”,《考證》:《舊唐志》作“劉炫定”,《新唐志》、《崇文總目》作“劉炫”。

⑦ “輸”,《考證》:晁《志》、陳《録》均作“翰”。

⑧ “潞”,《考證》:《新唐志》、《崇文總目》均作“璐”。

李匡文　資暇録三卷
顔師古　隋遺録一卷
鄭棨　開天傳信記一卷
俞子[①]　螢雪叢説一卷
李義山　雜藁一卷
劉存[②]　事始三卷
劉睿　續事始三卷
馮鑑　續事始五卷
李濬　松窓小録一卷
劉愿　知命録一卷
張固　幽閑鼓吹一卷
會昌解頤録五卷
樹萱録三卷
桂苑叢談一卷
聞奇録三卷
溟洪録二卷
靈怪集一卷
燈下閑談二卷
續野人閑話三卷
吴越會粹一卷
　並不知作者。
闕史一卷　参寥子述。
佛孝經一卷　舊題名鶚,不知姓。
陳善　捫虱新話八卷

---

① “俞”,武英殿本作“論”。

② “劉存”,《考證》:《舊唐志》作“劉孝孫”撰,《新唐志》作“劉孝孫、房德懋”撰,晁《志》作“劉孝孫等”撰。

吴曾[①] **能改齋漫録十三卷**

盧氏 逸史一卷

劉氏 耳目記二卷

調露子 角力記一卷

沈氏 驚聽録一卷

並不知名。

漢武帝洞溟記四卷[②] 東漢郭憲編。

史虚白 釣磯立談記一卷[③]

陳致雍 晉安海物異名記三卷

綦師系 元道孝經一卷

文谷 備忘小鈔二卷

杜光庭 虬鬚客傳一卷

僧庭藻 續北齊還冤志一卷

高擇 群居解頤三卷

王仁裕 玉堂閑話三卷

石文德 唐新纂三卷

劉曦度 鑑誡録三卷

潘遺 紀聞談一卷

皮光業 妖怪録五卷

逄行珪 鬻子注一卷

李諷 譔林五卷

鄭餘慶 談綺一卷

續同歸説三卷

---

① “曾”，原作“會”，武英殿本同，中華本據陳《録》改，兹從之。

② “溟”，武英殿本同，中華本徑改作“冥”。

③ “史虚白釣磯立談記”，《考證》據鮑廷博《知不足齋叢書》認爲是書無“記”，字，爲史虚白之次子撰，其孫温述。

王定保　摭言十五卷
李綽　一作"繛"　尚書故實　一作"事"　一卷
柳祥　瀟湘録十卷
陸希聲　頤山録一卷
柳珵　家學要録二卷
賂子解　一作"録"　一卷
何光遠　鑑誡録三卷　又　廣政雜録三卷
蒲仁裕　蜀廣政雜記　一作"紀"　十五卷
楊士達　儆戒録五卷
王仁裕　見聞録三卷　又　唐末見聞録八卷
韋絢　佐談十卷
周文玘　開顔集二卷
皮光業　皮氏見聞録十三卷　啓顔録六卷　三餘外志三卷
楊九齡　三感志三卷
段成式　錦里新聞三卷
牛肅　紀聞十卷　崔造注。
周随　南溪子三卷
盧光啓　初舉子三卷
玉泉筆論五卷[①]
李遇之　淺疑論三卷
金利用　玉溪編事三卷
玉川子　嘯旨一卷
章程四卷
孫棨　北里志一卷
同歸小説三卷

① "論",《考證》據陳《録》認爲當作"端"。

胡節還　醉鄉小略一卷
楊魯龜　令圃芝蘭集一卷
唐説纂四卷
司馬光　遊山行記十二卷
趙瞻　西山別録一卷
唐恪　古今廣説一百二十卷
張舜民　南遷録一卷
高彦休　闕史三卷
林思　一作“黄仁望”[①]　史遺一卷
黄仁望　續遺五卷
興國拾遺二十卷
姚崇[②]　六誡一卷
李大夫　誡女書一卷
海鵬　忠經一卷
正順孝經一卷
曹希達　孝感義聞録三卷
東方朔　感應經三卷
王轂　一作“穀”　報應録三卷
夏大珏　一作“侯大珏”[③]　奇應録五卷
狐剛子　靈圖感應歌一卷
周子良　冥通記四卷
牛僧孺　玄怪録十卷
李復言　搜古異録十卷

---

① “思”,《考證》據《新唐志》認爲當作“恩”。
② “姚崇”,《考證》:《新唐志》、《通志》均作“姚元崇”。
③ 《考證》:《通志》作“夏侯六珏”,當是,《宋志》誤夏侯爲兩姓。

焦璐　搜神録三卷

麻安石　祥異集驗二卷

陳邵　一作"召"①　通幽記三卷

吴淑　異僧記一卷

杜光庭　録異記十卷

李攻②　一作"政"纂異記一卷

元真子　神異書三卷

裴鉶　傳奇三卷

傳載一卷

曹大雅　靈異圖一卷

裴約言　靈異志五卷

曾寓　鬼神傳二卷

曹衍　湖湘神仙顯異三卷

靈怪實録三卷

秦再思　洛中紀異十卷

秉　一作"乘"　異三卷

貫怪圖二卷

鍾輅　感定録一卷

馮鑑　廣前定録七卷

趙自勤　定命録二卷

温奢③　續定命録一卷

陳翰　一作"翱"　卓異記一卷

樂史　續廣卓異記三卷

---

① 《考證》:《新唐志》、《崇文總目》均作"陳邵",《宋志》作"召",誤。

② "攻",武英殿本同,中華本據《新唐志》、《通志》改作"玫"。

③ "奢",《考證》據《新唐志》、《崇文總目》認爲當作"畬"。

小名録三卷
陸龜蒙　古今小名録五卷
名賢姓字相同録一卷
三教論一卷
周明辨　五經評判六卷[①]
虞荔　古今鼎録一卷
欹器圖一卷
史道碩　畫　八駿圖一卷
異魚圖五卷
沈如筠　異物志二卷
通微子　十物志一卷
釋贊寧　物類相感志五卷
丘光庭　海潮論一卷　海潮記一卷
張宗誨　花木録七卷
僧仲休[②]　花品一卷
蔡襄　荔枝譜一卷
同塵先生　庭萱譜一卷
竇常　正元飲略三卷
皇甫松　醉鄉日月三卷
尹建峯　令海珠璣三卷
何自然　笑林三卷
路氏　笑林三卷
南陽德長　戲語集説一卷
集補江總白猿傳一卷

① “五經評判”,《考證》云:“總集類重出一部,作《五經手判》,疑誤。”
② “休”,武英殿本作“林”。

蘇鶚　杜陽雜編二卷

薛用弱　集異記一卷

國老閑談二卷　題君玉撰,不知姓。

大隱居士詩話一卷　不知姓名。

釋常談三卷

王洙談録一卷

並不知作者。

曾季貍　艇齋詩話一卷

譚世卿　廣説二卷

嘯旨　集異記　博異志一卷　谷神子纂,不知姓。

費衮　梁谿漫志一卷

何谿汶　竹莊書話二十七卷

晁氏　談助一卷　不知名。

幽明雜警三卷　題退夫興仲之所纂,不著姓。

張氏　儆誡會最一卷

唯室先生　步里客談一卷

沈括　筆談二十五卷　又　清夜録一卷

王銍　續清夜録一卷

郭象　睽車志一卷[①]

洪邁　隨筆五集七十四卷　又　夷堅志六十卷　甲、乙、丙志。

夷堅志八十卷　丁、戊、己、庚志。

胡仔　漁隱叢話前後集四十卷

姚逈　隨因紀述一卷

王焕[②]**　北山紀事十二卷**

---

① “睽”,《考證》據陳《録》認爲當作“睽”。

② “焕”,《考證》:陳《録》作“遘”,《宋志》作“焕”,或與避諱有關。

何晦　摭言十五卷　又　廣摭言十五卷[①]

僧贊寧　傳載八卷

徐鉉　稽神録十卷

蘇轍　龍川志六卷

蘇軾　東坡詩話一卷

楊囦道　四六餘話二卷

謝伋　四六談麈二卷

葉凱　南宫詩話一卷

葉夢得　石林避暑録二卷

馬永卿　懶真子五卷

趙槩　見聞録二卷

王同　叙事一卷

劉斧　翰府名談二十五卷　又　摭遺二十卷　青瑣高議十八卷

僧文瑩　湘山野録三卷　又　玉壺清話十卷

李端彦　賢已集三十二卷

王陶　談淵一卷

錢明逸　衣冠盛事一卷

句穎　坐右書一卷

曾鞏　雜職一卷

張師正　怪集五卷　又　倦遊雜録十二卷　括異志十卷

畢仲詢　幕府燕閑録十卷

劉攽　三異記一卷

---

① "何晦摭言十五卷又廣摭言十五卷",《考證》云:"唐王定保撰《摭言》十五卷,何晦廣之,故稱《廣摭言》。《宋志》於《廣摭言》之上别出《摭言》,非重出王撰以爲何撰,即是衍文。"

哰象求[①]　吉凶影響録八卷

龐元英　南齋雜録一卷

孔平仲　釋裨一卷　又　續世説十二卷　孔氏雜説一卷

魏泰　訂誤集二卷　又　東軒筆録十五卷

陳正敏　劒溪野話三卷　又　遯齋閑覽十四卷

李廌　師友談記十卷

王山　筆奩録七卷

董逌　錢譜十卷

王闢之[②]　澠水燕談十卷

宋肇　筆録三卷　次其祖祥遺語。[③]

李孝友　歷代錢譜十卷

劉延世　談圃三卷

成材　朝野雜編一卷

張舜民　畫墁録一卷

陳師道　談叢究理一卷　後山詩話一卷

李獻民　雲齋新説十卷

和平談選士一卷

章炳文　搜神秘覽三卷

王得臣　麈史三卷

令狐皥如　歷代神異感應録二卷

王讜　唐語林十一卷

黄朝英　青箱雜記十卷

李注　李冰治水記一卷

---

① "哰象",武英殿本二字在"劉攽"下;"哰",《考證》據晁《志》認爲當作"岑"。中華本作"岑"。

② "闢",武英殿本同,中華本徑改作"闢"。

③ "祥",《考證》云:"當爲'庠'字之訛。"

王鞏　甲申雜記一卷　又　聞見近録一卷

朱無惑　萍州可談三卷[①]

僧惠洪　冷齋夜話十三卷

汪藻　世説叙録三卷

洪皓　松漠紀聞二卷

方匀[②]　泊宅編十卷

婁伯高　好還集十卷

何侑　歎息一卷

周煇　清波别志二卷

孫宗鑑　東皐雜記十卷

洪炎　侍兒小名録一卷

陸游　山陰詩話一卷

秦再思　洛中記異十卷

姚寬　西溪叢話二卷

耿焕　牧豎閑談三卷　又　野人閑話五卷

陳纂　葆光録三卷

孫光憲　北夢瑣言十二卷

潘若冲　郡閣雅言二卷

王舉　雅言系述十卷

吴淑　秘閣閑觀五卷[③]　又　江淮異人録三卷

李昉　太平廣記五百卷

陶岳　貨泉録一卷

張齊賢　太平雜編二卷

---

① “朱無惑萍州可談”,《考證》:陳《録》有《萍洲可談》三卷,朱彧無或撰,《宋志》稱其字,又误“州”为“洲”。

② “匀”,《考證》云:“訛‘勺’爲‘匀’”。

③ “觀”,武英殿本同,中華本據《宋史》本傳、《祕書省續四庫書目》改作“談”。

賈黄中談録一卷　張洎撰。

錢易　洞微志三卷　又　滑稽集一卷　南部新書十卷

陳彭年　志異十卷

祖士衡　西齋話記一卷

樂史　廣卓異記二十卷

張君房　潮説三卷　又　乘異記三卷　科名分定録七卷　搢紳脞説二十卷

王績　補姑記八卷①

李畋　該聞録十卷

蘇耆　閑談録二卷

黄林復②　**茅亭客話十卷**

歐靖　宴閑談柄一卷

上官融　友會談叢三卷

王子融③　**百一紀一卷**

梁嗣真　荆山雜編四卷

邵思　野説三卷

勾台符　岷山異事三卷

聶田　俱異志十卷④

盧臧　范陽家志一卷

丘濬　洛陽貴尚録十卷

宋庠　楊億談苑十五卷

湯巖起　詩海遺珠一卷

---

① “姑”,武英殿本同,中華本據陳《録》改作“妒”。

② “林”,武英殿本同,中華本據陳《録》、晁《志》改作“休”。

③ “王子融”,《考證》云:“王子融本名皡,字子融。元昊反,乞以字爲名。《宋志》於《唐餘録》、《禮閣新編》、《續疑獄集》均作王皡。”

④ “俱”,《考證》:晁《志》、陳《録》均作“祖”。

趙辟公　雜説一卷

江休復　嘉祐雜志三卷

窮神記十卷

延賓佳話四卷

林下笑談一卷

世説新語一卷

翰苑名談三十卷

説異集二卷

墨客揮犀二十卷

北窓記異一卷

道山新聞一卷

紺珠集十三卷

儆告一卷

垂虹詩話一卷

並不知作者。

右小説類三百五十九部，一千八百六十六卷。

甘　石　巫咸氏　星經一卷

石氏　星簿讚曆一卷

張衡　大象賦一卷

苗爲　注張華小象賦一卷

乾象録一卷

抱真子　上象握鑑歌三卷

吕晚成　上象鑑三卷

大象玄文二卷

垂象志二卷

閻丘業　大象玄機歌一卷　本三卷，殘闕。

天象圖一卷

大象曆一卷

入象度一卷

乾象秘訣一卷

祖暅　天文録三十卷

天文總論十二卷

天文廣要三十五卷

立成天文三卷

符天經一卷

曹士爲　符天經疏一卷

符天通真立成法二卷

天文秘訣二卷

天文經三卷

天文録經要訣一卷　鈔祖暅書。

後魏天文志四卷

王安禮　天文書十六卷　二儀賦一卷

李淳風　乾坤秘奥七卷

太陽太陰賦二卷

日月氣象圖五卷

上象二十八宿纂要訣一卷

太白會運逆兆通代記圖一卷

日行黄道圖一卷

月行九道圖一卷

雲氣圖一卷

渾天方志圖一卷

九州格子圖一卷

張商英　三才定位圖一卷

大象列星圖三卷

大象星經一卷

乾文星經二卷

劉表　星經一卷　又　星經三卷

上象占要略一卷

天文占三卷

天象占一卷

乾象秘占一卷

占北斗一卷

張華　三家星歌一卷　又　玉函寶鑑星辰圖一卷

渾天列宿應見經十二卷

衆星配位天隔圖一卷

文殊星曆二卷

上象星文幽棲賦一卷

唐昧　秤星經三卷

星説繫記 一作“紀” **一卷**

混天星圖一卷

陶隱居　天文星經五卷

徐承嗣　星書要略六卷

星經手集二卷

天文星經五卷

皇祐星經一卷

五星交會圖一卷

徐昇　長慶筭五星所在宿度圖一卷

七曜雌雄圖一卷

文殊七曜經一卷

七曜會聚 一作“曆” **一卷**

符天九星算法一卷
李世勣　二十八宿纂要訣一卷　又　日月運行要訣一卷
僧一行　二十八宿祕經要訣一卷
宋均　妖瑞星圖一卷
妖瑞星雜氣象一卷
桑道茂　大方廣　一作"大廣方"　經神圖曆一卷
仰覆玄黄圖十二分野躔次一卷
仰觀十二次圖一卷
宿曜度分城名録一卷[①]
華夏諸國城名曆一卷
渾儀一卷
渾儀法要十一卷
渾天中影表圖一卷
歐陽發　渾儀十二卷　又　刻漏五卷　晷影法要一卷
豐稷　渾儀浮漏景表銘詞四卷
蘇頌　渾天儀象銘一卷
韓顯符　天文明鑑占十卷
瞿曇悉達　開元占經四卷
二十八宿分野五星巡應占一卷
推占龍母探珠詩一卷
古今通占三十卷
握掌占十卷
荆州占三卷
蕃占星書要略五卷
占風九天玄女經一卷

① "城",武英殿本同,中華本據《崇文總目》改作"域"。

雲氣測賦候一卷

占候雲雨賦一卷

驗天大明曆一卷

符天五德定分曆三卷

王洪暉　日月五星慧孛凌犯應驗圖三十卷　上象應驗録一十卷

郭穎夫 一作“士”　符天大術休咎訣一卷　五星休咎賦一卷

張渭　符天災福新術五卷　天文日月星辰變現災祥圖一卷

仁宗　寶元天人祥異書十卷

徐彦卿　徵應集三卷

玄象應驗録二十卷

祥瑞圖一卷

都利聿斯經一卷

聿斯四門經一卷

聿斯歌一卷

樞要經一卷

青霄玉鑑二卷

碧霄金鑑三卷

碧落經十卷

蔣權卿　應輪心鑑五卷

崔寓　神象氣運圖十卷

紫庭祕訣一卷

玄緯經二卷

辨負 一作“真”　經二卷

大霄論璧第五一卷

氣象圖一卷

乙巳略例十五卷

唐書距子經一卷
陶弘景　象曆一卷
括星詩一卷
玄象隔子圖一卷
鏡圖三卷
天文圖一卷
三元經傳一卷
大衍明疑論十五卷
交食論一卷

並不知作者。

王希明　丹元子步天歌一卷
楊惟德　乾象新書三十卷　新儀象法要一卷
張宋臣　列宿圖一卷
張宏圖　天文志訛辨一卷
阮泰發　水運渾天機要一卷
鄒淮　考異天文書一卷

右天文類一百三十九部,五百三十一卷。

郭璞　三命通照神白經三卷
陶弘景　五行運氣一卷
青子録班氏經一卷　不知名。
李淳風　五行元統一卷
王希明　太一金鏡式經十卷
僧一行　遁甲通明無惑十八鈐局一卷
元兢　禄命厄會經一卷
楊龍光　禄命厄運歌一卷
李吉甫　三命行年韜鈐祕密二卷

李虛中　命書格局二卷

珞琭子賦一卷　不知姓名，宋李企注。

許季山　易訣一卷

周易八帖四卷

周易髓要雜訣一卷

周易天門子訣二卷

周易三略經三卷

易林三卷

諸家易林一卷

易新林一卷

易傍通手鑑八卷

易玄圖一卷

周易菥蓂訣一卷

易頌卦一卷

大清易經訣一卷

周易通眞三卷

周易子夏占一卷

周易口訣開題一卷

周易飛燕轉關林一卷

周易括世應頌一卷

周易鬼靈經一卷

周易三空訣一卷

周易三十六占六卷

周易爻詠八卷

周易鬼鎮林一卷

周易金鑑歌一卷

周易聯珠論一卷

周卦轆轤關一卷
易轆轤圖頌一卷
易大象歌一卷
周易卜卦一卷　又　玄理歌一卷
地理觀風水歌二卷[①]
陰陽相山要略二卷
郭璞　周易玄義經一卷
周易察微經一卷
周易鬼御筭一卷
周易逆剌一卷
易鑑三卷
黄子　一作"景"[②]玄　易頌一卷
王守一　周易探玄九卷　本十卷。
易訣雜頌一卷
易杜祕林　一作"林祕"　一卷
易大象林一卷
李鼎祚　易髓三卷　目一卷
瓶子記三卷
成玄英　易流演五卷
虞翻　注京房周易律曆一卷
陶隱居　易髓三卷
王鄯　周易通神歌一卷
張胥　周易繚繞詞一卷
靈隱子　周易河圖術一卷

---

① "二",武英殿本作"一"。
② 《考證》:《崇文總目》、《通志》均作"景",《宋志》作"子",誤。

焦氏　周易玉鑑領一卷[①]
周易三備雜機要一卷
周易經類一卷
法易　一作“易法”[②]　一卷
周易竅書一卷
周易靈真述一卷
周易靈真訣一卷
易卦林一卷
周易飛伏例一卷
周易火竅一卷
周易備要一卷
周易六神頌一卷
天門子　易髓一卷
管公明　隔山照一卷
文王版詞一卷
王巖　金箱要録一卷
朱异　稽疑二卷
罔象玄珠五卷
六證括天地經一卷
黄帝天輔經一卷
孫臏　卜法一卷
劉表　荆州占二卷
海中占十卷
武密　古今通占鑑三十卷

① “領”,《考證》據《祕書省庫闕書目》、《通志》認爲當作“頌”。
② “法易”,《考證》據《崇文總目》、《通志》認爲當作“易法”。

李淳風 乙巳占十卷 又 雜占一卷
帝王氣象占一卷
氣象占一卷
西天占書一卷
白澤圖一卷
周遁三元纂例一卷
陰陽遁八 一作"人"局立成法一卷
陰陽二遁萬一訣四卷
遁甲要用歌式二卷
陽遁天元局法一卷
陰陽遁甲經三卷
陰陽遁甲立成一卷
天一遁甲兵機要訣二卷
三元遁甲經一卷
遁甲符應經三卷
太一玄鑑十卷
太一新鑑三卷
樞會賦一卷
九宫口訣三卷
玉帳經一卷
乾坤祕 一作"要" 七卷
蓬瀛經三卷
濟家備急廣要録一卷
三元經一卷
二宅賦一卷
行年起造九星圖一卷
宅心鑑式一卷

相宅經一卷

宅體 一作“髓” 經一卷

九星修造吉凶歌一卷

陰陽二宅歌一卷

二宅相占一卷

太白會運繖記一卷

九天祕記 一作“訣” 一卷

詳思記一卷

玄女金石玄悟術三卷

西王母玉訣一卷

通玄玉鑑頌 一作“領”[①] 二卷

封演 元正 一作“正元” 占書一卷

周輔 占經要訣二卷

蓍占要略五卷

天機立馬占一卷

統占二卷

六甲五行雜占機要二卷

乙巳指占圖經三卷

人倫寶鑑卜法一卷

杜靈賁 卜法一卷

占候應驗二卷

晷菥筭經法三卷

易晷限筭一卷

晷限立成一卷

費直 焦貢晷限曆一卷

---

① 《考證》據《玉海》、《通志》認爲作“領”，誤。

韋偉　人元晷限經三卷

銘五卷

軌革祕寶一卷

軌革指迷照膽訣一卷

軌革照膽訣一卷

史蘇　五兆龜經一卷　又　龜眼玉鈐論三卷

五兆金車口訣一卷

五兆祕訣三卷

五行日見五兆法三卷

五兆穴門術三卷

靈碁經一卷

龜繚繞訣一卷

聶承休　龜經雜例要訣一卷

玄女玉函龜經三卷

古龜經二卷

神龜卜經二卷

劉玄　龜髓經論一卷

毛寶定　龜竅一卷

龜甲曆一卷

龜兆口诀五卷

龜经要略二卷

龜髓诀二卷

春秋龜策經一卷

黄石公　備氣三元經二卷

玄女五兆筮經五卷

李進　注靈碁經一卷

金石經三卷

靈骨經一卷
螺卜法一卷
大道通靈肉臑論一卷
皷角證應傳一卷
郯子　占鳥經二卷
占鳥法圖一卷
袁天綱　一作“孫思邈”　九天玄女墜金法一卷
怪書一卷
響應經一卷
玄女三廉射覆經一卷
通明玉帳法一卷
遁甲步小遊太一諸將立成圖二卷
相書七卷
相氣色詩一卷
要訣三卷
玄明經一卷
閭丘純　射覆經一卷
東方朔　射覆經三卷　又　占神光耳目法一卷
相枕經一卷
馬經三卷
相馬經三卷
盧重玄[①]　夢書四卷
柳璨　夢雋一卷
周公解夢書三卷
王升　縮　或無“縮”字　占夢書十卷

---

① “玄”,《考證》:《新唐志》、《通志》均作“元”。

陳襄　校定夢書四卷　又　校定相笏經一卷　校定京房婚書三卷

李靖　候氣祕法三卷　又　六十甲子占風雨一卷

五音法一卷

陰陽律體 一作“髓” **一卷**

靈關訣益智二卷

袖中金五卷

玄女常手經二卷

神訣一卷

遊都璧玉經一卷

麻安石　災祥圖一卷

風角鳥情三卷

日月風雲氣候一卷

日月暈貫氣一卷

日月暈蝕一卷

氣色經一卷

諸葛亮　十二時風雲氣候一卷

五行雲霧歌一卷

占風雨雷電一卷

年代風雲 一作“雨” **占一卷**

竇維鋈　廣古今五行記三十卷

周麟　竹倫經三卷

馮思古　遁甲六經 卷亡。

丘延翰　金鏡圖一卷

通真子　玉霄寶鑑經一卷

三命指掌訣一卷

文靖　通玄五命新括三卷

董子平　太陰三命祕訣一卷
楊繪　元運元氣本論一卷
何朝　命術一卷
李燕　三命九中歌一卷
徐鑒　三命機要説一卷
林開　五命祕訣五卷
僧善嵩　訣金書一十四字要訣一卷
凝神子一卷　不知姓名。
凝神子　八殺經一卷
凝神子　解悟經一卷
西域野人　叄五志二卷
八九變通一卷
白雲愚叟　五行圖一卷
知玄子秦浼[①]　太一占玄歌一卷
劉烜　元中祛惑經一卷
占雨晴法一卷
金鑑占風訣一卷
三元飛化九宫法一卷
行年五鬼運轉九宫法一卷
山岡機要賦一卷
山岡氣象雜占賦一卷
五音地理詩三卷
五音地理經訣十卷
陰陽葬經三卷
掘機口訣一卷

---

① 《考證》云："置號於姓名之前，在《宋志》亦爲異例。"

掘鑑經　一作"握鑑經"　五卷

洞幽識祕要圖三卷

靈寶六丁通神訣三卷

通天靈應寶勝法二卷

黄石記五卷

劉啓明　雲氣測候賦一卷

定風占詩三卷

風角五音占一卷

日月暈圖經二卷

占候雲雨賦一卷

風雲關鑰祕訣一卷

雲氣形象玄占三卷

天地照耀占一卷

李經表　虹蜺災祥一卷

宿曜録鬼鑑一卷

日月城砦氣象災祥圖一卷

中樞祕頌太一明鑑五卷

太一五元新曆一卷

太一七術一卷

太一陰陽定計主客訣勝法一卷

太一循環曆一卷

太一會運逆順通代記陣圖一卷

六壬軍帳賦一卷

六壬詩一卷

六壬六十四卦名一卷

六壬戰勝歌一卷

六壬出軍立就曆三卷

六壬玉帳經一卷

王承昭 一作“紹” 占風雲歌一卷

占風雲氣候日月星辰圖七卷

望江南風角集二卷

張良 陰陽二遁一卷

胡萬頃 太一遁甲萬勝時定主客立成訣一卷

一行 遁甲十八局一卷

司馬驤 遁甲符寶萬歲經圖曆一卷

馮繼明 遁甲元樞二卷

玄女遁甲祕訣一卷

天一遁甲圖一卷

天一遁甲鈐曆一卷

天一遁甲陰局鈐圖一卷

遁甲搜元經一卷

遁甲陽局鈐一卷

遁甲陰局鈐一卷

杜惟翰 一作“幹” 太一集八卷

太一年表一卷

十三神太一一卷

御序景祐三式太一福應集要十卷

王處訥 太一青虎甲寅經一卷

康洙序時遊太一立成一卷

廣夷 太一秘歌一卷

太一細行草一卷

太一雜集筆草一卷

太一時計鈐一卷

太一陽九百六經一卷

太一神樞長曆一卷

太一陽局鈐一卷

太一陰局鈐一卷

九宫太一一卷

樂産　王佐祕珠五卷

神樞靈轄經十卷

馬先　天寶靈應式經 一作“紀”,一作“記”[①] **五卷**

日遊太一五子元出軍勝負七十二局一卷

黄帝龍首經一卷

九宫經三卷

九宫圖一卷

九宫占事經一卷

桑道茂　九宫一卷　又三命吉凶二卷

撮要日鑑一卷

六十四卦歌一卷

郗良玉　三元九宫一卷

九宫應瑞太一圖一卷

楊龍光　九宫要訣一卷　又　九宫詩一卷

九宫推事式經一卷

禄命歌一卷

禄命經一卷

風后三命三卷

朱琬　六壬寸珠集一卷

六壬録六卷

五真降符六壬神武經一卷

---

① 《考證》云:《新唐志》、《崇文總目》均作“記”,作“經”、作“紀”均誤。

六壬關例集三卷

六壬維干照幽曆六卷

張氏　六壬用三十六禽祕訣三卷

大六壬式局雜占一卷

六壬玄機歌三卷

六壬七曜氣神星禽經　一作“紀”　一卷

馬雄　絳囊經一卷

金匱經三卷

髓經心經鑑三卷

徐琬　啓蒙纂要一卷

李筌　玉帳歌十卷

祕寶翠羽歌三卷

明鑑連珠歌一卷

清華經三卷

推人鈎元法一卷

由吾裕　式心經略三卷

式合書成一卷

用式法一卷

式經纂要三卷

玄女式鑑一卷

三式訣三卷

天關五符式一卷

三式參合立就曆三卷

金照式經十卷

雷公式局一卷

靈應式五卷

小遊宿曆一卷

三元六紀曆一卷

玉鈐曆一卷

明鑑起例曆三卷

枝元長曆一卷

日輪曆一卷

五音百忌曆二卷

葬疏三卷

孫洪禮　萬歲循環曆一卷

僧德濟　勝金曆一卷

畢天水曆一卷

畢天六甲曆六卷

選日樞要曆四卷

姸神曆一卷

擇十二月鉗曆二卷

七門行曆一卷

大要曆三卷

三皇祕要曆一卷

選課歲曆一卷

大明曆二卷

杜崇龜　明時總要曆一卷

陳恭釗　天寶曆注例二卷

唐七聖曆一卷

横推曆一卷

兵鈐月鏡纂要立成曆一卷

李淳風　十二宫入式歌一卷

僧居白　五行指掌訣二卷

逍遥子　鮮鶚經三卷　不知姓名。

三命總要三卷

太一中天密旨三卷

西天都例經一卷

三元經三卷

淘命歌一卷[①]

三元龜鑑一卷

五命一卷

五音鳳髓經一卷

大衍五行數法一卷

三局天關論一卷

六十甲子釋名一卷

金掌圖竅一卷

三局九格六陽三命大數法

奇門萬一訣

遁甲萬一訣

太一遁甲萬一訣

已上四部無卷。

陰陽萬一訣一卷

金樞八象統元經三卷

太一陰陽二遁一卷

陰陽二遁局圖一卷

陰陽二遁立成曆一卷

遁甲玉女返閉局一卷

太一金鏡備式録十卷

太一立成圖一卷

---

① “命”,武英殿本同,中華本據《四庫闕書目》改作“金”。

太一飛鳥十精曆一卷

僧重輝　一作"耀"　正德通神曆三卷

大會殺曆卷

史序　乾坤寶典四百五十五卷

乾坤總録五卷

黄淳[①]　通乾論五卷

黄帝朔書一卷　託太公、師曠、東方朔撰。

年鑑一卷

劉玄　一作"先"之　月令圖一卷

陰陽寶録一卷

西天陰符紫微七政經論一卷

五符圖一卷

選日陰陽月鑑一卷

李遂　通玄三命論三卷

李燕　三命一卷　又　三命詩一卷　三命九中歌一卷

珞琭子　三命消息賦一卷

凝神子　五行三命手鑑一卷

三命大行年入局韜鈐三卷

大行年推禄命法一卷

三命殺曆一卷

孟遇　三命訣三卷

禄命人元經三卷

禄訣經三卷

五行貴盛生月法一卷

五行消息訣一卷

---

① "黄淳",《考證》據《新唐志》認爲當作"董和"。

蕭古 一作"吉"[①] 五行大義五卷

金書四字五行一卷

四季觀五行論一卷

珞琭子 五行家國通用圖録一卷

訓字五行歌二卷

珞琭子 五行疏十卷

樵子五行志五卷

羅賓老 五行定分經三卷

濮陽復 蕉子五行志五卷[②]

竇塗 廣古今陽復五行記三十卷

五行通用曆一卷

金河流水訣一卷

王叔政 推太歲行年吉凶厄一卷

李燕 穆護詞一卷 一作馬融《消息機口訣》。

洪範碎金訓字一卷

七曜氣神星禽經三卷

納禽宿經一卷

廖惟馨 星禽曆一卷

杜百 一作"相伯"子 禽法一卷

司馬先生 三十六禽歌一卷

占課禽宿情性訣一卷

蘇登 神光經一卷

許負 形神心鑑圖一卷

---

① 《考證》據《新唐志》認爲當作"吉"。

② "復",武英殿本同,中華本據《新唐志》改作"夏"。"蕉",武英殿本同,中華本據《新唐志》改作"樵"。

始一作"姑"[1]布子卿　相法一作"書"一卷
朱述　相氣色面圖一卷
玄靈子　祕術骨法圖一卷
相禄歌二卷
察色相書一卷
人鑑書七卷
龜照口訣五卷
人倫真訣十卷
女仙相書三卷
相氣色圖五卷
雲蘿　通真神相一作"明"訣十卷
柳清風　相歌二卷
郭峴述　顯光師相法一卷
十七家集衆相書一卷
占氣色要訣圖一卷
柳陰一作"随"風　占氣色歌一卷
形神論氣色經一卷
元解訣一卷
相書二卷
月波洞中龜鑑一卷
應玄玉鑑一卷
六神相字法一卷
相笏經三卷
陳混掌　相笏經一卷管輅、李淳風法。
蕭繹　相馬經一卷

① 《考證》:《崇文總目》作"孤",《通志》作"姑",《宋志》作"始",誤。

常知非　馬經三卷

谷神一作"鬼谷"**子　辨養馬**一作"養良馬"**論一卷**

相馬病經三卷

相犬經一卷

王立豹　鷹鷂候訣一卷

鷹鷂五藏病源方論一卷

堪輿經一卷

太史堪輿一卷

殷紹[①]**　太史堪輿曆一卷　黄帝四序堪輿經一卷**

占婚書一卷

周公壇經三卷

王佐明　集壇經一卷

李遠　龍紀聖異曆一卷

五音三元宅經三卷

陰陽宅經一卷

陰陽宅經圖一卷

王澄　二宅心鑑三卷　又　二宅歌一卷

陰陽二宅圖經一卷

黄帝八宅經一卷

淮南王見機八宅經一卷

一行　庫樓經一卷

上象陰陽星圖一卷

金圖地鑑一卷[②]

---

① "殷",原作"商",乃避諱改字,今改回。

② "圖",《考證》據《崇文總目》、《通志》認爲當作"婁",又"鑒"爲諱字,當回改爲"鏡"。

地鑑書三卷

孫李邕[1]　葬範五卷

地里六壬六甲八山經八卷

地理三寶經九卷

五音山岡訣一卷

地論經五卷

地理正經十卷

朱仙桃　地理贊一卷　又　玄堂範一卷　地理口訣一卷

僧一行　地理經十二卷　又　靈轄歌三卷

玉關歌一卷

含意歌七卷

通玄靈應頌三卷

天一通玄機微翼圖一卷

天一玄成局一卷

玄樞經一卷

玄樞纂要一卷

知人秘訣二卷

玄中祛惑經三卷

遁甲鈐一卷

八門遁甲入式歌一卷

三元陰局一卷

難逃論一卷

靈臺篇一卷

藻鑑了義經一卷

蔀首經三卷

---

① “李”,武英殿本同,中華本據《新唐志》、《崇文總目》改作“季”。

玄象祕録一卷

真象論一卷

清霄玉鏡要訣一卷

二十八宿行度口訣一卷

星禽課一卷

群書古鑑録無卷

並不知作者。

仁宗 洪範政鑑十二卷

楊惟德 王立翰[①] 太一福應集要一卷

楊惟德 景祐遁甲符應經三卷

七曜神氣經二卷 楊惟德、王立翰、李自立、河堪等撰。[②]

丘濬 霸國環周立成曆一卷

張中 太一金照辨誤歸正論一卷

魏申 太一總鑑一百卷

上官經邦 大始元靈洞微數一卷

張宏國 五行志訛辨一卷

黄石公 地鏡訣一卷 一名《照寳曆》，題東方朔進。

庾肩吾 金英玉髓經一卷

陶弘景 握鏡圖一卷

陳樂産 神樞靈轄經十卷

李靖 九天玄機八神課一卷

六壬透天關法一卷

李鼎祚 明鏡連珠十卷

---

① “翰”，武英殿本同，中華本據《玉海》删。下文同。

② 后“立”，武英殿本作“六”，中華本據《玉海》改作“正”；“河堪”，武英殿本同，中華本據《玉海》改作“何湛”。

呂才　廣濟百忌曆二卷

李淳風　乾坤秘奥一卷

九天觀燈法一卷

六壬精髓經一卷　一名《竅甲經》。

質龜論一卷　李淳風得於石室。

僧一行　肘後術一卷

選日聽龍經一卷

僧令岑　六壬翠羽歌三卷

漢道士姚可久　山陰道士經三卷

碧眼先生　壬髓經三卷　茅山野叟湯渭注。

發蒙陵西集一卷

發蒙入式真草一卷

陰陽集正曆三卷

選日纂聖精要一卷

玄女關格經一卷

皆六壬占驗之訣。

式法一卷　起甲子,終癸亥,皆六壬推驗之法。

雜占覆射一卷

六壬金經玉鑑一卷　載六壬生旺尅殺之數。

萬年祕訣一卷　載檢擇日辰吉凶之法。

玉女肘後述一卷①　以六壬三傳之法爲歌。

玉關歌一卷　載六壬三傳之驗。

黄河餅子記一卷

神樞萬一祕要經一卷

越覆經一卷

---

①　“述”,武英殿本同,中華本據《祕書省續四庫書目》、《通志》改作“術”。

事神歌一卷

會靈經一卷 載六壬雜占之法。

纈翠經一卷

灰火經一卷

蛇髓經一卷 以日辰衰旺爲占。

九門經一卷

小廣濟立成雜曆一卷

文武百官赴任上官壇經一卷

玄通玉鏡占一卷

六壬課秘訣一卷

六壬課鈐一卷

玉樞真人 玄女截壬課訣一卷

占燈法一卷

三鏡篇一卷

周易神煞旁通曆一卷

雜占祕要一卷

乾坤變異録一卷

玄女簡要清華經三卷

太一占烏法一卷

參玄通正曆一卷

擇日要法一卷

選時圖二卷

黄帝龍首經一卷

易鑑一卷

月纂一卷

萬勝候天集一卷

並不知作者。

雲雨賦一卷　《崇文總目》有劉啓明《占候雲賦式》,即此書也。
鄭德源　飛電歌一卷
僧紹端　神釋應夢書三卷
詹省遠　夢應録一卷
楊惟德　六壬神定經十卷
王升　六壬補闕新書五卷　上官撮要一卷
陳從吉　類編圖注萬曆會同三十卷
劉氏　三曆會同一卷
周渭　彈冠必用一卷
胡舜申　陰陽備用十三卷
趙希道　涓吉撮要一卷
顧晄　壇經簪飾一卷
蔣文舉　陰陽備要一卷
趙景先　拜命曆一卷
徐道符　六壬歌三卷
陸漸　六壬了了歌一卷
余琇　六壬玄鑑一卷
王齊　醫門玉髓課一卷
張玄達　相押字法一卷
苗公達　六壬密旨二卷
楊裯　六壬旁通曆一卷
劉玄之　月令節候圖一卷
姜岳　六壬賦三卷
楊可　五行用式事神一卷
郭璞　山海經十八卷
趙浮丘公　相鶴經一卷
左慈　助相規誡一卷

郭璞　葬書一卷
山海圖經十卷 郭璞序，不著姓名。
袁天剛　玄成子一卷
孫思邈　坐照論并五行法一卷
柳清風　周世明等　玉册寶文八卷
李淳風　立觀經一卷①
僧一行　地理經十五卷　呼龍經一卷　金歌四季氣色訣 一行撰論。
孫知古　人倫龜鑑三卷
王澄　陰陽二宅集要二卷
僧正固　骨法明鏡三卷
丘延翰　銅函記一卷　天定盤古局一卷
漢赤松子　海角經一卷　明鏡碎金七卷
唐舉　肉眼通神論三卷　金鏁歌一卷
鬼谷子　觀氣色出圖相一卷
黄石公　八宅二卷
許負　相訣三卷
李淳風　一行禪師葬律祕密經十卷
吕才　楊烏子改墳枯骨經一卷
曾楊一　青囊經歌二卷
楊救貧　正龍子經一卷
曾文展　八分歌一卷
李筌　金華經三卷
宋齊丘　玉管照神局二卷

① “立”，《考證》云：《祕書省四庫闕書目》作“玄”，《通志》作“元”，“立”當爲“玄”之誤。

天花經三卷　序云“黄巢得於長安”。

晏氏　辨氣色上面詩一卷　不知名。

劉虚白　三輔學堂正訣一卷

危延真　相法一卷

五星六曜面部訣一卷

裴仲卿　玄珠囊骨法一卷

劉度具　氣色真相法一卷

王希逸　地理祕妙歌訣一卷

地理名山異形歌一卷

孫臏　葬白骨曆　卷亡。

隱逸人　玉環經一卷　不知姓名。

天涯海角經一卷　不知作者,九江李麟注解。

徽宗　太平睿覽圖一卷

陳摶　人倫風鑑一卷

司空班　范越鳳　尋龍入式歌一卷

王洙　地理新書三十卷

蘇粹明　地理指南三卷

蔡望　五家通天局一卷　報應九星妙術文局一卷

劉次莊　青囊本旨論二十八篇一卷

胡翊　地理詠要三卷[①]

魏文卿　撥沙經一卷

李戒[②]　營造法式三十四卷

月波洞中記一卷

---

① “胡翊”、“詠”,《考證》據《祕書省四庫闕書目》、《通志》認爲當作“胡文翊”、“脉”。

② “戒”,武英殿本同,中華本據程俱《北山小集》改作“誡”。

月師歌一首 言葬地二十四位星辰休咎。

麻子經一卷

玄靈子三卷

通心經三卷

藻鑑淵微一卷

雜相骨聽聲 卷亡。

氣色微應三卷

通微妙訣 卷亡。

中定聲氣骨法 卷亡。

金歌氣色祕録一卷

學堂氣骨心鏡訣 卷亡。

玉葉歌一卷

洞靈經要訣一卷

雜相法一卷

天寶星經一卷

青囊經 卷亡。

陰陽七元升降論卷亡。

玄女墓龍冢山年月一卷

玄女星羅寶圖訣一卷

紫微經歌 卷亡。

白鶴望山經一卷

八山二十四龍經一卷[①]

天仙八卦真妙訣一卷

黄泉敗水吉凶法三卷

踏地賦一卷

---

① “山”,武英殿本作“仙”。

分龍真殺五音吉凶進退法一卷

地理澄心祕訣一卷

八山穿珠歌一卷

山頭步水經一卷

山頭放水經一卷

大卦煞人男女法一卷

地理搜破穴訣一卷

臨山寶鏡斷風訣一卷

叢金訣一卷

錦囊經一卷

玉囊經一卷

黄囊大卦訣一卷

地理祕要集一卷

通玄論一卷

地理八卦圖一卷

駐馬經一卷

活曜修造吉凶法一卷

天中寶經知吉凶星位法一卷

修造九星法歷代史相一卷

相具經一卷①

並不知作者。

李仙師五音地理訣一卷

赤松子　碎金地理經二卷

地理珠玉經一卷

地理妙訣三卷

---

①　“具”,《考證》據《新唐志》、陳《録》認爲當作“貝”。

石函經十卷

銅函經三卷

周易八龍山水論地理一卷

老子地鑑訣祕術一卷

五姓合諸家風水地理一卷

昭幽記一卷

鬼靈經并枯骨經二卷

唐删定陰陽葬經二卷

唐書地理經十卷

青烏子歌訣二卷

金鷄曆一卷

五音二十八將圖一卷

赤松子三卷

易括地林一卷

丘延翰　五家通天局一卷

夫子掘斗記一卷

孔子金鏁記一卷

推背圖一卷

鬼谷子　白虎經一卷　又　白虎五通經訣一卷

洞幽祕要圖一卷

孝經雌雄圖四卷

河上公　金藏祕訣要略一卷

玄珠握鑑三卷

玉函寶鑑三卷

真人水鑑十三卷

張華　三鑑靈書三卷

陶弘景　握鑑方三卷

證應集三卷

金婁先生祕訣三卷

真圖祕訣一卷

銘軌五卷

胡濟川　小遊七十二局立成一卷

大小遊三奇五福立成一卷

十一神旁通太歲甲子圖一卷

曹植　黄帝寶藏經三卷

括明經一卷

悟迷經一卷

余考 一作"秀" 旦暮經一卷

神樞萬一祕經一卷

紀重政祕要一卷

雷公印法三卷

雷公撮殺律一卷

徐遂　發蒙一卷

玄女十課一卷

吕佐周　地論七曜一卷

陰術氣神一卷

七曜氣神歷代帝紀五卷

玉堂祕訣一卷

大運祕要心髓訣一卷

吕才　陰陽書一卷

五姓鳳髓寶鑑論一卷

陰陽雜要一卷

玄珠録要三卷

張良　玄悟歌一卷

斗書一卷
陰陽二卷
論一卷
黄帝四序經一卷
寶臺七賢論一卷
五姓玉訣旁通一卷
選日時向背五卷
陰陽立成選日圖一卷
七曜選日一卷
周公要訣圖一卷
師曠擇日法一卷 假黄帝問答。
淮南子術一卷
推貴甲子太極尊神經一卷
祕訣歌一卷
福應集十卷
連珠經十卷
玄女斷卦訣一卷
明體經一卷
心注餅子記一卷
錦繡囊一卷
心鏡歌三卷
指要三卷
萬一訣一卷
符應三卷
隨軍樞要三卷
禳厭祕術詩三卷
廣知集二卷

圓象玄珠經五卷

脉六十四卦歌訣一卷

人元祕樞經三卷

陶隱居一卷

風后一卷

李寬一卷

通元論三卷

凝神子三卷

黄帝四序經一卷

聿斯四門經一卷

氣神經三卷

氣神帝紀五卷

符天人元經一卷

聿斯經訣一卷

大定露膽訣一卷

聿斯都利經一卷

應輪心鏡三卷

秤經三卷

聿斯隱經三卷

碧落經十卷

新書三十卷

三鏡三卷

九天玄女訣一卷

龍母探珠頌一卷

通玄玉鑑頌一卷

徵應集三卷

王與之　鼎書十七卷

右五行類八百五十三部,二千四百二十卷。

三墳易典三卷 題箕子注。

周易三備三卷 題孔子師徒所述,蓋依託也。

嚴遵 卦法一卷

焦贛 易林傳十六卷

京房 易傳算法一卷

易傳三卷

管輅 遇仙訣五音歌六卷

周易八仙歌三卷

易傳一卷

郭璞 周易洞林一卷

吕才 軌限周易通神寶照十五卷

李淳風 周易玄悟三卷

易通子 周易菥蓂旋璣軌革口訣三卷

蒲乾貫 周易指迷照膽訣三卷

黄法 五兆曉明龜經一卷

禄隱居士 易英揲蓍圖一卷 不知名。

中條山道士王鄯 易鏡三卷

無惑先生 易鏡正經二卷

耿格 大演天心照一卷

牛思純 太極寶局一卷

任奉古 明用蓍求卦一卷

林儵 天道大備五卷

軌革金庭玉鑑七卷

周易神鏡鬼谷林一卷

通玄海底眼一卷

六十四卦頌論一卷

爻象雜占一卷

六十四卦火珠林一卷

周易靈祕諸關歌一卷

乾骨林一卷

靈龜經一卷

軌革傳道録一卷

證六十甲子納音五行一卷

龜圖一卷

周易讚頌六卷

並不知作者。

右蓍龜類三十五部,一百卷。

六

苗鋭　新删定廣聖曆二卷

僧一行　開元大衍曆議十三卷

啓玄子　天元玉册十卷

甄鸞　五曹算術二卷　海島算術一卷[①]

趙君卿　周髀算經二卷

張立建[②]**　算經三卷**

夏侯陽　算經三卷

王孝通　緝古算經一卷

謝察微　算經三卷

李籍　九章算經音義一卷　又　周髀算經音義一卷

李紹穀　求一指蒙算術玄要一卷

郭獻之　唐寶應五紀曆三卷

徐承嗣　唐建中貞元曆三卷

邊剛[③]**　唐景福崇玄曆十三卷**

大唐長曆一卷

馬重繢[④]**　晉天福調元曆二十三卷**

王處訥　周廣順明元曆一卷　又　建隆應天曆六卷

王朴　周顯德欽天曆十五卷

蜀武成永昌曆三卷

---

① “海島算術”,《考證》據《玉海》、《崇文總目》認爲當作“海島算經”。

② “立”,武英殿本同,中華本據《隋志》、《崇文總目》改作“丘”。

③ “剛”,武英殿本同,中華本據《新唐志》、《崇文總目》改作“岡”。

④ “繢”,武英殿本同,中華本據《舊五代史》本傳、《崇文總目》改作“績”。

唐保大齊政曆三卷

苗訓　太平乾元曆九卷　太平興國七年新修曆經三卷

史序　儀天曆十六卷

曹士蔿　七曜符天曆二卷　七曜符天人元曆三卷

楊緯 一作"縪" 符天曆一卷

王公佐　中正曆三卷

正象曆一卷

李思議　重注曹士蔿小曆一卷

七曜符天曆一卷

大衍通玄鑑新曆三卷

沈括　熙寧奉元曆一部 卷亡。　熙寧奉元曆經三卷　立成十四卷　備草六卷　比較交蝕六卷

衞朴　七曜細行一卷

新曆正經三卷

義略二卷

立成十五卷

隨經備草五卷

七曜細行一卷

長曆三十卷

並孫思恭注。

大衍曆經二卷

大衍曆立成十一卷

大衍曆議略一卷

大衍議十卷

宣明曆經二卷

宣明曆立成八卷

宣明曆要略一卷

大衍曆經二卷

正元曆立成八卷

崇元曆經三卷

崇元曆立成七卷

調元曆經二卷

調元曆立成十二卷

調元曆草八卷

欽天曆經二卷

欽天曆立成六卷

欽天曆草三卷

應天曆經二卷

應天曆立成一卷

乾元曆經二卷

乾元曆立成二卷

儀天曆經二卷

儀天曆立成十三卷

崇天曆經二卷

崇天曆立成四卷

明天曆經三卷

明天曆立成十五卷

明天曆略二卷

符天曆三卷

姚舜輔　蝕神隱耀曆三卷

丘濬　霸國環周立成曆一卷

陰陽集正曆三卷

曆日纂聖精要一卷

曆樞二卷

難逃論一卷

符天行宫一卷

轉天圖一卷

萬歲日出入晝夜立成曆一卷

五星長曆一卷

正象曆一卷

胡秀林　正象曆經一卷

章浦　符天九曜通元立成法二卷

氣神經三卷

氣神鈐曆一卷

氣神随日用局圖一卷

莊守德　七曜氣神歌訣一卷

吕才　刻漏經一卷

錢明逸　西國七曜曆一卷

閻子明　注安脩睦都聿斯訣一卷[1]

聿斯隱經一卷

聿斯妙利要旨一卷

李淳風　注釋九章經要略一卷　又　注釋孫子算經三卷　注王孝通五經算法一卷　注甄鸞五曹算法二卷

劉微 一作"徽"[2]　九章算田草九卷

王孝適[3]　緝古算經一卷

程柔　五曹算經求一法三卷

魯靖　五曹時要算術三卷

---

① "閻"、"聿斯",武英殿本同,中華本據《崇文總目》、《通志》改作"闕"、"利聿斯"。

② "劉微",《考證》云:"當作劉徽。同類下文有劉徽、李淳風注《九章算經》九卷。"

③ "適",武英殿本同,中華本據《新唐志》、《崇文總目》改作"通"。

五曹乘除見一捷例算法一卷
夏翰 一作"翶" 新重演議海島算經一卷
甄鸞　注徐岳大衍算術法一卷
謝察微　發蒙算經三卷
僧一行　心機算術括 一作"格"一卷 僧棲巖注。
徐仁美　增成玄一算經三卷
陳從運　得一算經七卷
三問田算術一卷
龍受益　算法二卷　又　求一算術化零歌一卷　新易一法算範九例要訣一卷
徐岳　術數記遺一卷
合元萬分曆三卷 作者名術，不知姓。
注九章算經九卷 魏劉徽、唐李淳風注。
孫子算經三卷 不知名。
五曹算經五卷 李淳風等注。
長慶宣明大曆二卷
萬年曆十二卷
青蘿妙度真經大曆一卷
行漏法一卷
太始天元玉册截法六卷
求一算法一卷
細曆書一卷
玉曆通政經三卷

並不知作者。

燕肅　蓮花漏法一卷
錢明逸　刻漏規矩一卷
王普　小漏欵識一卷　官曆刻漏圖一卷

衛朴　奉元曆經一卷

觀天曆經一卷 紹聖、元符頒行。

姚舜輔　統元曆經一卷[①]

裴伯壽　陳得一　紀天曆統七卷[②]　**又　統元曆五星立成二卷　統元曆盈縮朓朒立成一卷　統元曆日出入氣刻立成一卷　統元曆義二卷　統元七曜細行曆二卷　統元曆氣朔八行草一卷　統元曆考古日食一卷**

三曆會同集十卷 紹興初撰,不知名。

張祚　注法算三平化零歌一卷[③] 龍受益法。

王守忠　求一術歌一卷

算範要訣二卷

明算指掌三卷

江本　一位算法二卷

任弘濟　一位算法問答一卷

楊鍇　明微算經一卷

法算機要賦一卷

法算口訣一卷

算法秘訣一卷

算術玄要一卷

劉孝榮　新曆考古春秋日食一卷　新曆考漢魏周隋日月交食一卷　新曆考唐交食一卷　新曆氣朔八行一卷　彊弱月格法數一卷

賈憲　黄帝九章算經細草九卷

---

① “統”,武英殿本同,中華本據《宋史·律曆志》、陳《録》改作“紀”。

② “紀天曆統”,武英殿本同,中華本據《宋史·律曆志》、《玉海》改作“統元曆經”。

③ “法算”,《考證》據《崇文總目》認爲當作“算法”。

張宋圖　史記律曆志訛辨一卷

儀象法要一卷 紹聖中編。

細行曆書二十卷 起慶元庚申,至嘉定己卯,太史局進。

右曆算類一百六十五部,五百九十八卷。

風后握機一卷 晉馬隆畧序。

六韜六卷 不知作者。

司馬兵法三卷 齊司馬穰苴撰。

孫武　孫子三卷

吴起　吴子三卷

黄帝秘珠三略三卷

陰符二十四機一卷

握機圖一卷

决勝孤虚集一卷

太公兵書要訣四卷

朱服　校定六韜六卷　又　校定孫子三卷　校定司馬法三卷　校定吴子二卷　校定三略三卷

魏武帝　注孫子三卷

蕭吉　注 或題曹、蕭注 **孫子一卷**

賈林　注孫子一卷

陳皥　注孫子一卷

宋奇　孫子解并武經簡要二卷

吴章　注司馬穰苴兵法三卷

吴起　玉帳陰符三卷

白起　陣書 一作"圖" **一卷　又　神妙行軍法三卷**

戰國策三十三卷

黄石公　神光輔星祕訣一卷　又　兵法一卷

三鑑圖一卷

兵書統要三卷

三略祕要三卷

成氏　注三略三卷

諸葛亮　行兵法五卷　又　用兵法一卷

行軍指掌二卷

占風雲氣圖一卷

兵書七卷

陶侃　六軍鑑要一卷

李靖　韜鈐祕術一卷　又　總要三卷

六十甲子厭勝法一卷

兵書三卷

占風雪 一作"雲"氣三卷

風雲論三卷

三軍水鑑三卷

用兵手訣七卷

出軍占風氣候十卷

衛國公手記一卷

李世勣　六十甲子内外行兵法一卷

李淳風　諸家秘要三卷　又　行軍明時秘訣一卷

太白華蓋法二卷

雲氣營寨占一卷

行軍曆一卷

李筌　通幽鬼訣二卷　又　軍旅 一作"放"指歸三卷

北帝武威經三卷

青囊託守勝敗歌并營野戰一卷

李光弼　將律一卷　又　武記一卷

九天察氣訣三卷
玄女厭陣法一卷　又　兵要式一卷
行兵法二卷
兵法一卷
雜占法一卷
六甲陰符兵法一卷
軍謀前鑑十卷
兵家正書十卷
閫外紀 一作“記”事十卷
李氏　秘要兵書二卷　又　秘要兵術四卷
對敵權變逆順法一卷
佐國玄機一卷
礮經一卷
總戎志二卷
李鼎祚　兵鈐手曆一卷
許子兵勝苑十卷
統軍玉鑑録一卷
張守一　鑿門詩一卷
秘寶興軍集一卷
胡萬頃　軍鑑式二卷
王適　行軍立成七十二局一卷
安營臨陣觀災氣一卷
决戰勝負圖一卷
風雲氣象備急占一卷
祕寶風雲歌一卷
九宮軍要祕術一卷
倚馬立成鑑圖一卷

出軍占怪曆三卷

羅子昂一作"卭"　神機武略歌三卷

易靜　神機武略歌一卷

行軍占風氣一卷

軍占要略二卷

鄭先忠　軍機討略策三卷

古今兵略十卷

論天鏡一作"鑑"出戰要訣一卷

將兵祕要法一卷

武師左領記三卷

牛洪道　玄機立成法一卷

孤虚明堂圖一卷

軍用立成一卷

何延錫　辨解序一卷

紀勳　軍國要制五卷

將軍總録三卷

李遠　武孝經一卷

王巒　行軍廣要算經三卷

金符經三卷

十二月立成陣圖法一卷

行軍走馬立成法一卷

立成掌中法一卷

行軍要略分野星圖法一卷

黄道法一卷

徐漢卿　制勝略三卷

牟知白　專征小格略一卷

圖南兵略三卷

從征録五卷
出軍别録一卷
兵書總要四卷
兵策祕訣三卷
萬勝訣二卷
戰門祕訣一卷
英雄龜鑑一卷
兵訣一卷
隨軍要訣一卷
軍謀要術一卷
韜鈐祕要一卷
軍旅要術一卷
軍祕禳厭術一卷
占軍機勝負龜訣一卷
訓將勝術二卷
兵書手鑑二卷
尉繚子五卷 戰國時人。
常禳經三卷 燕昭王太子撰，蓋依託。
黄石公 三略三卷 又 素書一卷 張良所傳。
諸葛亮 將苑一卷 兵書手訣一卷 文武奇編一卷 武侯八陣圖一卷
鬼谷天甲兵書常禳術三卷 梁昭明太子撰。
陶弘景 真人水鏡十三卷
李靖 六軍鏡三卷
六十甲子禳敵克應決勝術一卷
玉帳經一卷
李靖兵鈐新書一卷

並不知作者。

九天玄女孤虚法一卷

李淳風　懸鏡經十卷

郭代公安邊策三卷 唐郭震撰。

李筌　太白陰經十卷　占五行星度吉凶訣一卷　注孫子一卷　閫外春秋十卷

李光弼　統軍靈轄祕策一卷　五家注孫子三卷 魏武帝、杜牧、陳皞、賈隱林、孟氏。①

杜牧　孫子注三卷

裴緒　新令二卷

曹　杜　注孫子三卷 曹操、杜牧。

劉玄之　行軍月令一卷

李大　著　江東經略十卷

綦先生兵書一十六卷

並不知名。

許洞　虎鈐兵經二十卷

樂産　太一王佐祕珠五卷

盧元　韜珠祕訣一卷

黄帝太公兵法三卷 虞彦行進。

趙彦譽②　南北攻守類考六十三卷

柴叔達　浮光戰守録一卷

冲晦郭氏兵學七卷 郭雍述。

論五府形勝萬言書一卷

閫外策鈐五卷

---

① "隱",《考證》據《新唐志》、《崇文總目》認爲此字當删。

② "彦",武英殿本同,中華本據《宋史》本傳、陳《録》改作"善"。

經武畧二百九十卷

治亂貫怪記三卷

三賢安邊策十一卷

邊防備衛策一卷

出軍占候歌一卷

通玄玉鑑一卷

握鏡訣怪祥歌一卷

玄女遁甲經三卷

李僕射馬前訣一卷

防城動用一卷

彭門玉帳訣録一卷

遁甲專征賦一卷

帝王中樞賦二卷

長世論十卷

武備圖一卷

兵鑑五卷

陰符握機運宜要五卷

並不知作者。

仁宗　攻守圖術三卷

曾公亮　武經總要四十卷

蔡挺　裕陵邊機處分一卷

符彦卿　人事軍律三卷

曾致堯　清邊前要十卷

王洙　三朝經武聖略十卷

清邊武略十五卷

風角占一卷康定間司天臺集。

任鎮　康定論兵一卷

趙珣　聚米圖經五卷

慶曆軍録一卷　不知作者。

曾公爽　軍政備覽一卷

耿恭[①]　平戎議三卷　邊臣要略二十卷

趙瑜　安邊致勝策三卷

吕夏卿　兵志三卷

丘濬　征蠻議一卷

阮逸　野言一卷

劉滬　備邊機要一卷

薛向　陝西建明一卷

吉天保　十家孫子會注十五卷

王韶　熙河陣法一卷

韓縝　元豐清野備敵一卷

何去非　三備略講義六卷　備論十四卷

戴溪　歷代將鑑博議十卷

張文伯　百將新書十二卷

劉温潤　西夏須知一卷

王維清　武昌要訣一卷

徐矸　司命兵機祕略二十八卷

徐確　總夫要録一卷

張預　集注百將傳一百卷

余壹[②]　兵籌類要十五卷

葉上達　神武祕略論十卷

---

① “耿恭”,《考證》據《玉海》及《宋史·景泰傳》認爲其人本姓“耿”,本傳避諱作“景”;而“恭”爲“泰”之訛。

② “余壹”,《考證》云:“同類下文重出一部,作余臺。”當有一誤。

夏休　兵法三卷

汪梈　進復府兵議一卷　古今屯田總議七卷

游師雄　元祐分疆録二卷

崇寧邊略三卷 不知作者。

劉荀　建炎德安守禦録三卷

度濟　兵録八十卷

西齋兵議三卷 文覺兄弟問答兵機。

章穎　四將傳三卷

神機靈祕圖三卷

軍鑑圖二卷

紀重政軍機決勝立成圖三卷

兵書氣候旗勢圖一卷

諸家兵法秘訣四卷

行師類要七卷

古今兵書十卷

五行陣決一卷

會稽兵術三卷

六十甲子出軍祕訣 一作“畧”一卷

玄珠要訣一卷

軍塾兵鈐三卷

韜鈐祕録五卷

將略兵機論十二卷

三軍指要五卷

纂下六甲營圖一卷

五十七陣出軍甲子一卷

行軍玄機百術法一卷

兵書出軍雜占五卷

兵法機要三卷
神兵要術三卷
神兵機要三卷
總戎策二卷
兵書精訣二卷
權經對三卷
行軍用兵玄機三卷
兵機要論五卷
行軍備曆六十卷
兵機簡要十卷
兵談三卷
韓霸　水陸陣圖三卷
強弩備術三卷
九九陣圖一卷
軍林要覽三卷
制勝權略三卷
兵書精妙玄術十卷
兵籍要樞三卷
太一行軍祕術詩三卷
戎機二卷
通神機要三卷
劉玄 一作"定"之　兵家月令一卷　又　軍令備急一卷
湯渭　天一兵機舉要歌一卷
王洪暉　行軍月令四卷
裴守一　軍誡三卷
兵家正史九卷
行軍周易占一卷

張從實　將律一卷
焦大憲　兵易歌神兵苑三卷
星度用一卷
將術一卷
行兵攻具術一卷
行兵攻具圖一卷
兵家祕寶一卷
祕寶書一卷
軍律三卷
張昭　制旨兵法十卷
王洙　青囊括一卷
杜希全　兵書要訣三卷
釋利正　長度人事軍律三卷[①]
董承祖　至德元寶玉函經十卷
王公亮　行師類要七卷
劉可久　契神經一卷
李洿　靈關訣二卷　一名《靈關集益智》。
兵機法一卷
太一厭禳法一卷
五行陣圖一卷
兵論十卷
六十甲子行軍法一卷
會稽兵家術日月占一卷
統戎式令一卷
六甲五神用軍法一卷

① “度”，武英殿本同，中華本據《崇文總目》改作“慶”。

要訣兵法立成歌一卷

六甲攻城破敵法一卷

馬前祕訣兵書一卷

石普　軍儀條目三卷

仁宗　神武祕略十卷　又　行軍環珠一部 卷亡。　又　四路獸守約束一部 卷亡。

軍誡三卷

武記一卷

定遠安邊策三卷

新集兵書要訣三卷

兵書要略一卷

揀將要略十卷

兵論十卷

符彦卿　五行陣圖一卷

新集行軍月令四卷

雲氣圖十二卷

統戎式鏡二卷

行軍氣候祕法三卷

天子氣章雲氣圖十二卷

預知歌三卷

從軍占三卷

兵書論語三卷

彭門玉帳歌三卷

太一行軍六十甲子禳厭祕術詩三卷

兵機舉要陽謂歌一卷

鄭子　新修六壬大玉帳歌十卷

郭固　軍機決勝立成圖一卷　又　兵法攻守圖術三卷

王存　樞密院諸房例册一百四十二卷

蔡挺　教閲陣圖一卷

林廣　陣法一卷

王拱辰　平蠻雜議十卷

敵樓馬面法式及申明條約并修城女墻法二卷

楊伋　兵法圖議一卷

韓縝　樞密院五房宣式一卷　又　論五府形勝萬書一卷①

方坰　重演握奇三卷　又　握奇陣圖一卷

梁燾　安南獻議文字并目録五卷

愈見禦戎十册

韓絳　宣撫經制録三卷

王革　政和營繕軍補録序一卷

余臺　兵籌類要十五卷

溱播州勝兵法二部

任諒　兵書十卷

右兵書類三百四十七部，一千九百五十六卷。

李廣　射評要録一卷②

梁冀　彈棊經一卷

梁元帝　畫山水松石格一卷

姚最　續畫品一卷

李嗣真　畫後品一卷

竇蒙　畫録拾遺一卷

---

① “萬書”，武英殿本同，中華本據上文《論五府形勝萬言書》改作“萬言書”。

② “録”，《考證》據晁《志》、陳《録》、《玉海》認爲當作“略”。

張又新　畫總載一卷

裴孝源　貞觀公私畫録一卷

李淳風　歷監天元主物簿三卷

皇甫松　醉鄉日月三卷

張彦遠　歷代名畫記十卷

韋蕴　九鏡射經一卷

唐畫斷一卷

王琚　射經一卷

王堅道　射訣一卷

荆浩　筆法記一卷

李氏墨經一卷

張學士棊經一卷

宋景真[①]　唐賢名畫録一卷

墨圖一卷

釣鰲圖一卷

端硯圖一卷

畫總録五卷

嘯真一卷

樗蒲圖一卷

並不知作者。

蘇易簡　文房四譜五卷

李永德　點頭文一卷

李畋　益州名畫録三卷[②]

---

① "宋景真",《考證》引《廿二史考異》認爲當作"朱景玄"。

② "李畋益州名畫録三卷",《考證》引《四庫全書總目提要》云:"《益州名畫録》二卷,黄休復撰。前有景德三年李畋序。"

唐績　硯圖譜一卷[①]

紀亶　廣弓經一卷

王德用　神射式一卷

劉懷德　射法一卷

趙景　小酒令一卷

趙明遠　皇宋進士彩選一卷

蔡襄　墨譜一卷

卜恕　投壺新律一卷

劉敞[②]　漢官儀三卷　亦投子選也。

唐詢　硯録二卷

竇諷　飲戲助歡三卷

郭若虛　圖畫見聞志六卷

司馬光　投壺新格一卷

王趯　投壺禮格二卷

劉道醇　新編五代名畫記一卷

宋朝畫評四卷

李誠　新集木書一卷

米芾　畫史一卷

任權　弓箭啓蒙一卷

張仲殷　射訓一卷

馬思永　射訣一卷

王越石　射議一卷

李孝美　墨苑三卷

---

① “唐績硯圖譜”,《考證》云:陳《録》作《歙硯圖譜》,唐積撰。《宋志》當是脱“歙”字,又“積”、“績”形近,未知孰是。

② “敞”,《考證》據阮元《四庫未收書目提要》認爲當作“攽”。

李薦[①]　德隅堂畫品一卷

温子融　畫鑑三卷

王慎修　宣和彩選一卷

陳日華　金淵利術八卷

黄鑄　玉籤詩一卷

李洪　續文房四譜五卷

何珪　射義提要一卷

射經三卷

張仲素　射經三卷

田逸　射經四卷

王琚　射經二卷

九鑑射圖一卷

徐諧[②]　射書十五卷

韋藴　射訣一卷

李章　射訣三卷

張子霄　神射訣一卷

李靖　弓訣一卷

法射指訣一卷

黄損　射法一卷

張守忠　射記一卷

弓訣一卷

吕惠卿　弓試一部 卷亡。

上官儀　投壺經一卷

鍾離景伯　草書洪範無逸中庸韻譜十卷

---

① "薦",武英殿本同,中華本據《宋史》本傳、陳《録》改作"廌"。

② "諧",武英殿本同,中華本據《崇文總目》、《通志》改作"鍇"。

唐績　棊圖五卷

金谷園九局譜一卷

王積薪等　棊訣三卷

棊勢論并圖一卷

徐鉉　棊圖義例一卷

棊勢三卷

楊希璨 一作“璨” 四聲角圖一卷　又　雙泉圖一卷

玉溪圖一卷

蔣元吉等　棊勢三卷

太宗　棊圖一卷

局譜一卷

韋珽[①]　棊圖一卷

奕棊經一卷

棊經要略一卷

王子京　彈棊圖一卷

樗蒲經一卷

雙陸格一卷

李郃　骰子彩選格三卷

劉蒙叟　彩選格一卷

尋仙彩選七卷

葉子格三卷

李煜妻周氏　繫蒙小葉子格一卷

偏金葉子格一卷

小葉子例一卷

---

① “珽”,《考證》云:“《唐志》、《通志》均作珽。按:‘珽’爲宋曾祖諱,豈故改爲‘珽’耶?”

謝赫　古今畫品一卷
徐浩　畫品一卷
曹仲連　畫評一卷
李嗣真　畫後品一卷
胡嶠　廣梁朝畫目三卷
王叡　不絶筆畫圖一卷
郭若虚　圖畫見聞誌六卷
朱遵度　漆經三卷
馬經一卷
辨馬圖一卷
馬口齒訣一卷
醫馬經一卷
明堂灸馬經二卷
論駞經一卷
療駞經一卷
醫駞方一卷

右雜藝術類一百十六部,二百二十七卷。

陸機　會要一卷
朱澹遠　語麗十卷
杜公瞻　編珠四卷
祖孝徵[①]　修文殿御覽三百六十卷
歐陽詢　藝文類聚一百卷
虞世南　北堂書鈔一百六十卷

① “祖孝徵”,《考證》:《崇文總目》、陳《録》作“祖珽”,祖珽,字孝徵,蓋宋人避諱稱字。

高士廉　房玄齡　文思博要一卷

徐堅　初學記三十卷

燕公事對十卷

張鷟　龍筋鳳髓判十卷

杜佑　通典二百卷

陸贄　備舉文言三十卷

張仲素　詞圃十卷

白居易　白氏六帖三十卷

前後六帖三十卷 前，白居易撰；後，朱孔傅撰。①

李翰　蒙求三卷

丘延翰②　唐蒙求三卷

劉綺莊　集類一百卷

李商隱　金鑰二卷

崔鉉　弘文館續會要四十卷

李途　記室新書三卷

顏休　文飛應詔十五卷

高測　詔對十卷③

劉揚名　戚苑纂要十卷　又　戚苑英華十卷

孟詵　錦帶書八卷

喬舜封④　古今語要十二卷

蘇冕　古今國典一百卷　又　會要四十卷

章得象　國朝會要一百五十卷 宋初至慶曆四年。

大孝 一作"存"**僚　御覽要略十二卷**

---

① "朱孔傅"，武英殿本同，中華本據陳《録》改作"宋孔傳"。

② "丘延"，武英殿本同，中華本據《崇文總目》改作"白廷"。

③ "詔"，武英殿本同，中華本據《崇文總目》、《通志》改作"韻"。

④ "喬舜封"，《考證》云："上文史鈔類重出一部，作喬舜，脱'封'字。"

冊府元龜音義一卷

王欽若　彤管懿範七十卷　目十卷　彤管懿範音義一卷

歐陽詢　麟角一百二十卷

白氏家傳記二十卷

薛高立　集類三十卷

邊崖類聚三十二卷

類事十卷

徐叔陽[①]　羊頭山記十卷

于政立[②]　類林十卷

杜光庭　歷代忠諫書五卷

諫書八十卷

唐諫諍論十卷

王昭遠　禁垣備對十卷

魏玄成[③]　勵忠節四卷

王伯璵　勵忠節抄十卷

書判幽燭四十卷

軺車事類三卷

周佑之　五經資政二十卷

經典政要三卷

尹弘遠　經史要覽三十卷

章句纂類十四卷

李知實　一作“寶”[④]　檢志三卷

李慎微　一作“徽”　理樞七卷

---

① “陽”，武英殿本同，中華本據《崇文總目》、《通志》改作“暘”。

② “政立”，武英殿本同，中華本據《崇文總目》、《新唐志》改作“立政”。

③ “魏玄成”，《考證》云：“避諱稱字。”即魏徵。

④ 《考證》引《廿二史考異》認爲當作“保”。

鄒順　廣蒙書十卷

劉漸[1]　群書系蒙三卷

九經對語十卷

錢承志　九經簡要十卷

經史事對三十卷

子史語類拾遺十卷

韋稔　筆語類對十卷　又　應用類對十卷　一名《筆語類對》。

黄彬　經語協韻二十卷

朱澹　語類五卷

楊名　廣　一作“唐”略新書三卷

十議典録三卷

李德孫　學堂要記　一作“紀”十卷

裴説　脩文異名録十一卷

搢紳要録二卷

段景　文場纂要二卷

文場秀句一卷

王雲　文房纂要十卷

彫玉集類二十卷

彫金集三卷

劉國潤　廣彫金類集十卷

庾肩吾　彩璧五卷

金鑾秀蘂二十卷

陸贄　青囊書十卷

蔣氏寶車　一作“庫”十卷

瓊林採實三卷

---

① “漸”,《考證》據《崇文總目》、《通志》認爲當作“潛”。

温庭筠　學海兩字三十卷①

鄭嵎　一作"嵎"　雙金五卷

孫翰　錦繡谷五卷

齊逸人　府新書三卷②

叢髓三卷

盧重華　文髓一卷

勁弩子三卷

玉苑麗文五卷

段景　疊辭二卷

玉英二卷

玉屑二卷

金匱二卷

常偹半臂十卷

紫香囊二十卷

陸羽　警年十卷

窮神記十卷

李齊莊　事解七卷

王氏千門四十卷

郭道規　事鑑五十卷

沈寥子　文鑑四十卷

李大華　康國集四卷

姚勖　起予集四十卷

李貴臣　家藏龜鑑録四卷

徐德言　分史衡鑑十卷

---

① "兩字",武英殿本同,中華本據《新唐志》、《崇文總目》删。

② "府",武英殿本同,中華本據《崇文總目》、《通志》改作"玉府"。

薛洪　古今精義十五卷

筆藏論三卷

蘇源　治亂集三卷

治道要言十卷

馬幼昌　穿楊集四卷

李欽玄　累玉集十卷

支遷喬 一作“奇”　京國記二卷

郭微　屬文寶海一百卷

樂黄目　學海搜奇録六十卷

皇覽總論十卷

張陟　唐年經略志十卷

楊九齡　名苑五十卷

晁光乂　十九書類語十卷[①]

雍公叡　注張楚金翰苑十一卷

劉濟　九經類議 一作“義”二十卷

黎翹　廣略六卷

王博古　脩文海十七卷

郭翔　春秋義鑒三十卷

曹化　兩漢史海十卷

楊知惲　名字族十卷

馮洪敏　寶鑑絲綸二十卷

胡旦　將帥要略二十卷

劉顔　輔弼名對四十卷

景泰　邊臣要略二十卷

石待問　諫史一百卷

---

① “晁”、“類語”，武英殿本同，中華本據《新唐志》、《崇文總目》改作“是”、“語類”。

王純臣　青宮懿典十五卷
李虛一　溉漕新書四十卷
童子洽聞一卷
麟角抄十二卷
雷壽之　古文類纂十卷
漢臣蒙求二十卷
李伉　系蒙求十卷
丘光庭　同姓名録一卷
王殷範　續蒙求三卷
王先生十七史蒙求十六卷
黄簡　文選韻粹三十五卷
白氏　玉連環七卷
白氏　隨求一卷　不知名。
重廣會史一百卷
資談六十卷
聖賢事迹三十卷
引證事類備用三十卷
門類解題十卷
瓊林會要三十卷
青雲梯籍二十卷
南史類要二十卷
粹籍十五卷
六朝採要十卷
十史事語十卷
十史事類十二卷
三傳分門事類十二卷
嘉祐新編二經集粹十卷

鹿革事類二十卷

職官事對九卷

掞天集六卷

文章叢説十卷

新編經史子集名卷六卷

碎玉四淵海集百九十五卷

書林四卷

寶龜三卷

離辭筆苑二卷

詩句類二卷

南北事偶三卷

五色線一卷

珠浦一卷

重廣策府沿革一卷

鴻都編一卷

文章庫一卷

十三代史選三十卷

左傳類要五卷

唐朝事類十卷

群玉雜俎三卷

增廣群玉雜俎四卷

分聲類説三十二卷

文選雙字類要四十卷

書林事類一百卷

並不知作者。

鄭氏　歷代蒙求一卷

孫應符　初學須知五卷①
王敦詩　書林韻會二十八卷
曾恬　孝類書二卷
邵笥　賡韻孝悌蒙求二卷
譙令憲　古今異偶一百卷
宋六朝會要三百卷　章得蒙編,王珪續。②
續會要三百卷　虞允文等撰。
中興會要二百卷　梁克家等撰。
孝宗會要二百卷　楊濟,锺必萬總修。
光宗會要一百卷
寧宗會要一百五十卷　祕書省進。
國朝會要五百八十八卷　張從祖纂輯。
王溥　續唐會要一百卷③　五代會要三十卷
李安上　十史類要十卷
李昉　太平御覽一千卷
王倬　班史名物編十卷
蘇易簡　文選菁英二十四卷
宋白　李宗諤　續通典二百卷
皮文粲　鹿門家鈔籍詠五十卷
曾致堯　仙鳧羽翼三十卷
僧守能　典籍一百卷④
王欽若　册府元龜一千卷
葉適　名臣事纂九卷

---

① "初",《考證》據陳《録》認爲當作"幼"。

② "蒙",武英殿本同,中華本據《通志》、晁《志》改作"象"。

③ "續",《考證》云:"諸家目均無'續'字。"

④ "籍",武英殿本同,中華本據《四庫闕書目》、《通志》改作"類"。

方龜年　群書新語十一卷

晏殊　天和殿御覽四十卷　類要七十七卷

宋庠[①]　鷄跖集二十卷

過勛　至孝通神集三十卷

鄧至　群書故事十五卷

故事類要三十卷

宋幷　登瀛祕録八卷

范鎮　本朝蒙求二卷

馬共　元祐學海三十卷

任廣　書籍指南二十卷[②]

朱繪　事原三十卷

陳彦禧　爨堂要覽十卷

陳紹　重廣六帖學林三十卷

吴淑　事類賦三十卷

王資深　摭史四卷

馬永易　實賓録三十卷　異號録三十卷

陳貽範　千題適變録十六卷

楊諮　古今名賢歌詩押韻二十四卷

江少虞　皇朝事實類苑二十六卷

葉庭珪　海録碎事二十三卷

陳天麟　前漢六帖十二卷

蕭之美　十子奇對三卷　莊子寓言類要一卷　三傳合璧要覽二卷　三子合璧要覽二卷　四子合璧要覽二卷

劉珏　兩漢蒙求十卷

---

① “庠”,《考證》據晁《志》附志認爲當作“祁”。

② “籍”,武英殿本同,中華本據晁《志》、陳《録》改作“敍”。

吴逢道　六言蒙求六卷

徐子光　補注蒙求四卷　又　補注蒙求八卷

群書治要十卷　祕閣所録。

蔡攸　政和會要一百一十卷①

晏袤數　會要一百卷

謝諤　孝史五十卷

度濟　諫録二十卷

葉才老　和李翰蒙求三卷

林越　漢雋十卷

倪遇　漢書家範十卷

李宗序　隆平政斷二十卷

鄭大中　漢規四卷

張磁　仕學規範四十卷

歐陽邦基　勸戒别録三卷

閻一德　古今政事録二十一卷

僧道蒙　仕途經史類對十二卷

吕祖謙　觀史類編六卷　讀書記四卷

洪邁　經子法語二十四卷　春秋左氏傳法語六卷　史記法語八卷　前漢法語二十卷　後漢精語十六卷　三國志精語六卷　晉書精語五卷　南史精語六卷　唐書精語一卷

程大昌　演蕃露十四卷②　又　續演蕃露六卷　攷古編十卷　續攷古編十卷

程俱　班左誨蒙三卷

---

① "政和會要",《考證》據陳《録》認爲當作"政和重修國朝會要"。

② "蕃",《考證》云:"當作'繁',上文春秋類重出程大昌《演繁露》六卷。"下"蕃"字同。

唐仲友　帝王經世圖譜十卷

錢端禮　諸史提要十五卷

陳傅良　漢兵制一卷　備邊十策九卷

徐天麟　西漢會要七十卷

漢兵本末一卷

曾慥　類説五十卷

錢文字[①]　補漢兵志一卷

錢諷　史韻四十二卷

鄒應龍　務學須知二卷

高似孫　緯略十二卷　子略四卷

吴曾　南北分門事類十二卷

魏彦惇　名臣四科事實十四卷

王掄　群玉義府五十四卷

范師道　垂拱元龜會要詳節四十卷　國朝類要十二卷

俞鼎　俞經　儒學警悟四十卷

鄭厚　通鑑分門類要四十卷

柳正夫　西漢蒙求一卷

李孝美　文房監古三卷

竇苹　載籍討源一卷

王仲閎　語本二十五卷

毛友　左傳類對賦六卷

俞觀能　孝經類鑑七卷

胡宏　叙古蒙求一卷

玉山題府二十卷

熙寧題髓十五卷

---

① “字”,武英殿本同,中華本據陳《録》改作“子”。

帝王事實十卷

聖賢事實十卷

漢唐事實十五卷

國朝韻對八卷

引證事類三十卷

魯史分門屬類賦一卷

古今通編八卷

諸子談論三卷

並不知作者。

右類事類三百七部,一萬一千三百九十三卷。

黄帝内經素問二十四卷 唐王冰注。

素問八卷 隋全元起注。

黄帝靈樞經九卷

黄帝鍼經九卷

黄帝灸經明堂三卷

黄帝九虚内經五卷

揚玄操　素問釋音 一作"言" **一卷　素問醫療訣一卷**

秦越人　難經疏十三卷

黄帝脉經一卷　又　脉訣一卷

張仲景　脉經一卷　又　五藏榮衛論一卷

耆婆脉經三卷

徐氏　脉經三卷

王叔和　脉訣 一作"經" **一卷**

孩子脉論一卷

李勣　脉經一卷

張及　脉經手訣一卷 王善注。

徐裔　脉訣二卷

韓氏脉訣一卷

脉經一卷

百會要訣脉經一卷

碎金脉訣一卷

元門脉訣一卷

身經要集一卷

太醫祕訣診候生死部一卷

倉公決死生祕要一卷

神農五藏論一卷

黄帝五藏論一卷

黄庭五藏經一卷

黄庭五藏六府圖一卷

趙業　黄庭五藏論七卷

張向容[①]　大五藏論一卷　又　小五藏論一卷

五藏金鑑論一卷

段元　一作"允"[②]亮　五藏鑑元　一作"原"　四卷

孫思邈　五藏旁通明鑑圖一卷　又　針經一卷

張文懿　藏府通玄賦一卷

五藏攝養明鑑圖一卷

吴兢　五藏論應家象一卷[③]

裴王庭　五色旁通五藏圖一卷

五藏要訣一卷

---

① "向",《考證》據《通志》、《崇文總目》認爲當作"尚"。

② 《考證》:《新唐志》、《崇文總目》均作"元",作"允"誤。

③ "家",武英殿本同,中華本據《新唐志》、《崇文總目》删。

太元心論一卷

岐伯　針經一卷

扁鵲　鍼傳一卷

玄悟　四神針經一卷

甄擁[①]　針經抄三卷

王處明　玄祕會要針經五卷

吕博　金滕玉匱鍼經三卷

黄帝問岐伯灸經一卷

顔齊　灸經十卷

明堂灸法三卷

皇甫謐　黄帝三部鍼灸經十二卷　即《甲乙經》。

岐伯　論針灸要訣一卷

山眺　一作"兆"　鍼灸經一卷

公孫克　針灸經一卷

吴復珪　小兒明堂針灸經一卷

王惟一　明堂經三卷

明堂玄真經訣一卷

朱遂　明堂論一卷

金鑑集歌一卷

黄帝大素經三卷　楊上善注。

刺法一卷

太上天寶金鏡靈樞神景内編九卷

扁鵲注黄帝八十一難經二卷　秦越人撰。

扁鵲　脉經一卷

張仲景　傷寒論十卷　五藏論一卷

---

① "擁",武英殿本同,中華本據《崇文總目》改作"權"。

王叔和　脉經十卷　脉訣機要三卷

巢元方　巢氏諸病源候論五十卷

崔知悌　灸勞法一卷

王冰　素問六脉玄珠密語一卷

褚澄　褚氏遺書一卷

華佗　藥方一卷

金匱要略方三卷　張仲景撰，王叔和集。

葛洪　肘後備急百一方三卷

劉涓子　神仙遺論十卷　東蜀李頓録。①

宇文士及　粧臺記六卷

師巫　顱顖經二卷

孫思邈　千金方三十卷　千金髓方二十卷　千金翼方三十卷

玉函方三卷

王起②　仙人水鏡一卷

王燾　外臺秘方四十卷

陳藏器　本草拾遺十卷

孔志約　唐本草二十卷

李昉　開寶本草二十卷　目一卷

盧多遜　詳定本草二十卷　目録一卷

補注本草二十卷　目録一卷

李含光　本草音義五卷

蕭炳　四聲本草四卷

本草韻略五卷

楊損之　删繁本草五卷

---

① "頓"，《考證》據陳《録》認爲當作"頔"。

② "起"，《考證》據《新唐志》、《通志》認爲當作"超"。

杜善方　本草性類一卷
陳士良　食性本草十卷
龐安時　難經解義一卷
宋庭臣　黄帝八十一難經注釋一卷
張仲景　療黄經一卷　又　口齒論一卷
金匱玉函八卷 王叔和集。
扁鵲　療黄經三卷　又　枕中祕訣三卷
青烏子　風經一卷
吴希言　風論山兆 一作"眺"經一卷
文義方[①]　通玄經十卷
吕廣　金韜玉鑑經三卷
雷 一作"靈"公仙人養性治 一作"理"身經三卷
醫源兆經一卷
林億　黄帝三部鍼灸經十二卷
楊曄　膳夫經手録四卷[②]
延年祕録十一卷
混俗頤生録二卷
千金纂録二卷
金匱録五卷
司空輿　發焰録一卷
梅崇獻　醫門祕録五卷
治風經心録五卷
郭仁普　拾遺候用深靈玄録五卷
養性要録一卷

---

① "文",武英殿本同,中華本據《崇文總目》、《通志》改作"支"。
② 《考證》云:《新唐志》"楊"作"陽",《崇文總目》"録"作"論"。

党求平　摭醫新説三卷

代榮　醫鑑一卷

衛嵩　金寶鑑三卷

段元亮　病源手鑑二卷[①]

田誼卿　傷寒手鑑三卷

千金手鑑二十卷

王勃　醫語纂要一卷

華顒　醫門簡要十卷

蘇越　群方祕要 一作“會”[②]三卷

古詵　三教保光纂要三卷

醫明要略一卷

張叔和　新集病總要略一卷

外臺要略十卷

司馬光　醫問七卷

耆婆六十四問一卷

伏氏　醫苑一卷

神農食忌一卷

吴群　意醫紀曆一卷

孔周南　靈方志一卷

穆脩靖　靈芝記五卷 羅公遠注。

張隱居　金石靈臺記一卷

菖蒲傳一卷

李翺　何首烏傳一卷

張尚容　延齡至寶抄一卷

---

① “鑑”，《考證》：《新唐志》、《通志》均作“鏡”。

② 《考證》：《新唐志》、《通志》均作“要”，“會”字誤。

醫家要抄五卷[①]
黄帝問答疾狀一卷
陶隱居　靈奇祕奥一卷
南海藥譜一卷
家寶義囊一卷
小兒藥證一卷
神仙玉芝圖二卷
經食草木法一卷
孫思邈　芝草圖三十卷　又　太常分藥格一卷　神枕方一卷
崔氏産鑑圖一卷
攝生月令圖一卷
六氣導引圖一卷
侍膳圖一卷
徐玉[②]　藥對二卷
宗令祺　廣藥對三卷
方書藥類三卷
王承宗[③]　删繁藥脉三卷
蔣淮　療黄歌一卷
郭晏封　草食論六卷[④]
藥性論四卷
張果　傷寒論一卷

① "抄",《考證》據《新唐志》、《通志》認爲當作"妙"。是書爲孫思邈撰。

② "徐玉",《考證》據《崇文總目》、《通志》認爲當作"徐之才"。

③ "王",武英殿本同,中華本據《崇文總目》改作"江"。

④ "郭",武英殿本同,中華本據《崇文總目》、《通志》删;"食",《考證》據《新唐志》、《通志》認爲當作"石"。

陳昌祚[1]　明時政要傷寒論三卷
李涉　傷寒方論二十卷
青烏子論一卷
石昌璉　明醫顯微論一卷
清溪子　消渴論一卷
龍樹眼論一卷
邢 一作"郉"元朴　癰疽論一卷
癰疽論三卷
李言少　嬰孺病論一卷
楊全迪　崔氏小兒論一卷
療小兒疳病論一卷
劉豹子　眼論一卷
蘇嵬 一作"游"　玄感論一卷
李暄　嶺南脚氣論二卷
發背論二卷
邵英俊　口齒論一卷
蕭 一作"藺"宗簡　水氣論三卷
骨蒸論一卷
唐 一作"廣"陵正師　口齒論一卷
風疾論一卷
楊太業[2]　三十六種風論一卷
喻義　瘡腫論一卷　又　廣癰疽要訣一卷[3]
蘇游　鐵粉論一卷　又　玄感傳尸方一卷

---

① "祚",《考證》:原名"胤",避諱作"祚"。
② "太",《考證》據《崇文總目》、《通志》認爲當作"天"。
③ "廣",武英殿本同,中華本據《崇文總目》、《通志》改作"療"。

褚知義　鍾乳論一卷
李昭明　嵩臺論三卷
玉鑑論五卷
王守愚　産前産後論一卷　小兒眼論一卷　普濟方五卷
應驗方三卷
應病神通方三卷①
張文仲　法象論一卷
小兒五疳二十四候論一卷
劉涓子　鬼論一卷②
僧智宣　發背論一卷
沈泰之　癰疽論二卷
蘇敬　徐玉　唐侍中　三家脚氣論一卷
吴昇　宋處　新修鍾乳論一卷
白岑　發背論一卷
西京巢氏　水氣論一卷
李越 一作"鉞" 新脩榮衛養生用藥補瀉論十卷
楊大鄴　嬰兒論二卷
採藥論一卷
制藥論法一卷③
連方五藏論一卷
五勞論一卷
大壽性術論一卷④
咽喉口齒方論五卷

① "神通",《考證》據《崇文總目》、《通志》認爲當作"通神"。
② "鬼論",《考證》據《崇文總目》認爲當作"鬼遺論"。
③ "論法",《考證》據《崇文總目》、《通志》認爲當作"法論"。
④ "大",武英殿本同,中華本據《崇文總目》、《通志》改作"天"。

產後十九論一卷
小兒方術論一卷
李温[1] 萬病拾遺三卷
張機 金石制藥法一卷
王氏 食法五卷
嚴龜 食法十卷
養身食法三卷
太清服食藥法七卷
按摩法一卷
攝養禁忌法一卷
王道中[2] 石藥異名要訣一卷
譚延鎬 色脉要訣一卷[3]
吴復圭 金匱指微訣一卷
葉傅右[4] 醫門指要訣一卷
華子顒 相色經妙訣一卷
制藥總訣一卷
修玉粉丹口訣一卷
服雲母粉訣一卷
伏火丹砂訣序一卷
陳玄 北京要術一卷
蕭家 法饌三卷
饌林四卷

---

① "李温",《考證》:《新唐志》作青溪子,《通志》有《青溪子消渴論》,下注云:"唐李暄撰。"青溪子即李暄號也,《宋志》作"温",疑爲"暄"之誤。

② "中",《考證》據《崇文總目》、《通志》認爲當作"冲"。

③ "色脉",武英殿本同,中華本據《崇文總目》、《通志》改作"脉色"。

④ "傅右",武英殿本同,中華本據《崇文總目》、《通志》改作"傅古"。

藥林一卷

王氏　醫門集二十卷

李崇慶　燕臺集五卷

穿玉集一卷

劉輸[①]　全體治世集三十卷

雷繼暉　神醫集三卷

華氏集十卷

楊氏粧臺寶鑑集三卷　南陽公主。

傷寒證辨集一卷

賈黄中　神醫普救方一千卷　目十卷

楊歸　一作"師"[②]厚　産乳集驗方三卷

安文恢　萬全　一作"金"方三卷

孫廉　金鑑方三卷

金匱方三卷

韋宙　獨行方十二卷　又　玉壺備急方一卷

鄭氏　惠民方三卷

鄭氏　圃田通玄方三卷　又　惠心方三卷　纂要祕要方三卷

溥濟安衆方三卷[③]

支觀　通玄方十卷

劉氏　五藏旁通遵　一作"導"養方一卷

白仁叙　集驗方五卷[④]

服食導養方三卷

孟氏　補養方三卷

---

① "輸",武英殿本同,中華本據《宋史》本傳、《通志》改作"翰"。

② 《考證》:《新唐志》、《崇文總目》均作"歸",作"師"字誤。

③ "溥",《考證》據《崇文總目》、《通志》認爲當作"博"。

④ "集驗方",《考證》據《新唐志》、《通志》認爲其前當脱"唐興"二字。

崔元亮[1] 海上集驗方十卷

崔氏 骨蒸方三卷

元希聲 行要備急方二卷

劉禹錫 傳信方二卷

王顔 續傳信方十卷

嬰孩方十卷

黄漢忠 秘要合煉方五卷

針眼 一作"眼針"鈎方一卷

穆昌緒 一作"叔"[2] 療眼諸方一卷

孩孺 一作"嬰孩"雜病方五卷

朱傅 孩孺明珠變蒸七疳方一卷

小兒祕録集要方一卷

延齡祕寶方集五卷

録古今服食導養方三卷

服食神祕方一卷

姚和 衆童延齡至寶方十卷 又 保童方一卷

許詠 一作"泳" 六十四問祕要方一卷[3]

塞上方三卷

晨昏寧待方二卷

王道 处臺祕要乳石方二卷

耆婆要用方一卷

崔行功 纂要方十卷[4]

千金祕要備急方一卷

---

① "元",《考證》據《新唐志》、《通志》認爲當作"玄"。

② 《考證》據《崇文總目》、《通志》認爲當作"叙"。

③ 《考證》:《新唐志》、《通志》均無"祕要方"三字,許詠撰,作"泳"誤。

④ 《考證》:《舊唐志》作《崔氏纂要方》,崔知悌撰。

華宗壽　昇天 一作"元"廣濟方三卷
段詠 一作"泳"　走馬備急方一卷
天寶神驗藥方一卷
貞元集要廣利方五卷
大和濟安方一卷
羅普宣　靈寶方一百卷
悟玄子　安神養性方一卷
篋中方一卷
蕭存禮　百一問答方三卷
包會　應驗方三卷
雜用藥方五十五卷
神仙雲母粉方一卷
服术方一卷
慶曆善救方一卷
胡道洽方一卷
賈沈[①]　備急單方一卷
李八百方一卷
波騐波利　譯吞字貼腫方一卷
李繼皐　南行方三卷
杜氏　集驗方一卷
韓待詔　肘後方一卷
王氏　祕方五卷
徒都子　膜外氣方一卷
潛真子　神仙金匱服食方二卷
楊太僕　醫方一卷
沈承澤　集妙方三卷

① "沈",武英殿本同,中華本據《崇文總目》、《新唐志》改作"耽"。

章秀言　草木諸藥單方一卷
吴希言　醫門括源方一卷
王朝昌　新集方一卷
老子服食方一卷
葛仙公杏仁煎方一卷
删繁要略方一卷
集諸要妙方一卷
備急簡要方一卷
纂驗方一卷
養性益壽備急方一卷
奏聞單方一卷
反魂丹方一卷
玄明粉方一卷
瘰癧方一卷
婆羅門僧服仙茅方一卷
高福　攝生要録三卷
李絳　兵部手集方三卷
孟詵　食療本草六卷
沈知言　通玄祕術三卷
昝殷　産寶三卷　食醫心鑑二卷
甘伯宗　歷代名醫録七卷
鄭景岫　廣南四時攝生論一卷
葉長文　啓玄子元和紀用經一卷
張文懿　本草括要詩三卷
雷斆　炮灸方三卷[①]
宋徽宗　聖濟經十卷

① “灸”，《考證》據《崇文總目》、《通志》認爲當作“炙”。

通真子　續注脉賦一卷

脉要新括二卷

李大參　家傷寒指南論一卷

嚴器之　傷寒明理論四卷

王維一[①]　新鑄銅人腧穴鍼灸圖經三卷

高若訥　素問誤文闕義一卷

傷寒類要四卷

徐夢符　外科灸法論粹新書一卷

趙從古　六甲天元運氣鈐二卷

丁德用　醫傷寒慈濟集三卷

馬昌運　黄帝素問入試祕寶七卷

王宗正　難經疏義二卷

楊介存　四時傷寒總病論六卷

僧文宥　必效方三卷

陳師文　校正太平惠民和劑局方五卷

陳氏　經驗方五卷　不知名。

唐慎微　大觀經史證類備急本草三十二卷

王寔　傷寒證治三卷　又　局方續添傷寒證治一卷

郭稽中　婦人産育保慶集一卷

裴宗元　藥詮總辨三卷

孫用和　傳家祕寶方五卷

錢乙　小兒藥證直訣八卷[②]

洪氏　集驗方五卷　不知名。

李石　司牧安驥集三卷　又　司牧安驥方一卷

---

① "維",《考證》據《祕書省四庫闕書目》、《通志》認爲當作"惟"。

② "直",《考證》云:"陳《録》作'真',恐是,'直'誤。"

張涣　小兒醫方妙選三卷

王俣　編類本草單方三十五卷

趙鑄　瘴瘧備急方一卷

李璆　張致遠　瘴論二卷

鄭樵　鶴頂方二十四卷

本草外類五卷

食鑑四卷

張傑　子母祕録十卷

王蘧　經效癰疽方一卷

張鋭　雞峯備急方一卷

王世臣　傷寒救俗方一卷

胡權　治癰疽膿毒方一卷

錢竿[①]　海上名方一卷

何偁　經驗藥方二卷

劉元賓[②]　神巧萬全方十二卷

黨永年　摭醫新説三卷

史源　治背瘡方一卷

王晛　濟世全生指迷方三卷

王衮　王氏博濟方三卷

王伯順　小兒方三卷

漢東王先生　小兒形證方三卷

胡愔　補瀉内景方三卷

栖真子　嬰孩寶鑑方十卷

蔣淮　藥證病源歌五卷

---

① “竿”,《考證》據《館閣書目》認爲當作“竽”。

② “賓”,《考證》據《幼幼新書》認爲當作“賓”。

成無已　傷寒論一卷[1]

東旦[2]**　傷寒論方一卷**

沈虞卿　衛生産科方一卷

沈柄　産乳十八論 卷亡。

温舍人方一卷 不知名。

党禹錫[3]**　嘉祐本草二十卷**

劉方明[4]**　幼幼新書四十卷**

吴得夫　集驗方七卷

馬延之　馬氏録驗方一卷

李朝正　備急總效方四十卷

陳言　三因病源方六卷

陳抃　手集備急經效方一卷

張允蹈　外科保安要用方五卷

史載之方二卷[5]

夏德懋[6]**　衛生十全方十三卷**

陸游　陸氏續集驗方二卷

卓伯融　妙濟方一卷

胡元質　總效方十卷

王璆　百一選方二十八卷

朱端章　衛生家寶方六卷　又　衛生家寶産科方八卷　衛生家寶小兒方二卷　衛生家寶湯方三卷

---

① "傷寒論",是書今存,作"傷寒論注"。

② "東",武英殿本同,中華本據《祕書省續四庫書目》、《通志》改作"朱"。

③ "党",《考證》據晁《志》認爲當作"掌"。

④ "劉方明",《考證》:陳《録》作劉昉方明撰,《宋志》稱字。

⑤ "史載之",《考證》:陳《録》云:"《指南方》二卷,蜀人史堪載之撰。"阮元《四庫未收書目提要》云:"《史載之方》二卷,宋史載之撰。"

⑥ "夏德懋",《四庫全書》永樂大典輯本作"夏德"。

楊倓　楊氏家藏方二十卷

許叔微　普濟本事方十二卷

胡氏　經驗方五卷 不著名。

備用方二卷 岳州守臣編，不著名氏。

丘哲　備急效驗方三卷

宋霦　丹毒備急方三卷

黄環　備問方二卷

王磧[①]　易簡方一卷

方導　方氏集要方二卷

王世明　濟世萬全方一卷

張松　究源方五卷

董大英　活幼悟神集二十卷　安慶集十卷

曾孚先　保生護命集一卷

戴衍　尊生要訣一卷

定齋居士　五痔方一卷

李氏　癰疽方一卷 不知名。

集效方一卷

中興備急方二卷

灸經背面相二卷

神應鍼經要訣一卷

伯樂鍼經一卷

傷寒要法一卷

蘭室寶鑑二十卷

小兒祕要論一卷

紹聖重集醫馬方一卷

---

① "磧"，《考證》據陳《録》認爲當作"碩"。

傳信適用方一卷

治未病方一卷

用藥須知一卷

治發背惡瘡内補方一卷

博濟嬰孩寶書二十卷

川玉集一卷

産後論一卷

冲和先生　口齒論一卷

脚氣論一卷

靈苑方二十卷

祕寶方二卷

古今祕傳必驗方一卷

大醫西局濟世方八卷

産科經真環中圖一卷

陳玕　醫鑑後傳一卷

陳蓬　天元祕演十卷

龐時安①　難經解一卷

朱肱　内外二景圖三卷　南陽活人書二十卷

席延賞　黄帝鍼經音義一卷

莊綽　膏肓腧穴灸法一卷

黄氏中藏經一卷②　靈寶洞主探微真人撰。

劉温舒　内經素問論奥四卷

劉清海　五藏類合賦一卷

耆婆五藏論一卷

---

①　"時安",武英殿本同,中華本據《宋史》本傳、陳《録》改作"安時"。

②　"黄",武英殿本同,中華本據《祕書省續四庫書目》、陳《録》改作"華"。

劉皓　眼論審的歌一卷

徐氏　黄帝脉經指下祕訣一卷

平堯卿　傷寒玉鑑新書一卷　傷寒證類要略二卷

董常　南來保生回車論一卷

黄維　聖濟經解義十卷

東軒居士　衛濟書寶一卷①

李檉　傷寒要旨一卷

醫家妙語一卷

小兒保生要方三卷

湯民望　嬰孩妙訣論三卷

伍起予　外科新書一卷

癰疽方一卷

董伋②　脚氣治法總要一卷

程迥　醫經正本書一卷

婁居中　食治通説一卷

蘇頌　校本草圖經二十卷

王懷德③　太平聖惠方一百卷

姚和　衆童子祕要論三卷

錢聞禮　錢氏傷寒百問方一卷

閻孝忠　重廣保生信效方一卷

劉甫　十全博救方一卷

周應　簡要濟衆方五卷

王素　經驗方三卷

---

①　“書寶”，武英殿本同，中華本據陳《録》改作“寶書”。

②　“伋”，武英殿本同，中華本據陳《録》改作“汲”。

③　“德”，武英殿本同，中華本據《玉海》、陳《録》改作“隱”。

張田　幼幼方一卷

劉彝　贛州正俗方二卷

李端愿　簡驗方一卷

崔源　本草辨誤一卷

晏傅正　明效方五卷

葛懷敏　神效備急單方一卷

沈括　良方十卷

蘇沈良方十五卷 沈括、蘇軾所著。

陳直　奉親養老書一卷

文彦博　藥準一卷

董汲　旅舍備要方一卷

初虞世　古今録驗生養必用方三卷[①]

龐安[②]　驗方書一卷

勝金方一卷

王趙選祕方二卷

右醫書類五百九部,三千三百二十七卷。

凡子類三千九百九十九部,二萬八千二百九十卷。

---

① "生養",武英殿本同,中華本據晁《志》、陳《録》改作"養生"。

② "龐安",《考證》云:"當是龐安時之誤。"

七

集類四：一曰楚辭類，二曰別集類，三曰總集類，四曰文史類。

楚辭十六卷 楚屈原等撰。

楚辭十七卷 後漢王逸章句。

晁補之 續楚辭二十卷 又 變離騷二十卷

黄伯思 翼騷一卷

洪興祖 補注楚辭十七卷 考異一卷

周紫芝 竹坡楚辭贅説一卷

朱熹 楚辭集註八卷 辨證一卷

黄銖 楚辭協韻一卷

離騷一卷 錢杲之集傳。

右楚辭十二部，一百四卷。

董仲舒集一卷

枚乘集一卷

劉向集五卷

王褒集五卷

揚雄集六卷 又 二十四箴二卷

李尤集二卷

張衡集六卷

張超集三卷

蔡邕集十卷

諸葛亮集十四卷

曹植集十卷
魏文帝集一卷
王粲集八卷
陳琳集十卷
嵇康集十卷
阮林集十卷
張華集二卷　又　詩一卷
江統集一卷
傅玄集一卷
束哲集一卷[①]
張敏集二卷
潘岳集七卷
索靖集一卷
劉琨集十卷
陸機集十卷
陸雲集十卷
郭璞集六卷
蘭亭詩一卷
陶淵明集十卷
謝莊集一卷
顔延之集五卷
謝靈運集九卷
謝惠連集五卷
王僧達集十卷

① "哲",武英殿本同,中華本徑改作"晳"。

鮑昭集十卷[①]

江淹集十卷

王融集七卷

孔稚圭集十卷

謝朓集十卷　又　詩一卷

顔之推　稽聖賦一卷

梁簡文帝集一卷

昭明太子集五卷

沈約集九卷　又　詩一卷

劉子綽集一卷[②]

劉孝威集一卷

吳均詩集三卷

何遜詩集五卷

庾肩吾集二卷

任昉集六卷

庾信集二十卷　又　哀江南賦一卷

陳后主集一卷

江總集七卷

沈坰集七卷[③]

徐陵詩一卷

張正見集一卷

唐太宗詩一卷

玄宗詩一卷

王績集五卷

---

① “昭”,《考證》據陳《録》云:“世多云鮑昭,以避唐武後諱也。”當作“照”。

② “子”,武英殿本同,中華本據《隋志》、陳《録》改作“孝”。

③ “坰”,武英殿本同,中華本徑改作“炯”。

許敬宗集十卷

任敬臣集十卷[①]

宋之問集十卷

沈佺期集十卷

崔融集十卷

李嶠詩十卷

蘇味道詩一卷

杜審言詩一卷

徐鴻詩一卷

王勃詩八卷　又　文集三十卷　雜序一卷

楊炯集二十卷　又　拾遺四卷

盧照鄰集十卷

駱賓王集十卷

陳子昂集十卷

劉希夷詩四卷

趙彦昭詩一卷

崔湜詩一卷

武平一詩一卷

李乂詩一卷

孫逖集二十卷

張説集三十卷　又　外集二卷

蘇頲集三十卷

張九齡集二十卷

李白集三十卷

嚴從　中黄子三卷

---

① 《考證》:同類下文重出《任希古集》十卷,希古爲敬臣字。

毛欽一集三十卷 李白撰。[1]

梁肅集二十卷

李翰集一卷

孟浩然詩三卷

王昌齡集十卷

崔顥詩一卷

盧象詩一卷

李適詩一卷

陶翰詩一卷

皇甫曾詩一卷

皇甫冉集二卷

嚴維詩一卷

祖詠詩一卷

丘爲詩一卷

常建詩一卷

岑參集十卷

崔國輔詩一卷

則天中興集十卷　又　別集一卷

太宗御集一百二十卷

真宗御集三百卷　目十卷　又　御集一百五十卷

仁宗御集一百卷　目録三卷

英宗御製一卷

神宗御筆手詔二十一卷　又　御集一百六十卷

哲宗御製前後集共二十七卷

徽宗御製崇觀宸奎集一卷　又　宮詞一卷

① “李白撰”，武英殿本同，中華本以爲衍文，删。

阮籍集十卷

阮咸集一卷

王道珪　注哀江南賦一卷

張庭芳　注哀江南賦一卷

陸淳　東皐子集略二卷

魏文貞公時務策五卷

郭元振　九諫書一卷　又　安邦策三卷

李靖　霸國箴一卷

王起　注崔融寶國贊一卷[①]

許恭集十卷

任希古集十卷

王勃　舟中纂序五卷

盧照鄰　幽憂子三卷

駱賓王　百道判二卷

李嶠　新詠一卷

吴筠　一作均[②]集十一卷

杜甫小集六卷

薛蒼舒[③]　杜詩刊誤一卷

元結　元子十卷　又　琦玕子一卷

常衮詔集二十卷

賀知章　入道表一卷

鮑防集五卷　又　雜感詩一卷

令狐楚　梁苑文類三卷

---

① “國”,武英殿本同,中華本據《新唐志》、《崇文總目》改作“圖”。

② 《考證》:吴均梁人,此在唐人中,作“均”誤。

③ 《考證》:同類下文有薛倉舒《杜詩補遺》、《續註杜詩補遺》,自是一人。

李司空論事十七卷

馮宿集十卷

邵説集十卷

杜元穎　五題一卷

李紳批答一卷

劉軻　翼孟三卷

李德裕　窮愁志三卷　又　雜賦二卷　平泉草木記一卷

段全緯集五卷

薛逢別集九卷

李虞仲制集四卷

柳冕集四卷

李程表狀一卷

李群玉後集五卷　又　詩集二卷

令狐綯表疏一卷

夏侯韞　與凉州書一卷

殷璠　丹陽集一卷

舒元輿文一卷

譚正夫文一卷

張琛　一作“琛”文一卷

來擇　秣陵子集一卷　又　集三卷

齊夔文一卷

暢當詩一卷

皇甫松　大隱賦一卷

于武陵詩一卷

陸希聲　頤山録詩一卷

陸鸞集一卷

沈棲遠　景臺編十卷

袁皓集一卷

黄滔　編略十卷

賈島小集八卷

費冠卿詩一卷

孟遲詩一卷

王德輿詩一卷

鄭谷　宜陽集一卷

郁渾　百篇一卷

周濆詩一卷

薛瑩　洞庭詩一卷

李洞詩集三卷

丁稜詩一卷

朱鄴賦三卷　又　詩三卷

盧延讓詩集一卷

楊弇詩一卷

賀蘭明吉集一卷

徐融集一卷

韋説詩一卷

劉綺莊集十卷

張琳集十卷

徐杲集八卷①

宗嚴集一卷

薛逢賦四卷　又　别紙十三卷

宋言賦一卷

郭貢　體物集一卷

① "杲",《考證》:《崇文總目》作"果"。

楊復恭　行朝詩一卷

韓偓詩一卷　又　入翰林後詩一卷

馮涓　懷秦賦一卷　又　集十三卷　龍吟集三卷　長樂集一卷

朱朴　荆山子詩集四卷　又　雜表一卷

孫部小集三卷①

楊士達　擬諷諫集五卷

陳光詩一卷

吴仁璧詩一卷

戚同文　孟諸集二十卷

王振詩一卷

嚴虔崧　寶囊五卷　又　表狀五卷

倪明基詩一卷

李洪皐集二卷　又　表狀一卷

韋文靖牋表一卷

崔昇　魯史分門屬類賦一卷

韋鼎詩一卷

孫該詩一卷

衛單詩一卷

蔡融詩一卷

來鵬詩一卷

謝璧賦一卷　又　詩集四卷　策林十卷　詠高士詩一卷　沃山焦山賦一卷

庖蒙　鼇山集二十卷

毛欽一文二卷

張友正文一卷

---

①　“部”，武英殿本同，中華本據《新唐志》、《崇文總目》改作“郃”。

南卓集一卷
陳陶文録十卷
封鼇[①]　翰藁八卷
胡會集十卷[②]
李商隱賦一卷　又　雜文一卷
劉鄴集四卷　又　從事三卷
陳　一作"劉"[③]黯集一卷
陳汀　五源文集三卷　又　賦一卷
張次宗集六卷
劉三復　景臺雜編十卷　又　問遺集三卷　别集一卷
王暇集十卷
倪曙　獲藁集三卷　又　賦一卷
皮日休别集七卷
陸龜蒙詩編十卷　又　賦六卷
錢珝制集十卷　又　舟中録二十卷
楊夔集五卷　又　賦一卷　冗書十卷　冗餘集十卷
鄭昌士　白巖集五卷　又　詩集十卷
程遜集十卷
温庭筠　漢南真藁十卷　又　集十四卷　握蘭　一作"簡"[④]集三卷　記室備要三卷　詩集五卷
崔暇　管記集十卷
蔣文彧　記室定名集三卷
盧肇　愈風集十卷　又　大統賦注六卷　海潮賦一卷　通屈

① "鼇",《考證》據《崇文總目》、《通志》認爲當作"敖"。
② "會",《考證》據《新唐志》、《崇文總目》認爲當作"曾"。
③ 《考證》據《新唐志》、《崇文總目》認爲作"劉"誤,同類下文重出《陳黯集》一卷。
④ 《考證》:《新唐志》、《通志》均作"蘭","簡"字形近而訛。

賦一卷

鄭賓　一作“賓”[①]　行宮集十卷

張澤　飲河集十五卷

劉宗　一作“滎”[②]　望制集八卷

陸扆　禁林集七卷

張玄晏集二卷

高駢集三卷

李積　鼎國集三卷

顧雲集遺十卷　又　賦二卷　啓事一卷　苕　一作“昭”亭雜筆五卷　纂新十卷[③]　苕　一作“昭”[④]川總載十卷

康軿　九筆雜編十五卷

樂朋龜集七卷　又　綸閣集十卷

徐寅別集五卷

吴融賦集五卷

崔致遠　筆耕集二十卷　又　別集一卷

崔遘集二卷

羅衮集二卷

李山甫雜賦二卷

李磎集四卷

羊昭業集十五卷

章震　肥川集十卷　又　磨盾集十卷

李景略　南燕染翰二十卷

---

① 《考證》:“《新唐志》、《通志》有《鄭賨集》,疑即此,作‘賓’作‘賓’,皆形近而誤。”

② 《考證》:《新唐志》、《崇文總目》均作“崇”,作“宗”、作“滎”,皆形近而訛。

③ “纂新”,武英殿本同,中華本據《新唐志》、《崇文總目》在其下補“文苑”二字。

④ 《考證》:《新唐志》、《通志》均作“苕川”,作“昭川”誤。

孫邵 孫文子纂四十卷①

汪文蔚集三卷②

劉韜美 從軍集四十卷

郭子儀表奏五卷

顔真卿集十五卷

元結集十卷

李峴詩一卷

常袞集三十三卷 又 集十卷

韋應物集十卷

高適詩集十二卷

李嘉祐詩一卷

張謂詩一卷

盧綸詩一卷

李端詩三卷

耿緯詩三卷

司空文明集一卷③

韓翊詩五卷④

錢起詩十二卷

郎士元詩二卷

張繼詩一卷

陸贄集二十卷

王仲舒制集二卷

羊士諤詩一卷

---

① "邵"、"文子",武英殿本同,中華本據《新唐志》、《通志》改作"部"、"子文"。

② "汪",《考證》云:"當是江之誤。下文總集類有江文蔚《唐吴英秀賦》七十二卷。"

③ "司空文明",《考證》:即司空曙,曙字文明,避諱稱字。

④ "翊",武英殿本同,中華本據《新唐志》、《崇文總目》改作"翃"。

雍裕之詩一卷
裴度集二卷
武元衡詩三卷
權德輿集五十卷
韓愈集五十卷　又　遺文一卷　昌黎文集序傳碑記一卷　西掖雅言五卷
祝光[①]　韓文音義五十卷
朱熹　韓文考異十卷
樊汝霖　譜注韓文四十卷
洪興祖　韓文年譜一卷　韓文辨證一卷
方崧卿　韓集舉正一卷
柳宗元集三十卷
張敦頤　柳文音辨一卷
劉禹錫集三十卷　又　外集十卷
吕温集十卷
李觀集五卷
李賀集一卷　又　外集一卷
歐陽詹集一卷
歐陽衮集一卷
張籍集十二卷
孟東野詩集十卷
李翱集十二卷
皇甫湜集八卷
賈島詩一卷
盧仝詩一卷

① “光”，武英殿本同，中華本據晁《志》改作“充”。

劉乂詩一卷

沈亞之詩十二卷

樊宗師集一卷

吴武陵詩一卷

張碧詩一卷　又　歌行一卷

包幼正詩一卷[①]

朱放詩二卷

符載集二卷

鮑溶歌詩五卷

李益詩一卷

李約詩一卷

熊孺登詩一卷

蔣防集一卷

崔元翰集十卷

張登集六卷

竇叔向詩一卷

竇鞏詩一卷

穆員集九卷

殷堯藩詩一卷

獨孤及集二十卷

張仲素詩一卷

劉言史詩十卷

章孝標集七卷

莊南傑　雜歌行一卷

朱灣詩一卷

---

① “包幼正”,《考證》:陳《録》有《包佶集》一卷,佶字幼正,此避諱稱字。

張祐詩十卷①

李絳文集六卷

元稹集四十八卷　又　元相逸詩二卷

趙暘詩一卷

白居易　長慶集七十一卷

袁不約詩一卷

施肩吾集十卷

李甘集一卷

朱慶餘詩一卷

李程集一卷

王涯　翰林歌詞一卷

令狐楚表奏十卷　又　歌詩一卷

李涉詩一卷

楊巨源詩一卷

喻鳧詩一卷

薛瑩詩一卷

牛僧孺集五卷

李紳詩三卷

李德裕集二十卷　又　別集十卷　記集二卷　姑臧集五卷 德裕翰苑所作。

杜牧集二十卷

温庭筠集七卷

薛段成式集七卷②

薛能詩集十卷

---

① "祐",《考證》據《崇文總目》、晁《志》認爲當作"祜"。

② "薛",武英殿本同,中華本徑删。

崔嘏制誥十卷

薛逢詩一卷

馬載詩一卷

姚鵠詩一卷

顧况集十五卷

顧非熊詩一卷

裴夷直詩二卷

項斯詩一卷

劉駕　古風詩一卷

李廓詩一卷

韓宗詩一卷①

李遠詩一卷

曹鄴　古風詩二卷

許渾詩集十二卷

姚合詩集十卷

李頻詩一卷

李郢詩一卷

雍陶詩集三卷

于鄴詩十卷

陸暢集一卷

劉得仁詩集一卷

趙嘏　編年詩二卷

孫樵集三卷

儲嗣宗詩一卷

李鍇詩一卷

---

① “宗”,《考證》:《新唐志》、《通志》作“琮”。

鄭巢詩一卷

鄭嵎　津陽門詩一卷

李殷　古風詩一卷

盧肇　文標集三卷

李商隱文集八卷　又　四六甲乙集四十卷　別集二十卷　詩集三卷

劉滄詩一卷

于鵠詩一卷

鄭畋集五卷　又　詩集一卷　論事五卷

皮日休　文藪十卷　滑臺集一卷[①]　弔江都賦一卷

劉蜕集十卷

李昌符詩一卷

侯圭　江都賦一卷

沈光詩集一卷

陸龜蒙集四卷

喻坦之集一卷

周賀詩一卷

曹唐詩三卷

許棠詩集一卷

獨孤霖　玉堂集二十卷

李山甫詩一卷

胡曾　詠史詩三卷　又　詩一卷

張喬詩一卷

王棨詩一卷

于濆　古風詩一卷

---

① “滑”，武英殿本同，中華本據《新唐志》、《崇文總目》改作“胥”。

聶夷中詩一卷

林寬詩一卷

薛廷珪　鳳閣書詞十卷

羅虬　比紅兒詩十卷

羅鄴詩一卷

羅隱　湘南應用集三卷　又　淮海寓言七卷　甲乙集三卷　外集詩一卷　啓事一卷　讒本三卷　讒書五卷

崔道融集九卷

高駢詩一卷

顧雲編藁十卷　又　鳳策聯華三卷

司空圖　一鳴集三十卷

崔塗詩一卷

崔魯詩一卷①

林嵩詩一卷

王駕詩六卷

唐彦謙詩集二卷

方干詩二卷

徐凝詩一卷

周朴詩一卷

陳陶詩十卷

王貞白集七卷

陸希聲　君陽遁叟山集記一卷

鄭渥詩一卷

鄭雲叟　擬峯集二卷

杜甫詩二十卷　又　外集一卷

① “崔魯”,《考證》:“《新唐志》有崔櫓《無機集》四卷。魯與櫓同時,當即一人。”

杜詩標題三卷 題鮑氏，不知名。

王維集十卷

賈至集十卷 又 詩一卷

儲光羲集二卷

綦毋潛詩一卷

劉長卿集二十卷

蕭穎士集十卷

李華集二十卷

秦系 秦隱君詩一卷

張鼎詩一卷

程晏集十卷

李華集二十卷

張南史詩一卷

陳黯集一卷

杜荀鶴 唐風集二卷

嚴郾詩一卷

李溪奏議一卷

吴融集五卷

楮載詩一卷①

曹松詩一卷

翁承贊詩一卷

張蠙詩一卷

孫郃集二卷

秦韜玉集三卷

鄭谷詩三卷 又 詩一卷 外集一卷

---

① "楮"，武英殿本同，中華本據《新唐志》、《通志》改作"褚"。

韓偓　香奩小集一卷　又　別集三卷
王轂詩三卷
裴說詩一卷
李雄詩三卷
說李中集三卷①
李善夷集六卷
黄璞集五卷
孫元晏　六朝詠史詩一卷
竇永賦一卷
閻防詩一卷
王季友詩一卷
林藻集一卷
劉憲詩一卷
朱景玄詩一卷
蘇拯詩一卷
王建集十卷
楊炎集十卷
唐于公異奏記一卷
麴信陵詩一卷
劉商集十卷
戎昱集五卷
戴叔倫述藁十卷
張韋詩一卷
陳羽詩一卷
李愼詩一卷

① "說",《考證》據《南唐書》、晁《志》疑此字衍。

劉威詩一卷
邵謁詩一卷
鄭昌士　四六集一卷
柳倓詩一卷
任藩詩一卷[①]
楊衡詩一卷
文丙詩一卷
皮氏玉笥集一卷　不知作者。
黄滔　莆陽黄御史集二卷
黄寺丞詩一卷　不著名,題唐人。
蘆中詩二卷　不知作者。
李琪　金門集十卷
韋莊　浣花集十卷　諫草一卷
殷文圭　冥搜集二十卷　又　登龍集十五卷
孫晟集五卷
李崧　真珠集一卷
高輦　崑玉集一卷
馬幼昌集四卷
林鼎　吴江應用二十卷
王叡　炙轂子三卷　又　聯珠集五卷
周延禧　百一集二十卷
沈文昌集二十卷
張沈　一飛集三卷
吕述　東平小集三卷
馮道集六卷　又　河間集五卷　詩集十卷

① "藩",武英殿本同,中華本據《新唐志》、《崇文總目》改作"翻"。

李松　錦囊集三卷　又　別集一卷

王仁裕　乘輅集五卷[①]　又　紫閣集五卷　紫泥集十二卷　紫泥後集四十卷　詩集十卷

公乘億　珠林集四卷　又　華林集三卷　集七卷　賦十二卷

王超　洋源集十卷　又　鳳鳴集三卷

孫開物集十六卷

李琪　應用集三卷

崔拙集二卷

李愚　白沙集十卷　又　五書一卷

丘光業詩一卷

錢鏐　吴越石壁記一卷

孫光憲　荆臺集四十卷　又　筆傭集十卷　紀遇詩十卷　鞏湖編翫三卷　橘齋集二卷

和凝　演論集三十卷　又　游藝集五十卷　紅藥編五卷

賈緯　草堂集二十卷　又　續草堂集十五卷

張正　西掖集三十卷

陳九疇集五卷

韋莊諫疏牋表四卷

楊懷玉　忘筌集三卷

王倓後集十卷

喬諷集十卷

李洪茂集十卷

毛文晏　昌城後寓集十五卷　又　西閣集十卷　東壁出言三卷

杜光庭　廣成集一百卷　又　壺中集三卷

---

① “輅”,《考證》據《通志》認爲當作“軺”。

庾傳昌　金行啓運集二十卷

李堯夫　梓潼集二十卷

勾令言　玄舟集十二卷

童九齡　潼江集二十卷

王朴　翰苑集十卷

李瀚　丁年集十卷

塗昭良集八卷

李昊　蜀祖經緯略一百卷　又　樞機集二十卷

殷文圭　從軍藁二十卷　又　鏤永録二十卷　筆耕詞二十卷

游恭　東里集三卷　又　廣東里集二十卷　短兵集三卷

朱潯　昌吴啓霸集三十卷

沈松　錢金集八卷

郭昭度　芸閣集十卷

李氏金臺鳳藻集五十卷

李爲光　斐然集五卷

程簡之　金鏤集十二卷

沈顔　陵陽集五卷　又　聲書十卷[①]　解聱十五卷

程柔　安居雜著十卷

陳濬　揖讓録七卷

李煜集十卷　又　集略十卷　詩一卷

宋齊丘　祀玄集三卷

孫晟　續古闕文一卷

陳致雍　曲臺奏議集二十卷

孟拱辰　鳳苑集三卷

湯筠　戎機集五卷

---

① “聲”，武英殿本同，中華本據《新唐志》、《崇文總目》改作“聱”。

喬舜　擬謠十卷
張安石詩一卷
趙摶歌詩二卷
方納　遠華集一卷
韋藹詩一卷
張傑詩一卷
謝磻隱　雜感詩二卷
戴文　一作"乂"　迴文詩一卷
守素先生遺榮詩集三卷
譚用藏詩一卷[①]
羅紹威　政餘詩集一卷
章碣詩一卷
商緒　潛陽詩集三卷
熊惟簡　湘西詩集三卷
李明詩集五卷
郭鵬詩一卷
孟賓子[②]　金鼇詩集二卷
李叔文　一作"父"　詩一卷
王希羽詩一卷
廖光圖詩集二卷
廖凝詩集七卷
廖邈詩集二卷
廖融詩集四卷
王梵志詩集一卷
左紹冲集三卷

① "用藏",武英殿本同,中華本據《新唐志》、《崇文總目》改作"藏用"。
② "子",《考證》據《祕書省四庫闕書目》、陳《録》認爲當作"于"。

熊皦　屠龍集五卷
章　一作“辛”鄘詩一卷
朱存　金陵覽古詩二卷
韓溉詩一卷
高蟾詩二卷
孫魴詩集三卷
成文幹詩集五卷
吴蜕　一字至七字詩二卷
羅浩源　廬山雜詠詩一卷
王遒　一作“遵”　詠史一卷
冀訪　詠史十卷
孫玄晏　覽北史三卷
崔道融　申唐詩三卷
杜輦　詠唐史十卷
趙容　一作“谷”　刺賢詩一卷
閻承琬　詠史三卷　六朝詠史六卷
童汝爲　詠史一卷
陸元皓　詠劉子詩三卷
高邁賦一卷
謝觀賦集八卷
蔣防賦集一卷
俞巖賦集一卷
侯圭賦集五卷
鄭瀆賦二卷
王雄賦集二卷①

---

①　“雄”，武英殿本同，中華本據《新唐志》、《崇文總目》改作“翃”。

賈嵩賦集三卷

蔣凝賦集三卷

桑維翰賦二卷

林絢　大統賦二卷　大紀賦三卷

李希運　兩京賦一卷

崔葆　數賦十卷

毛濤 一作"鑄" 渾天賦一卷

劉惲　悲甘陵賦一卷 張龍泉、章孝標注。

盧獻卿　愍征賦一卷

張瑩 一作"策" 弔梁 "梁"下或有"郊"字賦一卷

王朴　樂賦一卷

趙鄰幾　禹別九州賦三卷

魯褒　錢神論一卷

潘詢　注才命論一卷

錢棲業　大虚潮論一卷[①]

杜光庭　三教論一卷　大寶論一卷

丁友亮　唐興贊論一卷[②]

丘光庭　海潮論一卷

趙昌嗣　海潮論一卷　九證心戒一卷

杜嗣先　兔園策十卷

鄭寬　百道判一卷

吴康仁判一卷

崔鋭判一卷

趙璘表狀一卷

---

① "大",《考證》據《祕書省四庫闕書目》、陳《録》認爲當作"太"。

② "贊",武英殿本同,中華本據《祕書省續四庫書目》、《通志》改作"替"。

李善夷表集一卷

鄭嵎表狀略三卷

彭霽啓狀一卷

鄭氏貽孫集四卷

張濬表狀一卷

李巨川啓狀二卷

鄭準　渚宫集四卷

李翥　魚化集一卷

樊景表狀集五卷

羅貫啓狀二卷

梁震表狀一卷

趙仁拱　潛龍筆職三卷

黄台江西表狀二卷

周愼辭表狀五卷

郭洪　記室袖中備要三卷

金臺倚馬集九卷

擬狀制集三卷

章表分門一卷

兩制珠璣集二卷

搢紳集三卷

蓬壺集一卷

忘機子五卷

並不知作者。

張昭　嘉善集五十卷

高錫　簪履編七卷

王祐集二十卷

羅處約　東觀集十卷

郭贄　文懿集三十卷

陳摶　鈎潭集二卷[①]
王溥集二十卷
趙上文集二十卷[②]
薛居正集三十卷
竇儀　端揆集四十五卷
白積集十卷
徐鉉　質論一卷
蘇易簡章表十卷
李昉集五十卷
朱昂集三十卷
王旦集二十卷
鞠常集二十卷
李瑩集十卷
梁周翰　苑制草集二十卷[③]
王禹偁　制誥集十二卷
韓乂奏議三卷
楊億　號略集七卷[④]
劉宣集一卷
楊徽之集五卷
趙師民　儒林舊德集三十卷
丘旭詩一卷　又　賦一卷
曾致堯　直言集一卷
張翼詩一卷

① "鈎",武英殿本同,中華本據《宋史》本傳改作"釣"。
② "文",武英殿本同,中華本據《宋史》本傳、《崇文總目》改作"交"。
③ 武英殿本同,中華本據《宋史》本傳、《通志》在"苑"字前補"翰"字。
④ "號",武英殿本同,中華本據《崇文總目》、《通志》改作"虢"。

韋文化　韶程詩一卷

趙晟　金山詩一卷

李度　策名詩一卷

楊日嚴集十卷

趙抃　成都古今集三十卷

宋敏求　書闈前後集西垣制詞文集四十八卷

吕惠卿文集一百卷　又　奏議一百七十卷

龔鼎臣諫草三卷

程師孟文集二十卷　又　奏議十五卷

楊繪文集八十卷

張方平　玉堂集二十卷

王洙　昌元集十卷

承幹文集十卷

田況文集三十卷

鄧綰　治平文集三十卷　又　翰林制集十卷　西垣制集三卷　奏議二十卷　雜文詩賦五十卷

劉彝　明善集三十卷　又　居易集二十卷[①]

趙世繁歌詩十卷

張詵文集十卷　又　奏議三十卷

韓絳文集五十卷　又　内外制集十三卷　奏議三十卷

龐元英文集三十卷

李常文集六十卷　又　奏議二十卷

孫覺文集四十卷　又　奏議十二卷　外集十卷

吕公孺詩集奏議二十卷

熊本文集三十卷　又　奏議二十卷

---

① "居易集",《考證》:《宋史》本傳作《居陽集》,"陽"與"易"必有一誤。

傅堯俞奏議十卷

葉康直文集十卷

李承之文集三十卷　又　奏議二十卷

盧秉文集十卷　又　奏議三十卷

晁補之　雞肋集一百卷

王庠文集五十卷

劉紋集六十卷

孔文仲文集五十卷

孔武仲奏議二卷

蒲宗孟文集奏議七十卷

張利一奏議三卷

喬執中古律詩賦十五卷　又　雜文碑誌十卷

趙仲庠内外制十卷　又　雜文五十卷　制誥表章十卷

趙仲鋭文集十卷

李之純文集二十卷　又　奏議五卷

趙世逢　英華集十卷

李清臣文集一百卷　又　奏議三十卷

李新集四十卷

沈洙文集十卷

杜紘文集二十卷　又　奏議十卷　後山集三十卷

曾肇　元祐制集十二卷　又　曲阜外集三十卷

張舜民　畫墁集一百卷

王存文集五十卷

李昭集三十卷

蔣之奇　荆溪前後集八十九卷　又　別集九卷　北扉集九卷
　　西樞集四卷　卮言集五卷　芻言五十篇

舒亶文集一百卷

龔原文集七十卷　又　潁川唱和詩三卷

安燾文集四十卷　又　奏議十卷

張商英文集一百卷

蔡肇文集三十卷

劉跂集二十卷

秦敏學集二卷

曾孝廣文集二十卷

張閣文集二十卷

吳居厚文集一百卷　又　奏議一百二十卷

呂益柔文集五十卷　又　奏議一卷

姚祐文集六十卷　又　奏議二十卷

上官均文集五十卷　又　奏議十卷

葉焕　繼明集一卷

趙仲御　東堂集一卷

李長民　汴都賦一卷

鮑慎由文集五十卷①

游酢文集十卷

劉安世文集二十卷

許安國詩三卷

唐恪文集八十卷

譚世勣文集三十卷　又　奏議二十一卷　外制五卷　師陶集二卷

孫希廣　樵漁論三卷

竇夢證　東堂集三卷

敬翔集十卷　又　表奏集十卷②

① “鮑慎由文集五十卷”，下文重出《鮑欽止集》二十卷。“欽止”乃避諱而稱字，雖本或異，而實一人。

② “敬翔”原作“恭翔”，乃避諱改字，今回改。

盧文度集二卷

崔氏干旟録六卷

李慎儀集十二卷

唐鴻集五卷

青燕編集一卷

陳光圖集七卷

李洪源集二卷

酈炎文四篇

沈彬　閑居集十卷

羅隱後集二十卷　又　汝江集三卷　歌詩十四卷　吴越掌書記集三卷

熊皎　南金集二卷

龔霖詩一卷

倪曙賦一卷①

譚用之詩一卷

扈載集五卷

南唐李後主集十卷

宋齊丘文傳十三卷

徐鍇集十五卷

馮延巳　陽春録一卷

田霖四六一卷

潘佑　榮陽集二十卷

左偃　鍾山集一卷

張爲詩一卷

---

①　"曙",原作"曉",避諱改字,今改回 。

徐演[①] 探龍集五卷

張麟 答輿論三卷

楊九齡 桂堂編事二十卷

蔡崑詩一卷[②]

廖正圖詩一卷

劉昭禹詩一卷

孫魴詩五卷

李建勳集二十卷

杜田 注杜詩補遺正繆十二卷

薛倉舒 杜詩補遺五卷 續注杜詩補遺八卷

洪興祖 杜詩辨證二卷

范質集三十卷

趙普奏議一卷

李瑩集一卷

陶穀集十卷

王佑 襄陽風景古跡詩一卷

柳開集十五卷

徐鉉集三十二卷

湯悅集三卷

宋白集一百卷 又 柳枝詞一卷

賈黄中集三十卷

李至集三十卷

張洎集五十卷

李諮集二十卷

---

① "演",武英殿本同,中華本據《崇文總目》改作"寅"。

② "崑",《考證》云:"《崇文總目》有《蔡琨詩》五卷,疑《宋志》誤'琨'爲'崑'"。

楊朴詩一卷

潘閬诗一卷

羅處約詩一卷

李光輔集一卷

王操詩一卷

盧稹　曲肱編六卷

趙湘集十二卷

古成之集三卷

章士廉集二卷

張君房　野語三卷

李九齡詩集一卷

廖氏家集一卷

王禹偁　小畜集三卷　又　外集二十卷　承明集十卷　別集十六卷

田錫集五十卷　又　別集三卷　奏議二卷

魏野　草堂集二卷　又　鉅鹿東觀集十卷

張詠集十卷

寇準詩三卷　又　巴東集一卷

丁謂集八卷　又　虎丘録五十卷　刀筆集二卷　青衿集三卷　知命集一卷

胡旦集十六卷

陳靖集十卷

晁迥　昭德新編三卷

穆修集三卷

熊知至集一卷

劉隨諫草二十卷

林逋詩七卷　又　詩二卷

柴慶集十卷
劉夔應制一卷
謝伯初詩一卷
吕祐之集二十卷
錢惟演　擁旄集五卷
陳堯佐　愚丘集二卷　又　潮陽新編一卷
石介集二十卷
夏竦集一百卷　又　策論十三卷
宋庠　緹巾集十二卷　又　操縵集六卷　連珠一卷
王隨集二十卷
石延年詩二卷
宋郊文集四十四卷
宋祁集一百五十卷　又　濡削一卷　刀筆集二十卷　西川猥藳三卷[①]
鄭文寶集三十卷
楊億　蓬山集五十四卷　又　武夷新編集二十卷　潁陰集二十卷　刀筆集二十卷　别集十二卷　汝陽雜編二十卷　鑾坡遺札十二卷
劉筠　册府應言集十卷　又　榮遇集二十卷　山中刀筆集三卷[②]　表奏六卷　肥川集四卷
韓丕詩三卷
种放集十卷
李介　种放江南小集二卷
柴成務集二十卷

---

① “川”,《考證》據晁《志》認爲當作“州”。
② “山中”,武英殿本同,中華本據陳《録》、晁《志》改作“中山”。

孫何集四十卷
孫僅詩一卷
許申集一卷
錢易集六十卷
高弁集三卷
錢昭度詩一卷
唐異詩集一卷
江爲詩一卷
李畋集十卷
張餗集三卷
張景集二十卷
郭震集四卷
鄭脩集一卷[①]
許允豹詩一卷
劉若冲　永昌應制集三卷
陳漸集十五卷
陳充　民士編二十卷
錢彦遠　諫垣集三十卷　又　諫垣遺藁五卷
齊唐集三十卷　又　策論十卷
鮑當集一卷　又　後集一卷
何涉　治道中術六卷
仲訥集十二卷
梅堯臣集六十卷　又　後集二卷
畢田詩一卷
楊備　姑蘇百題詩三卷

① "脩",《考證》據《困學紀聞》疑"脩"爲"條"之誤。

宋綬　常山祕殿集三卷　又　託車集五卷[①]　常山遺札三卷

許推官吟一卷

袁陟　廬山四游詩一卷　又　金陵訪古詩一卷　魯交集三卷

鄭伯玉詩一卷

顔大初集十卷

范仲淹集二十卷　又　别集四卷　尺牘二卷　奏議十五卷　丹陽編八卷

吕申公試卷一卷

杜衍詩一卷

丘濬　觀時感事詩一卷　困編一卷

晏殊集二十八卷　又　臨川集三十卷　詩二卷　二州集十五卷[②]　二府别集十二卷　北海新編六卷　平臺集一卷

胡宿集七十卷　又　制詞四卷

包拯奏議十卷

廖偁　朱陵編一卷

戴真詩二卷

錢藻賢良策五卷

蘇舜欽集十六卷

張伯玉　蓬萊詩二卷

孫復集十卷

周曇　詠史詩八卷

尹洙集二十八卷

崔公度　感山賦一卷

燕肅詩二卷

---

① "車",武英殿本同,中華本據《祕書省續四庫書目》、《通志》改作"居"。

② "州",武英殿本同,中華本據陳《録》、尤《目》改作"府"。

尹源集六卷　又　幕中集十六卷

葉清臣集十六卷

李淑　書殿集二十卷　又　筆語十五卷

龍昌期集八卷

田況策論十卷

蔣康叔小集一卷

張俞集二十六卷

寇隨詩一卷

王琪詩二十卷

狄遵度集十卷

黄亢集十二卷

李問詩一卷

李祺　刀筆集十五卷　又　象臺四六集七卷

陳亞　藥名詩一卷

黄通集三卷

湛俞詩一卷

江休復集四十卷

王回集十卷

蘇洵集十五卷　又　别集五卷

李泰伯[①]　直講集三十三卷　又　後集六卷

黄庶集六卷

劉輝集八卷

王同集十卷

王令集二十卷　又　廣陵文集六卷

余靖集二十卷　又　諫草三卷

---

① “李泰伯”,即李覯,泰伯乃覯字,《宋志》避諱稱字。

孫沔集十卷

劉敞集七十五卷

蔡襄集六十卷　又　奏議十卷

歐陽修集五十卷　又　別集二十卷　六一集七卷　奏議十八卷　内外制集十一卷　從諫集八卷

韓琦集五十卷　又　諫垣存藁三卷

富弼奏議十二卷　又　劄子十六卷

吕誨集十五卷　又　章奏二十卷

趙抃　南臺諫垣集二卷　又　清獻盡言集二卷

元絳　玉堂集二十卷　又　玉堂詩十卷

鄭獬集五十卷

王陶詩三十卷　又　集五卷

宋敏求　東觀絶筆二十卷

晁端友詩十卷

程師孟　長樂集一卷

陶弼集十五卷

強至集四十卷

邵雍集二十卷

張載集十卷

張先詩二十卷

陳襄集二十五卷　又　奏議一卷

曾鞏　元豐類藁五十卷　又　別集六卷　續藁四十卷

揚蟠詩二十卷

袁思正集六卷

晁端忠詩一卷

章望之集四十卷　又　集十一卷

吴頎詩一卷

劉渙詩十二卷

吴孝宗集二十卷

吕南公　灌園集三十卷

王韶奏議六卷

李師中詩三卷

楊繪諫疏七卷

傅翼之集一卷

任大中集三卷

方子通詩一卷

王震　元豐懷遇集七卷

張徽集三卷　又　北閩詩一卷

王無咎集十五卷

司馬光集八十卷　又　全集一百十六卷

龔鼎臣集五十卷

文彦博集三十卷　又　顯忠集二卷

王安石集一百卷

張方平集四十卷　又　進策九卷

王珪集一百卷

范鎮　諫垣集十卷　又　奏議二卷

程顥集四卷

朱光庭奏議三卷

范祖禹集五十五卷

王巖叟集四十卷

趙瞻集二十卷　又　奏議十卷

楊傑集十五卷　又　别集十卷

鮮于侁集二卷

蘇頌集七十二卷　又　略集一卷

劉攽集六十卷
王剛中文集六卷
顔復集十三卷
孔平仲　詩戲一卷
劉摯集四十卷
邢居實　呻吟集一卷
陳軒　綸閣編六卷　又　榮名集二卷　臨汀集六卷
陳敦詩六卷
陳先生揭陽集十卷　不知名。
劉定詩一卷
許彦國詩三卷
張重集八卷
王定民　雙誨編二十四卷
何宗元　十議三卷
張公庠詩一卷
韋驤集十八卷　又　賦二十卷
李清臣集八十卷　又　進策五卷
程頤集二十卷
蘇軾　前後集七十卷　奏議十五卷　補遺三卷　南征集一卷　詞一卷　南省説書一卷　應詔集十卷　内外制十三卷　別集四十六卷　黄州集二卷　續集二卷　和陶詩四卷　北歸集六卷　儋耳手澤一卷[①]　年譜一卷　王宗稷編。
蘇轍　欒城集八十四卷　應詔集十卷　策論十卷　均陽雜著一卷

① "儋耳手澤",《考證》:陳《録》作《東坡手澤》,上文傳記類重出一部,誤作蘇轍撰。

黄庭堅集三十卷　樂府二卷　外集十四卷　書尺十五卷

陳師道集十四卷　又　語業一卷

秦觀集四十卷

蔣之奇集一卷

曾布集三十卷

吕惠卿集五十卷

曾肇集四十卷　又　奏議十二卷　西垣集十二卷　庚辰外制集三卷　内制集五卷

張來集七十卷[①]　又　進卷十二卷

李昭玘集三十卷

晁補之集七十卷

李廌集三十卷

蔡肇集六卷　又　詩三卷

吕陶集六十卷

張舜民集一百卷

張商英集十三卷

鄭俠集二十卷

錢惟演　伊川集五卷

陳簡能集一卷

馮京　潛山文集一卷

陳舜俞集三十卷　又　治説十卷　應制策論一卷

金君卿集十卷

劉煇　東歸集十卷

王安國集六十卷　又　序言八卷

王安禮集二十卷

范純仁　忠宣集二十卷　又　彈事五卷　國論五卷

---

① “來”,《考證》云:“訛‘耒’爲‘來’。”晁《志》有張文潛《柯山集》,文潛乃耒字。

韓維　南陽集三十卷　又　穎邸記室集一卷[①]　奏議一卷

李復　潏水集四十卷

傳堯俞集十卷

丁騭奏議二十卷　又　奏議一卷

陳師錫奏議一卷

彭汝礪　鄱陽集四十卷

龔夬奏議一卷

范百禄　榮國集五十卷　又　奏議六卷　内制五卷　外制五卷

鄒浩　文卿集四十卷

郭祥正集三十卷

陳瓘集四十卷　又　責沈一卷　諫垣集三卷　四明尊堯集五卷　了齋親筆一卷　尊堯餘言一卷

李新集四十卷

吴栻　蜀道紀行詩三卷　又　菴峯集一卷

徐積集三十卷

任伯雨　戇草二卷　又　乘桴集三卷

葛次仲集句詩三卷

鄭少微策六卷

石柔[②]　橘林集十六卷

謝逸集二十卷　又　溪堂詩五卷

謝薖集十卷

陸純集一卷

---

① "穎",《考證》云:"訛'潁'爲'穎'。"

② "柔",《考證》:《通志》作"懋",陳《録》作"悉"。《説文解字》"懋"省作"悉",《宋志》訛爲"柔"。

張勵詩二十卷

廖正一集八卷

韓筠集一卷

張勸詩二卷

王寀　南陔集一卷

楊天惠集六十卷

劉跂集二十卷　王家撰。

唐庚集二十二卷

馬存集十卷　又　經濟集十二卷

朱服集十三卷

毛滂集十五卷

李樵詩二卷

朱減集十二卷

劉珏奏議一卷

崔鶠集三十卷

李若水集十卷

梅執禮集十五卷

晁説之二十卷[①]

楊時集二十卷　又　龜山集三十五卷

李朴集二十卷

王安中集二十卷

徐俯集三卷

吕本中詩二十卷

翟汝文集三十卷

汪藻集六十卷

① 武英殿本同，中華本據尤《目》在“之”下補“集”字。

程俱集三十四卷

李綱文集十八卷

趙鼎　得全居士集二卷　又　忠正德文集十卷

朱勝非奏議十五卷

綦崈禮　北海集六十卷

葉夢得　石林集一百卷　又　奏議十五卷　建康集八卷

孫覿　鴻慶集四十二卷

汪伯彦後集二十五卷　又　續編一卷

胡銓　澹菴集七十卷

李光前後集三十卷

張澂　澹巖集四十卷

李邴　草堂後集二十六卷

饒節　倚松集十四卷

吴則禮集十卷

韓駒　陵陽集十五卷　又　别集三卷

傅察集三卷

趙鼎臣　竹隱畸士集四十卷

趙育　酒隱集三卷

曾匪集十六卷

陳東奏議一卷

章誼奏議二卷　又　文集二十卷

劉安世　元城盡言集十三卷

許景衡　横塘集三十卷

田晝集二卷

劉弇　龍雲集三十二卷

慕容彦逢集三十卷

李端叔[①] 姑溪集五十卷 又 後集二十卷
米芾 山林集拾遺八卷
倪濤 玉溪集二十二卷
張彦實 東牕集四十卷 又 詩十卷
劉一止 苕溪集五十五卷[②]
王賞 玉臺集四十卷
馮時行 縉雲集四十三卷
高登 東溪集十二卷
仲并 浮山集十六卷
王洋 東牟集二十九卷
關注集二十卷
葛立方 歸愚集二十卷
曹勛 松隱集四十卷
辛次膺奏議二十卷 又 牋表十卷
周麟之 海陵集二十三卷
王鎡集二十三卷
任古 拙齋遺藁三卷
任正言 小醜集十二卷 又 續集五卷
張積 鶴鳴先生集四十一卷
吕大臨 玉溪先生集二十八卷
胡恭 政議進藁一卷
葉訪所業二卷
勾滋 達齋文集七卷
吴正肅制科文集十卷

---

① “李端叔”,即李之儀,之儀字端叔。
② “劉一止苕溪集”,同類下文重出一部,作《劉一止集》,當刪併爲一。

王發　元祐進本制舉策論十卷
吕頤浩　忠穆文集十五卷
張元幹　蘆川詞二卷
三顧隱客文集十一卷
文選精理二十卷
岳陽黄氏　靈仙集十五卷

以下不知名。①

宋初梅花千詠二卷
易安居士文集七卷 宋李格非女撰。　又　易安詞六卷
辛棄疾長短句十二卷　又　稼軒奏議一卷
吴楚紀行一卷 宋峽州守吴氏撰,不知名。
劉子翬　屏山集二十卷
劉珙集九十卷　又　附録四卷
鄧良能　書潛集三十卷
游桂　畏齋集二十二卷
王十朋　南游集二卷　又　後集一卷
史浩　真隱漫録五十卷
洪适　盤洲集八十卷
洪遵　小隱集七十卷
洪邁　野處猥藁一百四卷　又　瓊野録三卷
劉儀鳳　奇堂集三十卷　又　樂府一卷
羅願小集五卷
張嵲　紫微集三十卷
周紫芝　大倉稊米集七十卷
毛幵　樵隱集十五卷

① “下”,武英殿本同,中華本徑改作“上”。

張行成　觀物集三十卷

倪文舉[①]　綺川集十五卷

張嗣良　敝帚集十四卷　又　南澗甲乙藁七十卷[②]

韓元吉　愚戇録十卷

宋汝爲　忠嘉集一卷　又　後集一卷

陳熙甫奏劄一卷

陳康伯　葛谿集三十卷

陳恬　澗上卷三十卷

汪中立　符桂録三卷

王萊　龜湖集十卷

何暹　蒙野集四十九卷

曹彦章　箕穎集一十卷

孫應時　燭湖集十卷

沈與求　龜溪集十二卷

吕祖儉　大愚集十一卷

顏師魯文集四十四卷

陳峴　東齋表奏二卷

聶冠卿　蘄春集十卷

沈夏文集二十卷

陳正伯[③]　書舟雅詞十一卷

劉給事文集一卷

鄧忠臣文集十二卷

---

① “倪文舉”,《考證》:陳《録》作“倪偁文舉”,《宋志》稱字而不名。

② “又南澗甲乙藁七十卷”,武英殿本同,中華本據陳《録》改置于韓元吉《愚戇録》十卷後。

③ “陳正伯”,《考證》據陳《録》、《四庫全書總目提要》認爲當作“程垓”。程垓字正伯。《宋志》訛“程”爲“陳”,又稱字不名。

賀鑄　慶湖遺老集二十九卷

林栗集三十卷　又　奏議五卷

龔茂良　靜泰堂集三十九卷

周必大　詞科舊藁三卷　又　掖垣類藁七卷　玉堂類藁二十卷　政府應制藁一卷　歷官表奏十二卷　省齋文藁四十卷　別藁十卷　平園續藁四十卷　承明集十卷　奏議十二卷　雜著述二十三卷　書藁十五卷　附録五卷

朱松　韋齋集十二卷　又　小集一卷

朱熹前集四十卷　後集九十一卷　續集十卷　別集二十四卷

張栻　南軒文集四十八卷

吕祖謙集十五卷　又　別集十六卷　外集五卷　附録三卷

汪應辰　翰林詞章五卷[①]

鄭伯熊集三十卷

鄭伯英集二十六卷

陸九淵　象山集二十八卷　又　外集四卷

潘良貴集十五卷

林待聘　内外制十五卷

吴鎰　敬齋集三十二卷

沈樞　宜林集三十卷

吴芾　湖山集四十三卷　又　別集一卷　和陶詩三卷　附録三卷　當塗小集八卷

吴天驥　鳳山集十二卷

雍焯　過溪前集二十卷　又　後集三卷

趙彦端　介菴集十卷　又　外集三卷　介菴詞四卷

龐謙孺　白蘋集藁四卷

---

① “章”,《考證》據陳《録》認爲當作“草”。

李迎遺藁一卷

謝諤　江行雜著三卷

曾丰　樽齋緣督集十四卷[①]

陳傅良　止齋集五十二卷

陳亮集四十卷　又　外集詞四卷

蔡幼學　育德堂集五十卷

曾煥　穀齋集十八卷　又　臺城丙藁四卷　南城集十八卷

曾習之詩文二卷

蘇元老文集三十二卷

彭克　玉壺梅花三百詠一卷

王景文集四十卷

劉安上文集四卷

劉安節文集五卷

周博士文集十卷　不知名。

黄季岑　玉餘集十卷[②]

吴億　溪園自怡集十卷

周邦彦　清真居士集十一卷

程大昌文集二十卷

蘇籀　雙溪集十一卷

楊椿　芸室文集七十五卷

蔣邁　桂齋拙藁二卷　又　施正憲遺藁二卷

丘崇文集十卷

羅適　赤城先生文集十卷

---

① "樽",《考證》據《四庫全書總目提要》認爲當作"撙"。

② 據《四库提要》,"玉餘"乃"三餘"之訛。作者为黄彦平,字季岑,號次山,此稱字而不名。

王灼　頤室文集五十七卷[①]
余安行　石月老人文集三十五卷
陸游　劍南續藁二十一卷　又　渭南集五十卷
費氏　芸山居士文集二十一卷　不知名。
李正民　大隱文集三十卷
杜受言　碔砆集十三卷
鄧肅　栟櫚集二十六卷
胡安國　武夷集二十二卷
胡寅　斐然集二十卷
程敦儒　寵堂集六十八卷　又　後集二十卷
朱翌集四十五卷　又　詩三卷
廖剛　高峯集十七卷
趙令畤　安樂集三十卷
陸九齡文集六卷
周孚　鉛刀編三十二卷　玉堂梅林文集二十卷　又　雲溪類集三十卷
李璜　蘗菴文集十二卷
江公望　釣臺棄藁十四卷
吴沈[②]　環溪集八卷
月湖信筆三卷　不知作者。
趙雄奏議二十卷
許開　志隱類藁二十卷
項安世　丙辰悔藁四十七卷

① “室”,《考證》據晁《志》附志及陳《録》認爲當作“堂”。
② “沈”,《考證》:當是“沆”之訛。吴沆《環溪詩話》今存。上文易類有吴沆《易璇璣》,爲同一人。

趙逵　棲雲集二十五卷
黄策集四十卷
連寶學奏議二卷　不知名。
衛膚敏諫議遺藁二卷
姜夔　白石叢藁十卷
陳伯魚　澹齋草紙目録四十二卷
彭龜年　止堂集四十七卷
彭鳳　梅坡集五卷
李彌遠[①]　筠溪集二十四卷
龔日華　北征讜議十二卷
蕭之敏　直諒集三卷
李士美　北門集四卷
劉清之文集二十三卷
葉適文集二十八卷
周南　山房集五卷
王秬　復齋制表一卷
倪思奏議二十六卷　又　歷官表奏十卷　翰林奏草一卷　翰林前藁二十卷　翰林後藁二卷
畢仲游文集五十卷
王之道　相山居士文集二十五卷　又相山長短句二卷
王從三　近齋餘録五卷
謝伋　藥寮叢藁二十卷
羅點奏議二十三卷
李蘩奏議二卷
詹儀之奏議二卷

① “遠”,武英殿本同,中華本據陳《録》改作“遜”。

胡紡　萬石書一卷

周行己集十九卷

鮑欽止集二十卷

黄裳集六十卷

林敏功集十卷

方孝能文集一卷

王庠集五十卷

秦敏學集二卷

姚述堯　簫臺公餘一卷

蒙泉居士　韓文英華二卷

蘇過　斜川集十卷

王彦輔　鳳臺子和杜詩三卷

杜甫詩詳説二十八卷 不知作者。

郭徽　南湖詩八卷

陸長翁文集四十卷①

詹叔羲　狂夫論十二卷

朱敦儒陳淵集二十六卷　又　詞三卷

王寔集三十卷

蘇庠集三十卷

李師稷　皇華編一卷

劉一止集五十卷 《苕溪集》多五卷。張攀《書目》以此本爲《非齋類藁》。②

葛勝仲集八十卷

傅崧卿集六十卷　又　奏議二卷　制誥三卷

---

① "陸",《考證》:當爲"陳",陳造,字唐卿,號江湖長翁,有《江湖長翁文集》,當即此書。

② 武英殿本同,中華本據陳《録》、《通考》在"非"下補"有"字。

勾龍如淵雜著一卷

洪皓集十卷

胡宏集一卷

曾惇詩一卷

黄邦俊集三卷　又　強記集八卷

江袤集二十卷

盛湫策論一卷

潘闢　集杜詩句一卷

林震集句二卷

溢江集六卷　不知作者。

周總集一卷

張守集五十卷　又　奏議二十五卷　又　十八卷

范成大　石湖居士文集　卷亡。　又　石湖别集二十九卷　石湖大全集一百三十六卷

許翰　襄陵文集二十二卷

樓鑰文集一百二十卷

張宰　蓮社文集五卷

胡世將集十五卷　又　忠獻胡公集六十卷

洪龜父詩一卷

柯夢得　抱甕集十五卷

姜如晦　月溪集三十二卷

錢聞詩文集二十八卷　又　廬山雜著三卷

芮暉　家藏集七卷

王咨　雪齋文集四十卷

李燾文集一百二十卷

薛齊誼　六一先生事證一卷　告詞附。

王大昌　六一先生在滁詩一卷

汪居正[1]　竹西文集十卷

李觀　顯親集六卷

陳汝錫　鶴溪集十二卷

陳逢寅　山谷詩注二十卷

朱熹　校昌黎集五十卷

王洙　注杜詩三十六卷

方醇道　類集杜甫詩史三十卷

僧道翹　寒山拾得詩一卷

傅自得　至樂齋集四十卷

俞汝尚　溪堂集四卷

劉燾詩集二十卷

方惟深集十卷　又　録一卷

王庭[2]　雲壑集三卷

蔡柟　浩歌集一卷

王庭珪　盧溪集十卷

邵緝　荆溪集八卷

吴氏　符川集一卷　不知名。

陳克　天台詩十卷　又　外集四卷

劉綺　清溪詩集三卷

王質　雪山集三卷

蕭德藻　千巖擇藁七卷　又　外編三卷

楊萬里　江湖集十四卷　又　荆溪集十卷　西歸集八卷　南海集八卷　朝天集十一卷　江西道院集三卷　朝天續集八卷　江東集十卷　退休集十四卷

---

① "汪",武英殿本同,中華本據陳《録》、尤《目》改作"王"。

② "王庭",《考證》:二字衍,當承下條"王庭珪"而來,其錯誤頗奇。

危稹文集二十卷
林憲　雪巢小集二卷
葉鎮　會稽覽古詩一卷
邵博文集五十七卷
鄭剛中文集八卷
李浩文集二卷
許及之文集三十卷　又　涉齋課藁九卷
黄幹文集十卷
錦屏先生文集十一卷 不知名。
祝充　韓文音義五十卷
宋德之　青城遺藁二卷
沈涣文集五卷
王述文集二十卷
毛友文集四十卷
王惟之[①]　雪溪集八卷
范浚　香溪文集二十二卷
胡嶧　如村冗藁二十卷
唐文若　遯菴文集三十卷
黄公度　莆陽知稼翁集十二卷
方有聞文集一卷
陳桷文集十六卷
陳與義詩十卷　又　岳陽紀詠一卷
張文伯　江南凱歌二十卷
曾幾集十五卷
張孝祥文集四十卷　又　詞一卷　古風律詩絶句三卷

① “惟”,武英殿本同,中華本據陳《録》改作“性”。

石行正　玉壘題詠九卷
何耕　勸戒詩一卷
孫稽仲　谷橋愚藁十卷
臨卭計用章集十二卷
李縝　梅百詠詩一卷
倪正甫　兼山小集三十卷
黄谠　復齋漫藁二卷
丁逢　南征詩一卷
京鏜詩七卷　又　詞二卷
趙時逢　山牕斐藁一卷
王稱詩四卷
徐璣　泉山詩藁一卷
黄㦿詩藁一卷
黄景説　白石丁藁一卷
吴賦之文集一卷
曾布之　丹丘使君詩詞一卷
朱存　金陵詩一卷
石召集一卷
潘咸詩一卷
文史聯珠十三卷 不知作者。
得全居士詞一卷 不知名。
汪遵　詠史詩一卷
韓遂詩一卷
張安石集一卷
盧士衡詩一卷
葉楚詩一卷
陳三思詩一卷

丁棱詩一卷

江漢編七卷 不知作者。

晋惠遠　廬山集十卷

僧棲白詩一卷

僧子蘭詩一卷

僧懷浦詩集一卷

僧安綬　鴈蕩山集一卷

僧虚中詩一卷

僧貫休集三十卷

僧清塞集一卷

僧齊已集十卷　又　白蓮華或無"華"字**編外集十卷**

僧義現集三卷

僧應之集一卷

僧承訥集一卷

僧無願集一卷

僧靈穆集一卷

僧靈護　�源集十卷

僧可朋　玉壘集十卷

僧自牧　括囊集十卷

僧賓付集一卷

僧尚顔　荆門集五卷

僧曇域　龍華集十卷

僧文雅集一卷

僧光白　蓮社集二十卷　又　虎溪集十卷

僧處默詩一卷

僧希覺　擬江東集五卷

僧鴻漸詩一卷

僧智暹詩一卷

僧康白詩十卷

僧惠崇詩三卷

僧文暢　碧雲集一卷

僧楚巒詩一卷

僧皎然詩十卷

僧無可詩一卷

僧靈澈詩一卷

僧脩睦詩一卷

僧彙征集三卷

僧本先集一卷

僧文彧詩一卷

僧祕演集二卷

僧保暹集二卷

僧智圓　閒居編五十一卷

僧大容集一卷

僧來鵬詩一卷

僧可尚　揀金集九卷

僧惠澄詩一卷

僧有鵬詩一卷

僧警淳詩一卷

僧靈一詩一卷

止禪師　青谷集二卷

僧惠洪　物外集二卷　又　石門文字禪三十卷

僧祖可詩十三卷

道士主父果詩一卷

魚玄機詩集一卷[①]

李季蘭詩集一卷　唐女道士李裕撰。

勾台符　卧雲編三卷

石仲元詩二卷

謝希孟詩二卷　又　采蘋詩一卷

曹希蘊歌詩後集二卷

蒲氏玉清編一卷

吴氏南宫詩二卷

王尚恭詩一卷　王亢女。

徐氏閨秀集一卷

王氏詩一卷

王綸　瑶臺集二卷

許氏詩一卷許彦國母。

楊吉　登瀛集五卷

劉京集四十卷

右别集類一千八百二十四部,二萬三千六百四卷。

---

① "魚",原誤作"魯",武英殿本同,中華本據陳《録》、《通志》改,今從。

八

孔道　文苑十九卷

蕭統　文選六十卷　李善注。

庾自直　類文三百六十二卷

竇儼[①]　東漢文類三十卷

五臣注文選三十卷

周明辨　文選彙聚十卷

文選類聚十卷

常寶鼎　文選名氏類目十卷

卜隣　續文選二十三卷

樂史　唐登科文選五十卷

宋白　文苑英華一千卷　目五十卷

宋遵度[②]　群書麗藻一千卷　目五十卷

王勉[③]　楚辭章句二卷

楚辭釋文一卷

離騷約二卷

徐鍇　賦苑二百卷　目一卷

廣類賦二十五卷

靈仙賦集二卷

甲賦五卷

---

① “儼”,武英殿本同,中華本據《崇文總目》、《通志》改作“嚴”。

② “宋”,武英殿本同,中華本據《通志》改作“朱”。

③ “勉”,武英殿本同,中華本據晁《志》、《玉海》改作“逸”。

賦選五卷

江文蔚　唐吴英秀賦七十二卷

桂香賦集三十卷

楊翺　典麗賦六十四卷

類文賦集一卷

謝壁　七賦一卷

杜鎬　君臣賡載集三十卷

李虚己　明良集五百卷

劉元濟　正聲集五卷

王貞範　續正聲集五卷　又　洞天集五卷

韋莊　採玄集一卷

陳正圖　備遺綴英集二十卷

劉明素　麗文集五卷

劉松　宜陽集十卷

叢玉集七十卷

李商隱　桂管集二十卷

樂瞻　文囿集十卷

雜文集二十卷

劉贊　蜀國文英八卷

分門文集十卷

劉從義　遺風集二十一卷

游恭　短兵集三卷

鮑溶集六卷

皮日休　藪文一卷①

徐陵　玉臺新詠十卷

① “藪文”,武英殿本同,中華本徑改作“文藪”。

廣玉臺集三十卷
文選後名人詩九卷
高仲武詩甲集五卷　詩乙集五卷
唐省試詩集三卷
顔陶[①]　唐詩類選二十卷
鍾安禮　資吟五卷
張爲　前賢詠題詩三卷
僧玄鑒　續古今詩集三卷
詩纘集三卷
元稹　白居易　李諒　杭越寄和詩集一卷
唐集賢院詩集二卷
蘇州名賢雜詠一卷
新安名士詩三卷
應制賞花詩十卷
許敬宗　文館詞林詩一卷
喬舜　桂香詩一卷
雍子方　沈括編　集賢院詩二卷
趙仲庠詩十卷
朱壽昌　樂府集十卷
蔣文彧　廣樂府集三卷
許南容　五子策林十卷[②]
周仁瞻　古今類聚策苑十四卷
禮部策十卷
楊協[③]　論苑十卷

---

① "顔"，武英殿本同，中華本據《崇文總目》、陳《録》改作"顧"。
② "許南容"，《考證》據《新唐志》、《崇文總目》認爲當云"許南容等"。
③ "楊協"，《考證》：下文重出楊徵《論苑》，此蓋避"徵"爲"協"。

唐凌煙閣功臣贊一卷
國子監武成王廟贊二卷
大中祥符封禪祥瑞贊五卷
丁謂　大中祥符祀汾陰祥瑞贊五卷
馬文敏　王言會最抄五卷
唐制誥集十卷
元和制誥集十卷
元和制策三卷
滕宗諒　大唐統制三十卷
擬狀注制集十卷
費乙　舊制編録六卷
貞元制敕書奏一卷
毛文晏　咸通麻制一卷
雜制詔集二十一卷
朱梁宣底八卷
制誥　一作"詔"二卷
後唐麻藁集三卷
長興制集四卷
江南制集七卷
吴越石壁集二卷
李慎儀　集制二十卷
五代國初内制雜編十卷
建隆景德雜麻制十五卷
神哲徽三朝制誥三卷
李琪　玉堂遺範三十卷
蔡省風　瑶池集二卷
唐哀册文四卷

孫洙　褒恤雜録三卷

晋宋齊梁彈文四卷

馬總　奏議集二十卷

張元瓛　歷代忠諫事對十卷

歷代名臣文疏三十卷

唐名臣奏七卷

張易　唐直臣諫奏七卷

御集諫書八十卷

唐奏議駁論一卷

趙元拱　諫爭集十卷

唐初表章一卷

毛漸表奏十卷

任諒　建中治本書一卷

沈常　總戎集十卷

顧臨　梁燾　總戎集十卷

續羽書六卷

王紹顔　軍書十卷

李綽　縱横集二十卷

趙化基　止戈書五十卷

張鉶　管記苑十卷

李大華　掌記略十五卷　新掌記略九卷

林逢　續掌記略十五卷

唐格　群經雜記十卷

周明辨　五經手判六卷

徐德言　分史衡鑑十卷

劉攽　經史新義一部　卷亡。

南康筆　代耕心鑑十卷

干禄寶典二十七卷

薛廷珪　克家志九卷

趙世繁　忠孝録五卷

趙世逢　幽居録五卷

臧嘉猷　羽書集三卷

吕廷祚[①]　注文選三十卷

劉允濟　金門待詔集五卷

僧惠淨　續古今詩苑英華十卷

孫翌　正聲集三卷

崔融　珠英學士集五卷

竇常　南薰集三卷

搜玉集一卷　唐崔湜至融,凡三十七人,集者不知名。

太平内制三卷　睿宗、玄宗時制詔。

賀鑑　歸鄉集一卷

奇章集四卷　李林甫至崔百餘家詩。[②]

唐德音三十卷　起武德元年五月,迄天寶十三年正月。

張曲江雜編一卷

集者並不知名。

李康　玉臺後集十卷

殷璠[③]　河嶽英靈集二卷　又　丹陽集一卷

蕭昕　送邢桂州詩一卷

曹恩　起予集五卷

李吉甫　麗則集五卷　又　類表五十卷

許孟容　謝亭詩集一卷

---

① “廷”,武英殿本同,中華本據晁《志》、《玉海》改作“延”。

② “崔”,武英殿本同,中華本據《通考》改作“崔湜”。

③ “殷璠”,《考證》:上文别集類重出“商璠《丹陽集》”,一避諱 ,一不避。

竇氏連珠集一卷[①]

孟總[②] **唐名臣奏議集二十卷**

送毛仙翁詩集一卷 牛僧孺、韓愈等贈。

高仲武 中興間氣集二卷 錢起、張衆甫等詩。

集賢院諸廳壁記二卷 李吉甫、武元衡、常袞題詠集。

大曆浙東酬唱集一卷

臨淮尺題集二卷

臨平詩集一卷

送白監歸東都詩一卷

洛中集一卷

名公唱和集四卷

垂風集一卷

咸通初表奏集一卷

唐十九家詩十卷

雲門寺詩一卷

章奏集類二十卷

唐百家詩選二十卷

陸海六卷

集者並不知名。

令狐楚 斷金集一卷 又 纂雜詩一卷

劉禹錫 彭陽唱和集二卷 又 彭陽唱和後集一卷 汝洛唱和集三卷 吴蜀集一卷 劉白唱和集三卷

段成式 漢上題襟十卷

檀溪子道民 連壁詩集三十二卷[③]

---

① “連”，武英殿本同，中華本據《新唐志》改作“聯”。

② “孟”，武英殿本同，中華本據《玉海》改作“馬”。

③ “壁”，武英殿本作“璧”，中華本徑改作“璧”。

孟啓[1]　本事詩一卷

盧環抒情集二卷[2]

僧詧光上人詩一卷

姚合　極玄集一卷

韋莊　又玄集三卷

皮日休　松陵集十卷

柳宗直　西漢文類四十卷

芮挺章　國秀集三卷

宋太祖　真宗　御製國子監兩廟贊二卷

賜陳摶詩八卷

送張無夢歸山詩一卷

賜王詔手詔一卷

漢魏文章二卷

漢名臣奏二卷

漢賢遺集一卷

三國志文類六十卷

晉代名臣集十五卷

謝氏蘭玉集十卷

古詩選集十卷

宋二百家詩二十三卷

長樂三王雜事十四卷

集者並不知名。

陳彭年　宸章集二十五卷

宋綬　本朝大詔令二百四十卷　又　唐大詔令一百三十卷

---

① “啓”,《考證》據《崇文總目》、晁《志》認爲當作“棨”。

② “環”,武英殿本同,中華本據《崇文總目》、《通志》改作“瓌”。

目録三卷
洪遵　中興以來玉堂制草三十四卷
周必大　續中興玉堂制草三十卷
韓忠彦　追榮集一卷
朱翌　五制集一卷
熊克　京口詩集十卷
李仁剛　浯溪古今石刻集録一卷
侍其光祖　浯溪石刻後集再集一卷
李燾　謝家詩集一卷
曾慥　宋百家詩選五十卷　又　續選二十卷
吴説　編　古今絶句三卷
廖敏得　浯溪石刻續集一卷
吕祖謙　東萊集詩二卷
孔文仲　三孔清江集四十卷
壯觀類編一卷　劉燾、楊萬里、米芾等作。
邵浩　坡門酬唱二十三卷
倪恕　安陸酬唱集六卷
管鋭　横浦集二卷
方松卿　續横浦集十二卷
趙不敵　清漳集三十卷
廖遲　樵川集十卷
洪适　荆門惠泉詩集二卷
詹淵　括蒼集三卷
陳百朋　續括蒼集五卷
柳大雅　括蒼别集四卷
胡舜舉　劍津集十卷
許份　漢南酬唱集一卷

楊恕　臨江集三十四卷
汪浹　元祐榮觀集五卷
衛博　定菴類藁十二卷
于霆　南紀集五卷
湯邦傑　南紀別集一卷
家求仁　名賢雜詠五十卷　又　草木蟲魚詩六十八卷
程九萬　三老奏議七卷
畢仲游　元祐館職詔策詞記一卷
謝逸　溪堂師友尺牘六卷
羅唐二茂才重校唐宋類詩二十卷
三洪制藁六十二卷　洪适、遵、邁撰。
李壁　中興諸臣奏議四百五十卷
洪邁　唐一千家詩一百卷
三蘇文集一百卷　郎曄進。
臨賀郡志二卷
相江集十卷
豫章類集十卷
千家名賢翰墨大全五百一十八卷
三蘇文類六十八卷
續本事詩二卷
集選一百卷
唐賢長書一卷
唐三十二僧詩一卷
四僧詩八卷
唐雜詩一卷
五代制詞一卷
重編類啓十卷

潤州金山寺詩一卷

集者並不知名。

蔡省風　瑶池集一卷

陳匡圖　擬玄類集十卷

韋轂[1]　唐名賢才調詩集十卷

李昉　扈蒙　文苑英華一千卷

劉吉　江南續又玄集二卷

田錫　唐明皇制誥後集一百卷

蘇易簡　禁林宴會集一卷

子起　家宴集五卷 不知姓。

楊徽　論苑十卷

馮翊嚴　滁州琅琊山古今名賢文章一卷

朱博　叢玄集二十卷

二李唱和詩一卷 李昉、李至作。

楊億　西崐酬唱集二卷

陳充　九僧詩集一卷

四釋聯唱詩集一卷 丁謂序。

楊偉　虢郡文齋集五卷

姚鉉　唐文粹一百卷

謫仙集十卷 勾龍震集古今人詞，以李白爲首。

僧仁贊　唐宋類詩二十卷

許洞　徐鉉雜古文賦一卷

郭希朴　養閑亭詩一卷

幼暐　金華瀛洲集三十卷

王咸　典麗賦九十三卷

---

① “轂”，《考證》據《崇文總目》、陳《録》認爲當作“縠”。

華林義門書堂詩集一卷　王欽若、錢惟演等作。

張逸　楊諤　潼川唱和集一卷

李祺　天聖賦苑一十八卷　又　珍題集三十卷

滕宗諒　岳陽樓詩二卷

陶叔獻　西漢文類四十卷

徐徽　滁陽慶曆集十卷

韓琦　閱古堂詩一卷

送僧符遊南昌集一卷　范鎮序。

石聲編一卷　趙師旦家編集。

南犍唱和詩集一卷　吴中復、吴祕、張谷等作。

鄭雍　古今名賢詩二卷

歐陽修　禮部唱和詩集三卷　送元絳詩集一卷　送文同詩一卷　鮮于侁序。

晏殊　張士遜　笑臺詩一卷

慧明大師　靈應天竺集一卷

宋璋　錦里玉堂編五卷

孫洙　褒題集三十卷　又　張氏詩傳一卷

宋敏求　寶刻叢章三十卷　寶刻叢章拾遺三十卷

孫氏　吴興詩三卷　不知名。

姚闢　荆溪唱和一卷

林少穎[①]　**觀瀾文集六十三卷**

吕祖謙　皇朝文鑑一百五十卷　又　國朝名臣奏議十卷

吕本中　江西宗派詩集一百十五卷

曾紘　江西續宗派詩集二卷

石處道　松江集一卷

---

① “林少穎”，即林之奇，字少穎，《宋史》有傳。

江文叔　桂林文集二十卷

劉褒　續集十二卷

黄岦　續乙集八卷

張脩　桂林集十二卷

徐大觀　又續集四卷

丁逢　郴江前集十卷　又　後集五卷　郴江續集九卷

楊倓　南州集十卷

王仁　澧陽集四卷

道士田居實　司空山集二卷

姜之茂　臨川三隱詩集三卷

熊克　館學喜雪唱和詩二卷

陳天麟　遊山唱和一卷

史正心[①]　清暉閣詩一卷

葛郛　載德集四卷

王十朋　楚東唱酬集一卷

莫琮　椿桂堂詩一卷

何紘　籍桂堂唱和集一卷

莫若冲　清湘泮水酬和一卷

陳讜　西江酬唱一卷

廖伯憲　岳陽唱和三卷

黄學行　又乙集一卷

劉璿　政和縣齋酬唱一卷

林安宅　南海集三十卷

曾肇　滁陽慶曆前集十卷

吴珏　滁陽慶曆後集十卷

---

① “心”,《考證》據陳《録》認爲當作“志”。

干越題詠三卷　李并序。

郝箎[1]　都梁集十卷

西湖寓隱　回文類聚一卷

郢州白雪樓詩一卷　蕭德藻序。

三蘇翰墨一卷　蘇軾等書。

桂香集六卷

留題落星寺詩一卷

翰苑名賢集一卷

宋賢文集三卷

宋賢文藪四十卷

先容集一卷

制誥章表二卷　又　制誥章表十五卷

儒林精選時文十六卷

玉堂詩三十六卷

辭林類藁三卷

海南集十八卷

鄞江集九卷

嘉禾詩文一卷

潯陽琵琶亭紀詠三卷

潯陽庾樓題詠一卷

滕王閣詩一卷

膾炙集一卷

玉枝集三十二卷

永康題紀詩詠十三卷

聖宋文粹三十卷

① “郝”,《考證》據陳《録》認爲當作“霍”。

布袋集一卷

元祐密疏一卷

唐宋文章二卷

聖宋文選十六卷

唐宋詩後集十四卷

君山寺留題詩集一卷

制誥三卷

春貼子詞一卷

高麗表章一卷

登瀛集五十二卷

羅浮寓公集三卷

羅浮一卷　集者不知名。

陳材夫　仕途必用集十卷

翁忱　岳陽別集二卷

鍾興　秭歸集八卷

卜無咎　廬山記拾遺一卷

商侑①　盛山集一卷

劉充　唐詩續選十卷

王安石　建康酬唱詩一卷　又　唐百家詩選二十卷　四家詩選十卷　送朱壽昌詩三卷

韓忠彥　考德集三卷

元積中　江湖堂詩集一卷

孔延之　會稽掇英集二十卷

程師孟　續會稽掇英集二十卷

曾公亮　元日唱和詩一卷

---

①　按《唐書》有殷侑。商侑即殷侑，乃避諱改字。

孫覺　荔枝唱和詩一卷

蒲宗孟　曾公亮勳德集三卷

馬希孟　揚州集三卷

曾旼　潤州類集十卷

魏泰　襄陽題詠二卷

蘇夢齡　擒華集三卷

王得臣　江夏古今紀詠集五卷

楊傑　高僧詩一卷

孫頎　抄齋唱和集一卷

薛傅正　錢塘詩前後集三十卷

唐愈　江陵集古題詠十卷

章粢　成都古今詩集六卷

孫永　康簡公崇終集一卷

道士龔元正　桃花源集二卷

紹聖三公詩三卷　司馬光、歐陽修、馮京所著。

陸經　靜照堂詩一卷

劉珵　宣城集三卷

唐庚　三謝集一卷

上官彝　麻姑山集三卷

翁公輔　下邳小集九卷

彈粹　鵝城豐湖亭詩一卷

蔡驛　惠泉詩一卷

林慮　西漢詔令十二卷

俞向　長樂集十四卷

四學士文集五卷　黄庭堅、晁補之、張耒、秦觀所著。

内制六卷　晏殊以下所撰。

沈晦　三沈集六十一卷

輶軒唱和集三卷 洪皓、張邵、朱弁所集。
程邁 止戈堂詩一卷
樊汝霖 唐書文藝補六十三卷
何琥 蘇黄遺編一卷
楊上行 宋賢良分門論六十二卷
戴覺 李丁 單題詩十二卷
廖剛 世綵集三卷
送王周歸江陵詩二卷 杜衍等所撰。
許端夫 齋安集十二卷①
黄仁榮 永嘉集三卷
李知己 永嘉集三卷
晁新詞一卷 晁端禮、晁冲之所撰。
陸時雍 宏詞總類前後集七十六卷
梅江三孫集三十一卷 孫立節及子勴、孫何所著。
鮑喬 豫章類集十卷
鄧植 小有天後集一卷
蕭一致 濂溪大成集七卷
館閣詞章一卷
館閣詩八卷
並中興館閣諸臣所撰。

右總集類四百三十五部,一萬六百五十七卷。

劉勰 文心雕龍十卷
鍾嶸 詩評一卷

---

① "許端夫齋安集",《考證》:上文地理類有許靖夫《齊安拾遺》,爲同一人。上文誤"端夫"爲"靖夫",此則誤"齊安"爲"齋安"。

任昉　文章緣起一卷
李允　一作"元",或作"克"[①]　翰林論三卷
王昌齡　詩格一卷　又　詩中密旨一卷
杜嗣先　兔園策府三十卷
柳璨　史通析微十卷
劉餗　史例三卷
劉知幾　史通二十卷
白居易　白氏金針詩格三卷　又　白氏制朴一卷
僧皎然　詩式五卷　又　詩評一卷
辛處信　注文心雕龍十卷
王瑜卿　文旨一卷
王正範　文章龜鑑五卷
范攄　詞林一卷
孫郤[②]　文格二卷
倪宥　文章龜鑑一卷
劉蘧　應求類二卷
竇苹　載籍討源一卷　舉要二卷
吴武陵　十三代史駮議十二卷
林槩　史論二十卷
王諫　唐史名賢論斷二十卷
程鵬　唐史屬辭四卷
王損之　絲綸點化二卷
方仲舒　究判玄微一卷
樂史　登科記解題二十卷

---

① 《考證》據《隋志》、《舊唐志》認爲當作"充"。
② "郤",武英殿本作"郤",中華本據《新唐志》改作"部"。

蔣之奇　廣州十賢贊一卷

白行簡　賦要一卷

范傳正　賦訣一卷

浩虛舟　賦門一卷

紇于俞[①]　賦格一卷

和凝　賦格一卷

毛友　左傳類對賦六卷

王維　詩格一卷

王杞 一作"超"　詩格一卷[②]

賈島　詩格密旨一卷

元兢　詩格一卷　又　古今詩人秀句二卷

僧辯遠　詩式十卷

許文貴 一作"貢"　詩鑑一卷

僧元鑒　續古今詩人秀句二卷

司馬光　續詩話一卷

姚合　詩例一卷

鄭谷　國風正訣一卷

王叡　炙轂子詩格一卷

張仲素　賦樞一卷

倪宥　詩體一卷

張爲　唐詩主客圖二卷

僧齊己　玄機分明要覽一卷　又　詩格一卷

李洞　賈島詩句圖一卷[③]

---

① "于",《考證》:"《通志》作'干',紇干爲姓。當作'干'。"

② 《考證》:《新唐志》、《崇文總目》有王起《大中新行詩格》,疑即此。

③ "詩",《考證》據《新唐志》、《通志》認爲此字衍。

僧神彧　詩格一卷
徐鋭[①]　詩格一卷
馮鑑　修文要訣二卷
林逋　句圖三卷
李淑　詩苑類格三卷
僧定雅　寡和圖三卷
劉攽　詩話一卷
邵必　史例總論十卷
司馬光　詩話一卷
馬偁　賦門魚鑰十五卷
蔡寬夫　詩史二卷
吴處厚　賦評一卷
蔡希蘧　古今名賢警句圖一卷
魏泰　隱居話詩一卷[②]
楊九齡　正史雜編十卷
郭思　瑶谿集十卷
蔡絛　西清詩話三卷
李頎　古今詩話録七十卷
李錞　詩話一卷
僧惠洪　天厨禁臠三卷
周紫芝　竹坡詩話一卷
強行父　唐杜荀鶴警句圖一卷
黄徹　䂬溪詩話十卷
鄭樵　通志叙論二卷

---

①　“鋭”,《考證》據《通志》認爲當作“蜕”。

②　“話詩”,武英殿本同,中華本據厲鶚《宋詩紀事》改作“詩話”。

曾發　選注摘遺三卷

胡源　聲律發微一卷

費衮　文章正派十卷

李善五臣同異一卷

嚴有翼　藝苑雌黄二十卷

方道醇[①]　**集諸家老杜詩評五卷**

方絟　續老杜詩評五卷

彭郁　韓文外抄八卷

趙師懿　柳文筆記一卷

葛立方　韻語陽秋二十卷

吕祖謙　古文關鍵二十卷[②]

新集詩話十五卷　集者不知名。

元祐詩話一卷

歷代吟譜二十卷

唐宋名賢詩話二十卷

金馬統例三卷

詩談十五卷

韓文會覽四十卷

並不知作者。

右文史類九十八部,六百卷。

凡集類二千三百六十九部,三萬四千九百六十五卷。

---

① "道醇",武英殿本同,中華本據陳《録》改作"深道"。

② "十",《考證》據陳《録》、《四庫全書總目提要》認爲此字誤增。

宋史藝文志補

[清]黃虞稷 倪燦 撰

[清]盧文弨 録 陳錦春 整理

底本：清光緒十七年廣雅書局刻本

《宋史》本有《藝文志》,咸淳以來,尚多闕略。至《遼》、《金》、《元》三史,則并不志藝文。本朝康熙年間議修《明史》,時史官有欲仿《隋書》兼五代史志之例,而爲之補者,余得其底稟,乃上元倪燦闇公所纂輯也。今俗間傳有温陵黄虞稷俞邰《千頃堂書目》本,搜采雖富,而體例似不及倪本之正。近則《書目》又爲坊賈鈔胥紛亂删落,更無足觀。今略爲訂正,且合之余友海寧吴騫槎客校本,庶爲完善。亟爲傳之,以補四代史志之闕。具載倪《序》於首,使後人知其初意如此。宋有志而補之,遼、金、元本無志,故今所録各自爲編云。盧文弨撰。

明史藝文志序

歷代史之志藝文也尚矣,以之經緯天地,則足以宏建樹而致治功,以之淑善身心,則足以端秉彝而貞末俗。昔人所云"大業崇之,則成欽明之德;匹夫克念,則有王公之重",良非虚也。自孔子删述以來,六籍始大顯於世。遭秦廢學,若存若亡。漢興,掇拾殘缺,《周易》而外,無復全經。然六藝初不以不完而晦,數千年來儒者講求精義奥旨,愈久愈出,正如日月在天,雖遭剋蝕,而不改其光明,未嘗以缺軼而不傳也。支流所及,爲史爲子,下逮騷賦詞章。雖不可與六藝抗行,然皆得道之一端。紀事紀言,則《尚書》、《春秋》之具體。典章圖志,則《職方》、《王會》之流亞。卜筮、五行,則出於疇範卦爻。曆象經方,則出於烈山軒帝。三百而後,變而爲屈宋漢魏。淹中以下,盛而有度數儀文。雖殊途異軌,而一道同歸。其閒亦多宏深奥衍之論,藻雅卓犖之詞,有志聖學者,閒亦有取此。

經史子集四部所由名,已始劉向爲《七略》,班固因之而志藝文。王儉、阮孝緒爲《七志》、《七録》,魏徵因之而著《經籍》。四部之名,至唐而始定。曰甲部,經典、小學諸書;曰乙部,史家編年、紀傳等類;曰丙部,諸子百家在焉;曰丁部,騷賦别集係焉。下逮有宋,亦沿其制。而歷朝列辟,崇文右儒,若兩漢之孝武、孝宣、光武、明、章諸帝,其表表者。乃若成、靈二帝,或遣使求遺書,或詔刊定《五經》於石。斯非中主,亦足稱焉。其聚書多者,則梁元之江陵十萬卷,隋嘉則殿之正本八萬餘卷,最爲富有。兩更喪亂,存者無幾。唐武德、開元再加裒集,復還舊觀。天寶之後,湮没殆盡。元載爲相,奏以千錢購書一卷,又命拾遺苗發等括訪江淮。文宗時,鄭覃復請搜采,而四庫之書復完。及昭宗播遷,又蕩然無遺矣。宋初三館之書,不過萬餘卷。嗣平荆南,克李煜,吴越歸命,各有所得,然猶未備。於是募人獻書,來獻者賜以科名,知吏治者即授以職。太宗以後,遂大備焉。於是改建崇文院,著其目録,讎校勘定,亦如漢代。然古書雖閒出,而世祀悠邈,簡帙多亡,存者鮮矣。其後汴京既破,三館圖籍歸於有金。高宗南渡,搜訪遺闕,臨安之有,不減東都。迨伯顔南下,試朱清、張瑄海運之議,皆載而之北,故元奎章、崇文之積,不下於歷朝。其尤可嘉尚者,郡邑儒生之著述,多由本路進呈,下翰林看詳,可傳者,命江浙行省或所在各路儒學刊行,故何、王、金、許之書,多賴以傳。鄱陽馬氏之《通考》,且出於羽流之薦達。其他或命以官,或給以禄,亦古今來所未有。蓋自姚樞得趙復江漢之傳,紫陽之學盛行於北。大儒許衡輩,挺生其閒,故文雅彬郁,度越遼、金以前諸代。惜明初修《元史》者不爲特志,殊足憾焉。

明太祖既克建康,龍鳳丙午,即命有司訪求古今書籍。元都既定,大將軍徐達盡收奎章、崇文祕書圖籍,及太常法服、祭器、儀象、版籍,歸之於南。先是,洪武初,設祕書監丞,仍元制。十三年,從吏部之請,罷之,而以其職歸之於翰林典籍。明年,以北方自經喪亂,經籍殘缺,命頒《四書五經》於各學校。又明年,諭禮部曰:"古先聖賢以教後世,所存者書而已。朕每觀書,自覺有益。嘗以諭徐達,達亦好學,親儒生,囊書自隨。蓋讀書窮理,於日用事物閒自然見,理明而所行當,書之有益者此也。今國子監藏板殘缺,其命諸儒考補,工部督修之。"至二十四年,再命頒國子監子史等書於北方學校。而帝於《洪範》有注,《書傳》有選,其他編類諸書尤多。帝初奮起隴畝,未嘗學問。即位而後,揮毫染翰,聖藻葩流,甲乙之集,流傳人世。雖曰天縱其資,於經籍者,蓋不淺矣。其時典籍皆在南京。

迨成祖即位,四年,命禮部遣使購求遺書。及建都北平,命修撰陳循,取文淵閣所貯書籍,自一部以至百部之多者,各取其一,置於燕都,連艫匱載而遷之南者,復改而之北。帝武功既成,頗修文事,命儒臣輯五經四子《性理大全》,頒之郡邑學宫,以訓生徒。復選天下耆儒宿士釋道之人,輯《永樂大典》,多至二萬餘卷,蓋欲倣宋太宗《太平御覽》等三書,然其書龐雜煩重,僅藏弆禁掖,未能如三書之流通也。

仁、宣二主,世既承平,文物益盛。宣宗始命楊士奇等輯《文淵閣書目》,第有篇名,而無卷帙、姓氏,稱缺略焉。宣德八年,命少傅楊士奇、楊榮,於館閣中擇能書數十人,取五經、四子及《説苑》之類,各録數本,分貯廣寒、清暑二殿及瓊花島,以備觀覽。當是之時,典籍最盛,而通集庫、皇史宬以貯金匱石室之藏者,又不與焉。其後太平既久,文治益隆,翰林館閣、兩京胄監、部署郎曹,各有所貯,下至郡邑諸學,鄉士大夫或捐所有,或益所無,雖未能盡括天下之典籍,然亦稱略備矣。

弘治中,大學士邱濬言:“經籍圖書,皆自古帝王精神心術所寓,今世賴之以知古,後世賴之以知今者也。是以自古帝王,莫不以是爲重。我朝館閣祕藏不減前代,然藏書雖多,不無雜亂。積歷年久,不無鼠蠹。經該人衆,不無散失。乞敕内閣臣計議,專委學士及講讀以下官數員,督同典籍等官,將書目一一比較,有無全欠,分爲經史子集四部,及雜書、類書二種。每類若干部,部若干卷,各類總數若干,識校次、歲時、職官於簡末備考。仍令内閣查查字不典,而官府文書通行。此字姑仍之。見存書,有副本者各分其一,送兩京國子監,並敕南京守備諸臣會同南禮部翰林院官,查永樂中原留南内書籍奏知。或止有一本者,將本發國子監，選監生善書者謄録，付各堂校對，送兩監掌管。如此，則一書有數本，永無散失矣。其内閣諸書，或有缺本，則行各直省訪求。有者借官鈔録，以增未備。”疏入，上納之，而究未能行。

其後内閣諸書典司者半係貲郎，於四部之旨懵如，且秩卑品下，館閣之臣假閲者，往往不歸原帙。值世廟而後諸主多不好文，不復留意查覈，内閣之儲遂缺軼過半。萬曆間，中書舍人張萱，始請於閣臣躬自編類，更著目録，則視前所録十無二三，所增益者僅近代文集、地志。其他唐、宋遺編，悉歸子虚烏有。迄乎崇禎之末，大盜移國，鍾虡爲墟，縑緗卷軸又可知矣。

第有明一代以來，君臣崇尚文雅，列聖之著述，内府咸有開板，而一時作者亦自彬彬。崇正學者，多以濂、洛爲宗。尚詞藻者，亦以班、揚爲志。迨夫博雅淹通之士，著述尤夥，故其篇帙繁富，遠過前人。雖不無蕪蔓，然亦有可采。前代史志皆録古今之書，以其爲中祕所藏，著一代之所有。今《文淵》之目既不可憑，且其書僅及元季，三百年作者缺焉，此亦未足稱紀載也。故特更其例，去前代之陳編，紀一朝之著述。《元史》既無藝文，《宋志》咸淳以後多缺，今竝取二季，以補其後，而附以遼、金之僅存者，萃爲一編，列之四部，用傳來兹。諸書既非官所簿録，多采之私家，故卷帙或有不詳，要欲使名卿大夫之崇論閎議，文儒學士之懃志苦心，雖不克盡見其書，而得窺標目，以著一代之盛云爾。史官倪燦譔。

經部

經之類十有一:一曰易類,二曰書類,三曰詩類,四曰春秋類,五曰三禮類,六曰禮樂書類,凡後代編定之禮及類次樂律書。七曰孝經類,八曰論語類,九曰孟子類前代皆入儒家,今特爲一類。十曰經解類,五經四子總解。十一曰小學類分訓詁、書、數、蒙訓四種。

史部

史之類十有八:一曰國史類,朝廷敕編當代史。二曰正史類,三曰通史類,通輯列代之史。四曰編年類,五曰雜史類,六曰霸史類,七曰史學類,八曰史鈔類,九曰故事類,十曰職官類,十一曰時令類,十二曰食貨類,十三曰儀注類,十四曰政刑類,十五曰傳記類,十六曰地理類,十七曰譜牒類,十八曰簿録類。

子部

子之類十有三:一曰儒家類,二曰雜家類,前代《藝文志》列名、法諸家,後代沿之。然寥寥無幾,備數而已。今削之,總附雜家。三曰農家類,四曰小説家類,五曰兵書類,六曰天文類,七曰曆數類,八曰五行類,九曰醫方類,十曰雜藝術類,十一曰類書類,十二曰道家類,十三曰釋家類。

集部

集之類八:一曰制誥類,二曰表奏類,三曰騷賦類,四曰别集類，五曰詞曲類，因《文獻通考》例録。六曰總集類，七曰文史類，八曰制舉類。自宋熙寧用荆舒之制以經義取士，其後或用或否，惟明遵行不廢，三百年來，程士之文與士之自課者不可勝録。然而典制所在，未能廢也。緣《通考》録擢犀擢象之類，録程式之文二三種，以見一代之制，而二三場之著者亦附見焉。

經部

朱元昇　三易備遺十卷　字日華，永嘉人。《河圖洛書》一卷，《連山》，《歸藏》、《周易》各三卷。家鉉翁進其書於朝，子士立梓行。

何基　周易朱氏本義發揮七卷　繫辭發揮二卷

胡方平　周易啓蒙通釋二卷　一作四卷。　**外易四卷**　號玉齋，婺源人。

董楷　周易程朱傳義附録十八卷　一作十四卷。　**圖説一卷**　字正叔，臨海人，吏部郎中。

陳普　易解二卷　寧德人。

熊禾　易學圖傳一卷。

吴霞舉　易管窺六十卷　筮易七卷　字孟陽，休寧人。

任士林　中易

陳深清　全齋讀易編三卷　字子微，吴人。

王申子　大易緝説十卷　字巽卿，臨邛人，寓居慈利州天門山，著是書。常德路推官田澤奏進。

邱富國　周易輯解十卷　易學説約五篇　字行可，建安人，瑞陽簽判。

胡一桂　周易本義附録纂疏十四卷　周易啓蒙翼傳四卷　字庭芳，方平子，景定甲子鄉薦，入元不仕。

何夢桂　易衍二卷　一作《易解》。

朱鑑　文公易説二十三卷　文公孫。

田疇　學易蹊徑二十卷　號與齋，華亭人。

昝如愚　古易便覽一卷

羅大經　易解十卷　字景倫,吉水人,寶慶二年進士。

右易類,十七家,二百十六卷。　入胡一桂一家,舊尚有五家。案李過、方回、張應珍、李簡皆入元。臺坊,乃明人豐坊之誤,故不入。

陳大猷　書傳會通十一卷　書集説或問二卷　東陽人。

薛季宣　書古文訓十六卷　字士龍,永嘉人。

王應麟　尚書草木鳥獸譜　集解周書王會篇一卷

陳普　書傳補遺

熊禾　尚書口義三十卷

毛晃　禹貢指南一卷

右書類,六家,六十一卷。

段昌武　叢桂毛詩集解三十卷　字子武,廬陵人。

陳焕　詩傳微一作徵,字時可,豐城人。兩與漕薦,入元不仕。

陳深清　全齋讀詩編

趙德　詩辨疑七卷　一作十卷。宗室,入元,隱居豫章。附朱倬《詩疑問》後者,止一卷,其撮要。此則全編也。

曹粹中　放齋詩説十卷

朱鑑　詩傳遺説六卷　一名《朱氏詩説補遺》。

胡一桂　詩傳纂疏附録八卷

李樗、黄櫄　毛詩集解三十六卷　樗字若林,閩縣人。櫄字實夫,漳州人。

王應麟　詩辨

毛直方　詩學大成　字静可,建安人,咸淳中薦舉。入元,不仕。見《尚友録》。

右詩類,十家,九十七卷。　舊有《逸齋補傳》二十二卷,《經義攷》謂即《宋志》范處義之《詩補傳》三十卷。今通志堂梓本亦三十卷。此不録入。

趙鵬飛　木訥先生春秋經筌十六卷　字企明,左緜人。

家鉉翁　春秋集傳詳説三十卷　綱領一卷

陳則通　鐵山先生春秋提綱十卷

陳深清　全齋讀春秋編十二卷

王申子　春秋類傳

林堯叟　春秋左傳句解七十卷　字唐翁。

程公説　左氏始終三十卷　春秋比事十卷

晏兼善　春秋透天關十二卷

吴思齊　左傳缺疑

熊禾　春秋論考

朱申　春秋左傳句解三十五卷

吕大圭　春秋五論一卷　同安人,淳熙進士。知漳州軍,薄壽庚降元,脅署降表,不從,見殺。

句龍傳　春秋三傳分國紀事本末　字明甫,嘉定州人。

徐晉卿　春秋經傳類對賦一卷　試祕書省校書郎。

右春秋類,十四家,二百二十八卷。

葉時　禮經會元四卷

朱申　周禮句解十二卷

林希逸　考工記圖解四卷　今梓本無圖,止二卷。

朱申　禮記詳解十卷

鄭樸翁　禮記正義一卷

陳焕　禮記釋　字時可,豐城人。

方慤　禮記解　桐廬人。書成,獻之朝頒行。

黎立武　中庸指歸一卷　提綱一卷　大學發微一卷　提綱一卷　字以常,新喻人,咸淳進士,華文閣待制。入元,屢徵不起。

王奎文　中庸發明一卷

馬端臨　大學集傳

熊禾　大學口義　大學廣義　三禮考異

右三禮類,十一家,三十六卷。

車垓　内外服制通釋九卷　字經臣,天台人。

歐陽士秀　律通二卷　宜春人。凡二十篇。

右禮樂書類,二家,十一卷。

朱申　孝經句解一卷

右孝經類,一家,一卷。

蔡節　論語集説十卷　淳祐五年表進。

石洞紀聞十卷　《内閣書目》云:"元泰定間人,不知姓氏。釋《論語》義。"案宋饒魯嘗建石洞書院,著有《語孟紀聞》,與其門人史詠自亨相問荅,當即此書。

右論語類,二家,二十卷。去趙順孫,入元從元。入失名一家。

蔡謨　孟子集疏十四卷

施德操　孟子發題一卷

熙時子注孟子外書四篇　稱馬廷鸞序,謂熙時子即劉攽,實假託也。

右孟子類,三家,十九卷。

葉時　對制談經十三卷　杜涇纂。

陳埴　潛室木鍾集十一卷

黄淵　四書六經講稿六卷　字天叟,莆田人。初名仲元,字善甫。宋亡,乃更今名。

曹涇　講義四卷　字清甫,歙人,官昌化簿,入元不仕。

梅寛　天裕堂講義一卷　栝蒼人,《易》、《詩》、《論》、《孟》、《學》、《庸》講義。

馬廷鸞　六經集傳

張惟政編次四經 晦庵《孝經刊誤》、《臣禮》,西山《心經》、《政經》。

六經奥論六卷 舊以爲鄭樵著,非。

莆陽二鄭六經雅言圖辨十卷 一作四卷。

錢時 融堂四書管見十三卷

真德秀 四書集編二十六卷

陳普 四書集解

熊禾 四書標題

鄭樸翁 四書要指二十卷 字宗仁,温州平陽人。

張霆松 四書朱陸會同注釋二十九卷 舉要一卷 貴溪人。

祝泳 四書集注附録十一册 祝穆子程元鳳進其書,授興化軍涵江書院山長。

右經解類,十六家,一百五十一卷。

毛晃 禮部韻略五卷

黄公紹 古今韻會舉要三十卷 字直翁,昭武人。同邑熊忠字子中,舉要。

歐陽德宏 押韻釋疑五卷

楊俊 韻譜三卷

張有 復古編二卷 字謙中,吴興道士。

李從周 字通一卷 字肩吾,彭山人。

蔣捷 小學詳斷 字勝欲,宜興人。

秦九韶 數學九章九卷 魯郡人。

陳録善 誘文一卷

羅黄裳 發蒙宏綱二册

方逢辰 名物蒙求一卷

虞俊 達齋告蒙一卷

右小學類,十二家,六十卷。

凡經部九十四家,九百卷。

史部

熊方　後漢書年表十卷　字廣居,豐城人。

方岳　重脩南北史一百十卷

右正史類,二家,一百二十卷。

歐陽守道　皇朝通鑑紀事本末一百五十卷　起建隆,迄靖康。濬宣謹按是書題《通鑑長編紀事本末》,爲楊仲良撰,歐陽守道校正。陳均《九朝編年備要》引用書目及《玉海》所載竝同,非歐著也。今缺九卷。

胡一桂　古今通要十七卷

右通史類,二家,一百六十七卷。

胡一桂　歷代編年十七史纂

胡三省　音注資治通鑑二百九十四卷

宋史全文續資治通鑑長編三十六卷　失名。

陸唐老集百家音注資治通鑑一百二十卷　會稽人。

江贄　少微通鑑詳句三十卷　崇安人,隱居不仕。政和中,賜號少微先生。

劉剡　通鑑句要續編三十卷

吕大著　增句備注資治通鑑一百二十卷

右編年類,七家,六百三十卷。

羅泌　路史四十七卷　《前紀》九卷,《後紀》十四卷,《國名紀》八卷,《發揮》六卷,《餘論》十卷。泌字長源,盧陵人。其子苹,作注。

裘萬頃　歷朝史稗四十卷　字元量,新建人,大理寺丞。

葉紹翁　四朝聞見録五卷

鄒伸之　使韃日録一卷

謝翺　南史補帝紀贊一卷　唐書補傳一卷

鄧光薦　續宋書　德祐日記

錢時　兩漢筆記十二卷

右雜史類,七家,一百七卷。

胡恢　南唐書　金陵人。

馬令　南唐書三十卷

陸游　南唐書十八卷　音釋一卷

右霸史,三家,四十九卷。

胡三省　資治通鑑釋文辨誤十二卷

南宫靖一　小學史斷六卷　字仲靖,分寧人,端平進士。明徐師曾爲作注。

諸史偶論十卷　失名。

右史學類,三家,二十八卷。

岳珂　讀史備忘捷覽六卷

黄震　古今紀要十九卷

右史鈔類,二家,二十五卷。

吕中　皇朝大事記九卷　中興大事記六卷　一本二十三卷。中字時可,泉州人,祕書郎。

馬端臨　文獻通考三百四十八卷

漢七制唐三宗史編句解十三卷　失名。

史志通典治原十五卷　失名。

宋季三朝政要六卷　失名。

右故事類,五家,三百九十七卷。

許月卿　百官箴六卷

胡太初　晝簾緒論一卷　寶祐間,知汀州事。

右職官類,二家,七卷。

陳元靚　歲時廣記四卷。

周守忠　養生月覽二卷。

右時令類,二家,六卷。

杜綰　雲林石譜三卷

高似孫　硯箋四卷

林洪　文房職官圖贊一卷

羅先登　續文房圖贊一卷　有元人王起善補。

鄭清之　文房四友除授制一卷

史鑄　百菊集譜六卷　菊史補遺六卷

陳達叟　本心齋蔬食譜一卷

陳仁　玉蘭譜一卷

王貴學　王氏蘭譜一卷

趙時庚　金漳蘭譜一卷

賈似道　促織經一卷

右食貨類,十一家,二十七卷。　以上所録,皆非食貨之正者,亦有游戲筆墨,更不當入,而黄《志》有之,亦姑仍之。

咸淳文廟儀式一卷　禮器圖一卷

右儀注類,一家,二卷。

歐陽士秀　孔子世家補十二卷

謝翺　睦州山水人物記一卷

胡溭　東陽人物表

鄧光薦　督府忠義傳一卷

黄震　戊辰脩史十三傳一卷

鍾堯俞　宋名臣言行類編舉要十六卷　盧陵人。

中興名臣言行録　此趙順孫著。其人已入元，而此書題中興，則在宋時所著，姑附此。

右傳記類，七家，三十一卷。

税安禮　地理指掌圖一卷　蜀人。或云東坡者，誤。

王象之　輿地紀勝二百卷

王觀之　輿地圖十六卷

王日休　九邱總要三百四十卷

倪朴　輿地會元四十卷　浦江人

翁夢得　地理總括

唐仲友　地理詳辨二卷

薛季宣　九州圖志

潘翼　九域賦一卷　字雄飛，青田人。

祝穆　方輿勝覽七十卷　字和父，建安人。所載止東南十七路。

周應合　景定建康志五十卷　武寧人，翰林修撰。疏斥賈似道，謫外。

梁克家　淳熙三山志四十二卷

吴元美　句漏洞天十記一卷　福州人。

范成大　吴郡志五十卷

琴川志二十六卷　失名。

鄒補之　毘陵志十二卷　開化人，常州教授。

史能之　重脩毘陵志三十卷　字子善，四明人，常州知府。

潛説友　臨安志一百卷　今闕七卷。

謝翱　浙東西游録九卷

李郁　古杭夢遊録一卷

潘景夔　鹽官縣圖經

張淏　會稽續志八卷

董弁　嚴州圖經

景定臨川志三十五卷　失名。

瑞陽志二十一卷　失名。

江文叔　桂林志二十七卷　静江軍教授。

右地理類,二十六家,一千八十二卷。

陳思　古賢小字録一卷

張亹　張氏宗譜

右譜牒類,二家,一卷。

趙希弁　續讀書志四卷。

陳振孫　直齋書録解題五十六卷　今分二十二卷。

王應麟　漢藝文志攷證十卷

右簿録類,三家,七十卷。

凡史部八十五家,二千七百四十九卷。

子部

陳淳　性理字義二卷　采集周、程、張、朱之論。字義詳講二卷　即前《字義》引古今事實證之。

饒魯　雙峯講義五册

胡一桂　人倫事鑒

楊與立　朱子語略二十卷　一作十卷。建安人,朱子門人。

趙滔　池陽講書本末一卷

史繩祖　學齋佔畢四卷　眉山人。

王遂　實齋心學一卷

劉荀　明本釋三卷　汶上人。

趙善璙　自警編九卷　字德純，宗室，居於歙，大理評事。

劉夢應　明善録八卷　衡州臨武人。

國之材　青宫備覽四十卷　景定間宣教郎。

曹彦約　經幄管見一卷　官禮部侍朗時撰進。

王孝友　性理彝訓一卷　字順伯，豐城人。

王佖　紫陽宗旨三十八卷　金華人。

葉采　近思録集解十四卷　建安人。

葉士龍　朱子語録類要十八卷　先儒講義二册　字雲叟，栝蒼人，黄幹門人。

熊句編　性理羣書二十三卷　熊剛大集解。

李元剛　聖門事業圖一卷

王柏　研幾圖一卷　天地萬物造化論一卷　廬陵周顒注。

何基　太極圖發揮一卷　通書發揮二卷　啟蒙發揮二卷　近思録發揮十四卷

許棐　樵漁録二卷

吴思齊　俟命録

熊禾　正蒙句解二卷　言行龜鑑二卷　文公要語

趙孟奎　聞見善善録一卷

劉應　李傳道精語　字希泌，建陽人。

趙汝談　荀子注

洪咨夔　荀子注

葉通　荀揚問荅外稿

章樵集曾子十八篇

劉炎　劉子邇言十二卷　字子宣，松陽人。

李之彦　東谷所見一卷　永嘉人。

王宗道　觀頤悟言一卷　讀書臆説十卷

劉軫　詮心指要　字德輿,平陽人。

陳亮　類次文中子

戴良齊　曾子遺書　中説辨妄

葉由庚　瘖叟自志一卷

盧楨　翼善書　錢塘人

朱南功　七十二子粹言二卷

黄宜　讀書手鈔二卷

王萬　時習編

吴霞舉　太玄潛虚圖説十卷

右儒家類,四十一家,二百七十八卷。　黄《志》有李邦獻《省心雜言》一卷,攷《宋志》有李公書,名同,即邦獻也,故不複載。

楊夢發　古今通論一册　宋南昌博士。

趙崇絢　雞肋一卷　字元素。

何坦　西疇常言一卷

戴埴　鼠璞一卷　桃源人。

儲泳　袪疑説一卷　字華谷,雲間人。

俞成德　螢雪叢説二卷　東陽人。

林駉　古今源流至論前集十卷　後集十卷　字德次,寧德人。

黄公紹　源流至論續集十卷　别集十卷

陳元靚　博聞録十卷

李大同　羣書就正六卷

黄震　黄氏日鈔一百卷　今止九十七卷。

馬端臨　多識録一百五十三卷

蔣猋　經史補遺　温州人。

閻人宏　經史旁聞十六卷　嘉興人。

葛澧　經史摭微四卷

車若水　脚氣集二卷

魏了翁　古今攷二十卷　方回補。

方昕　集事詩鑒一卷　字景明，莆田人。

右雜家類，十八家，三百五十九卷。

林洪　山家清供二卷

婁元善　田家五行二卷

右農家類，二家四卷。

孔平仲　珩璜新論一卷

汪若海　麟書一卷　字東叟，歙人。

馬純　陶朱新録一卷

楊彦齡　楊公筆録一卷

洪邁　夷堅支志七十卷　原一百卷，今存甲、乙、丙、丁、戊、庚、癸七集。

夷堅三志三十卷　原一百卷，今存己、辛、壬三集。

楊萬里　揮麈録三卷

王明清　揮麈前録四卷　後録十一卷　第三録三卷　餘話二卷　玉照新志六卷　元本五卷。

宋伯仁　煙波圖一卷

王楙　野客叢書三十卷

劉昌詩　蘆浦筆記十卷　字興伯，清江人，與北宋别一人。

王質　紹陶録二卷

朱翌　猗覺寮雜記三卷

施彦執　北窗炙輠録二卷　字德操，海寧人。

鄭景望　蒙齋筆談二卷　湘山人。

王有大 南墅閒居録一卷

羅大經 鶴林玉露十六卷

沈作喆 寓簡十卷 吴興人。

趙叔向 肎綮録一卷

施清臣 枕上言一卷 東州几上語一卷

尤玘 萬柳溪邊舊話一卷

葉寘 愛日齋叢鈔十卷 坦齋筆衡一卷

吴枋 宜齋野乘一卷 江陰人。

方岳 深雪偶談一卷 字元善,天台人,與歙秋厓别一人。

張仲文 白獺髓一卷

陳郁 藏一話腴一卷

俞文豹 清夜録一卷 吹劍録四卷 字文蔚,栝蒼人。

趙葵 行營雜録一卷

陳鵠 耆旧續聞十卷

趙希鵠 洞天清禄二卷 禄或作録,非。

莫君陳 月河所聞一卷 吴興人。

魯應龍 閒窗括異志一卷

侯延慶 退齋筆録一卷

張端義 貴耳集二卷 字正夫,鄭州人,居姑蘇。

龔頤正 芥隱筆記一卷

蔣正子 山房隨筆一卷

陳 失名。隨隱漫録五卷

荆溪吴氏 林下偶談四卷 失名。

盈之 醉翁談録八卷 不知姓,衡州録事參軍。

袁褧 楓窗小牘二卷

施君美 别續常談三卷

羅璧 識遺 字子蒼。

類編夷堅志五十一卷　以下失名。

儒林公議二卷

異聞總録四卷

搜采異聞録五卷

右小説家類，四十五家，三百三十八卷。

陳傅良　歷代兵制六卷　一作八卷。

章穎　南渡十將傳十卷

華岳　翠微先生北征録三卷

右兵書類，三家，十九卷。

徐大昇　子平三命通變三卷

張子微　玉髓真經五十卷

蔡牧堂　發微論一卷

管氏指蒙二册　謂管輅之書，集隋蕭吉、唐袁天綱、李淳風、宋王伋注，不知集者名。

右五行類，四家，五十六卷。

崇寧看詳太醫局醫生赴試問荅一卷

何大任　太醫局諸科程文格一卷　保幼大全二十卷　一名《小兒衛生總微論方》。

劉開復　真劉三點脈訣一卷　脈訣理玄祕要一卷　醫林闡微一卷　傷寒直格五卷

劉元賓　脈要祕括二卷

張景　醫説十卷

楊士瀛　醫學真詮二十卷　活人總括十卷　仁齋直指附遺方二十六卷　字登父，景定閒三山人。

陳自明　婦人良方二十四卷　外科精要三卷

周守忠　名醫蒙求一卷　類纂諸家養生至寶二十二卷　養生月覽二十五卷

右醫方類,八家,一百七十三卷。

岳珂　寶晉齋法書贊六十卷

曹士冕　法帖譜系二卷　都昌人。

張雯　書畫補遺

湯垕　畫鑒一卷

右藝術類,四家,六十三卷。

祝穆　事文類聚前集六十卷　後集五十卷　續集二十八卷　別集三十二卷

潘自牧　記纂淵海一百九十五卷　字牧之,龍游令。《金華志》作潘景憲叔度著。今本一百卷。

楊伯嵒　六帖補二十卷

嚴毅　押韻淵海二十卷　字子仁。

謝維新　合璧事類備要前集六十九卷　後集八十一卷　續集五十六卷　別集九十四卷　外集六十六卷

章俊卿　山堂羣書考索前集六十六卷　後集六十五卷　續集五十六卷　別集二十五卷　字如愚,金華人,國子博士。

陳元靚　事林廣記十卷　一作十二卷。

陳景沂　全芳備祖前集二十七卷　後集三十一卷　天台人。

胡繼宗　書言故事十卷　詩韻大成二卷　廬陵人。

周守忠　姬侍偶類二卷

王應麟　玉海二百卷　小學紺珠十卷　姓氏急就篇二卷

謝枋得　祕笈新書十六卷

毛直方　詩學大成三十卷　建安人。

高伯壎　會萃古今事類二百卷　字汝諧，福寧州人。

劉芳實　劉茂實　敏求機要十六卷　芳實字月梧，茂實字鳳梧，同編。

劉達可　璧水羣英集八十二卷　建安人。

錦繡萬花谷前集四十卷　後集四十卷　續集四十卷　別集三十卷　以下失名。

翰苑新書前集七十卷　後集三十二卷　別集十二卷　續集四十二卷　分門古今類事二十卷

太學新編畫一元龜一百卷

四六叢珠四十卷

萬卷菁華前集八十卷　後集八十卷

增脩聲律萬卷英華九十二卷

五色線二卷

右類書類，二十四家，二千三百四十一卷。

白玉蟾　老子道德經寶章一卷　指玄篇八卷

董思靖　道德集解二卷　一作四卷。清源天慶觀道士。

褚伯秀　莊子義海纂微一百六卷　中都道士。

右道家類，三家，一百十七卷。

圭堂　佛法大明二十卷

懷深　擬寒山詩一卷

湘山寂照禪師事狀十二卷

甬東三佛傳一卷　失名。

右釋家類，四家，三十四卷。

凡子部一百五十六家，三千七百八十二卷。

集部

張浚　中興備覽三卷

虞允文　奏議二十三卷

胡銓　奏議六卷

鄭僑　鄭魯公歷官表奏十卷

趙汝騰　庸齋瑣闥集一卷　庸齋表箋一卷

王覿　奏議二卷

牟子才　奏議十卷

李蘩　免糴奏議三卷　淳熙閒,蘩以大府卿總領四川,奏乞罷和糴諸疏。

崔與之　奏議四卷

方逢辰　蛟峯奏剳一卷

遠齋遺文一卷　失名。條上時政二十事。

樓山　奏議六卷　宋端平閒人,不知姓氏。

右表奏類,十二家,七十一卷。

吴仁杰　離騷草木蟲魚疏四卷

楊萬里　天問解一卷

高似孫　騷略三卷

謝翱　楚詞芳草圖譜一卷

祝君澤　古賦辨體十卷

曹勛　迎鑾賦

右騷賦類,六家,十九卷。

宗澤　忠簡文集八卷

尹焞　和靖文集十卷

羅從彦　豫章文集十七卷

歐陽澈　飄然集六卷　附録一卷

汪藻　浮溪文粹十五卷　集三十六卷久佚，今《四庫》亦録出版行。

孫覿　内簡尺牘十卷　門人李祖堯編并注。

陳洎　陳副使詩一卷　字亞之，彭城人。

朱長文　樂圃餘稿十卷

吴頤　金谿文集二十卷

員興宗　九華文集五十卷　今二十五卷，附録一卷。

曹協　雲莊集二十卷　今五卷。字同季。

張九成　横浦集二十卷　字子韶，錢塘人。

王庭珪　盧溪文集五十卷　安福人。

劉才邵　檆溪居士集十二卷　廬陵人。

華鎮　雲溪居士文集一百卷

馮山　太史集三十卷　安岳人。

馮澥　左丞集四十五卷　山子，資政殿學士。

度正　性善堂稿十五卷　字周卿，合州人。

曾極　舂陵小雅　金陵百咏一卷　臨川人。

左緯　委羽集　黄巖人。

郭印　雲溪集三十卷

王佐　敬齋文集二十卷　山陰人，户部尚書。一名《寶文集》。

史堯弼　蓮峯文集三十卷　乾道時人，今十卷。

劉子澄　玉淵文稿　孝宗時人。

崔敦禮　宫教集二十卷　孝宗時人。

李浩　橘園策二卷　臨川人，吏部侍郎。

王阮　義豐集一卷　德安人。

喻良能　香山集十七卷　義烏人。

李椿　文肅經濟編六卷　洺州永年人，避金亂，徙潭州。

廖行之　省齋文集十卷　附集一卷　字天民,衡州人。

陳長方　唯室文集十四卷　今四卷,附録一卷。

裘萬頃　竹齋詩集六卷　字元量,新建人。

陳傅良　止齋奥論十卷

唐仲友　説齋文集四十卷　別集三卷　説齋文粹十五卷　金華人。《文粹》,諸孫所輯。

徐安國　西窗文集十五卷　字衡仲,上饒人。

趙汝談　南唐集九卷　餘杭人。

程遺卿　梅屋詩集四卷

吴錫疇　蘭皋詩集二卷　新安人。

陳造　江湖長翁集四十卷　高郵人。

薛季宣　浪語集三十五卷

王炎　雙溪文集十七卷　歙縣人。

汪莘　方壺小稿九卷　字叔耕,休寧人。

杜範　清獻集三十卷　黄巖人,右丞相。

程公許　滄州文集　叙州宣化人。

鄧虎　文節文集六卷

崔敦詩　舍人集三十卷

周林　楊湖居士集四卷

黄應龍　壁林文集十四卷　嘉熙閒人。

許應龍　東澗文集　閩縣人。

劉宰　漫塘文集三十六卷　金壇人,謚文清。

林光朝　艾軒集十卷

劉鑰　雲莊集十二卷　附集十卷　建陽人,工部尚書,謚文簡。

陳淳　北溪大全集五十卷　外集一卷　字安卿,龍溪人。

方大琮　鐵菴集四十五卷　莆田人。

華岳　翠微南征録十一卷　北征録十一卷　貴池人。

程珌　洛水文集三十卷　一本二十六卷。休寧人，端明殿學士。
吴儆　竹洲文集二十卷　字益恭，休寧人，謚文肅。
吴偁　棣華雜著一卷　儆弟。
岳珂　玉楮詩稿八卷　字肅之，飛孫。
劉過　龍洲道人集十五卷
趙蕃　淳熙詩稿四十卷
倪朴　石陵書一卷
真德秀　西山文集五十五卷
魏了翁　鶴山全集一百十卷　渠陽集二十二卷
崔與之　清獻集十卷　增城人。
李昴英　文溪集二十卷　字俊明，番禺人，謚忠簡。
孫夢觀　雪窗文集二卷　附録一卷　慈谿人。
吕午　竹坡類稿　字伯可，歙人。
鄭清之　安晚堂詩
徐鹿卿　清正集六卷　附録一卷　豐城人，禮部侍郎。
徐經孫　文惠集五卷　豐城人。
高定子　著齋類稿四十卷　邛州人。
高斯得　恥堂存稿七卷　今八卷。定子從子。
吴泳　鶴林文集　中江人。
吴昌裔　格齋文集四十卷　泳弟，謚忠肅。
李𡏖　桃溪文集一百卷　崇慶晉原人。
葉時　竹埜詩集　字秀發，仁和人，謚文康。
程元鳳　訥齋集　歙人，吉國公，謚文清。
曹彦約　昌谷小集二十卷　續集一卷　都昌人，兵部尚書，謚文簡。
陽枋宇　谿陽文集十二卷　字昌朝，理宗時人。
趙汝騰　蓬萊集　宗室，居福州，翰林學士。
袁甫　蒙齋集四十卷　今十八卷。四明人，吏部尚書，謚正肅。

方岳　秋崖小稿八十三卷　字巨山,祁門人。

劉克莊　後村居士集五十卷　詩文。又六十卷皆文。大全集一百九十六卷　**詩集十五卷**　莆田人,龍圖閣直學士。

李劉　梅亭類稿九十卷　四六標準四十卷

劉光祖　後溪文粹三十六卷　字德脩,簡州人,顯謨閣直學士,謚文節。

陳元晉　溪墅類稿十卷　一作《漁墅類稿》。寶唐人。

余謙　一文安家集　寶祐閒人。

樂雷發　雪磯叢稿五卷　字聲遠,春陵人。

李曾伯　可齋文集三十四卷　續集八卷　本懷州人,家於嘉禾,觀文殿大學士。

嚴大猷　方山集四卷　蒼溪人。

陳耆卿　篔窗文集　臨海人。

李宣子　月溪詩集七卷　杭州人。

許景迂　野雪行卷五卷　名賢贈言附。鍛排雜説一卷

錢時　蜀阜集十八卷　淳安人。

宋器之　雪巖詩集一卷　西塍集一卷　字伯仁。

危槙　巽齋集一卷　字逢吉,臨川人。

高似孫　疎寮集一卷　煙雨集

戴敏　東皋子詩集一卷　字敏才,子復古集其遺詩十篇行世。

戴復古　石屏詩集十卷　石屏續集四卷

戴昺　東野農歌集五卷　復古從子。

翁卷　葦碧軒詩四卷　字靈舒。

趙師秀　清苑齋詩四卷　字靈秀。

徐照　芳蘭軒詩五卷　今一卷,字靈暉。

徐璣　二薇亭詩四卷　今一卷。字靈淵。以上爲永嘉四靈。

高九　萬菊磵小集一卷

陳允平　西麓詩稿一卷　蜩鳴稿字君衡,明州人。

杜旃 癖齋小集一卷 字仲高,金華人。

張弋 秋江煙草一卷

姜夔 白石道人詩集一卷 字堯章,鄱陽人,流寓吴興。

羅與之 雪坡小稿二卷

施樞 横舟稿一卷 字知言,浮玉人。

朱南杰 學吟一卷 古徐人。

鄧林 皇荂曲一卷 字性之,臨江人。

張至龍 雪林删餘一卷

趙汝鐩 野谷詩稿六卷 字明翁,汴人,宗室。

李龏 梅花衲一卷 翦綃集一卷 二集皆集句,字和父,荷澤人。

葉茵 順適堂吟稿五卷 字景文,吴人。

芳庭斯植采芝集一卷 續稿一卷

周文璞 方泉集三卷 字晉仙,汝陽人。

周弼 端平詩雋四卷 文璞子,字伯弜。此李龏所編。

趙崇鉘 鷗渚微吟一卷 字元治,宗室。

陳鑒之 東齋小集一卷 字剛父,初名璟,三山人。

胡仲參 竹莊稿一卷 字希道,清源人。

鄒登龍 梅屋吟一卷 字震父,臨江人。

許棐 梅屋獻醜集一卷 融春小綴一卷 梅屋詩稿一卷 第三稿一卷 第四稿一卷 字忱父。

徐集孫 竹所吟稿一卷 字義夫,建安人。

葉紹翁 靖逸小集一卷 字嗣宗,建安人。

王琮 雅林小稿一卷 字中玉,栝蒼人。

余觀復 北窗詩稿一卷 字中行,盱江人。

毛珝 吾竹詩稿一卷 字元白,柯山人。

嚴羽 滄浪吟卷一卷 一作集二卷。

韓淲 澗泉詩集八卷 今《四庫》録行其集,二十卷。

劉應時　頤菴居士集二卷　字良佐，四明人。

張道洽　實齋梅花詩四卷

周弁　少師集二十卷

洪擬　静智集十六卷　寧海人

李吕　淡軒文集十五卷

張侃　拙軒初稿四卷

王與鈞　藍縷稿七十四卷

李流謙　淡齋文集八十九卷

熊瑞　冕山瞿悟集二十八卷

戴栩　浣川集十八卷

陳杰　自堂存稿十三卷　今四卷。字壽甫，豐城人。

陳文蔚　克齋集十七卷　字子才，上饒人。

趙綸　時齋集四卷

李處權　崧菴集十卷

沈撰　野堂集五卷

范子長　格齋集四十卷

蕭泰來　小山集二十五卷　臨江人。

徐綱　桐鄉集三卷

葛紹體　東山集十卷

徐恢　玉雪詩六卷

許右府　涉齋詩集二十卷

李紹　拙菴集四卷

林亦之　綱山集八卷　字學可，福清人，謚文節。

陳藻　樂軒集八卷　字元藻，福清人。集本十六卷，軼其半。

林希逸　竹溪鬳齋十一稿九十卷　續稿三十卷　字肅翁，福清人。

翁定　瓜圃詩五卷　字應叟，福建南安人，隱士。

王柏　魯齋三稿六十卷　文憲集二十卷

車清臣　玉峯冗稿十卷 字若水，黄巖人。

饒魯　雙峯文集 餘干人

吴淵　退菴集二卷 宣城人

吴潛　履齋遺集四卷 淵弟。

鄧剡　中齋集 字光薦，廬陵人。

吕定　象罔編遺稿一卷 一名《説劍吟》。

鄭起　菊山清雋集一卷 鄭思肖父。

文天祥　指南前録四卷　後録四卷 集杜詩。　**文山文集三十二卷　後集七卷　文山全集二十八卷**

劉黼　蒙川集十卷 樂清人。

家鉉翁　則堂文集十六卷 眉州人。

謝枋得　疊山文集十六卷

方逢辰　蛟峯文集八卷　外集四卷 淳安人。

何夢桂　潛齋文集十一卷 字巖叟，初名應祈，字申甫，淳安人。

歐陽守道　巽齋集二十三卷 廬陵人。

謝翱　晞髮集五卷　遺詩一卷　鐃歌鼓吹曲一卷　文集二十卷

汪元量　湖山類稿十三卷　水雲詩四卷

王炎午　吾汶稿九卷 字鼎翁，安福人。

林景熙　霽山集十卷 温州平陽人。

鄭樸翁　續古雜著二卷　厚倫詩一卷

方鳳　存雅堂集 一名景山，字韶父，浦江人。

鄭思肖　錦錢集　一百二十圖書詩文集一卷

梁棟　隆吉詩集 字中砥。

汪夢斗　北遊集二卷　雲閒集 字以南，績溪人。

舒岳祥　閬風集二十卷　三史纂言六卷　篆畦集九卷　蝶軒稿九卷　避地稿十卷　遜野稿三卷　閬風家録三卷

劉莊孫　樗園文集　字子仲,天台人。

許月卿　山屋集　字太空,改字宋士,新安人。

熊禾　勿軒集八卷　字去非,建陽人。

趙孟堅　彝齋文編四卷　海鹽人。

趙孟僩　湖山汗漫集

王鎡　月洞詩一卷　字介翁,遂昌人。

俞德鄰　佩韋文集二十卷　字宗大,玉山人。

王炎澤　南稜類稿二十卷　字咸仲,義烏人。

蘇景瑱文集十二卷　永嘉人。

周才　吴塘稿　字仲美,常熟人。

胡三省　竹素園稿一百卷　字身之,寧海人,寶祐進士。

周密　弁山詩集五卷　蠟屐集一卷　字公謹,錢塘人,寶祐閒義烏令,入元不仕。

程時登　述述稿三十卷　字登庸,江西樂平人,咸淳鄉貢,入元不仕。

汪炎昶詩集五卷　字懋遠,婺源人,隱居不仕。

趙文　青山稿三十一卷　字儀可,廬陵人,入元不仕。

羅公升　滄州詩集一卷　字時翁,永豐人。初,以軍功授本邑尉,入元不仕。

鄒次陳　遺安集十八卷　字用弼,宜黄人,中博學宏辭科,入元不仕。

劉躍　淵泉集二卷　字起宗,安城人,元屢聘不出。

黄仲元　四如先生集五卷　字淵叟,莆田人,國子監典簿,入元不仕。

毛直方　聊復軒稿二十卷　冶靈稿四卷　字静可,建安人,咸淳鄉薦,入元不仕。

陳仁子　牧萊脞語二十卷　二集八卷　字同倩,長沙人,不仕元。

朱淑真　斷腸詩集十卷　續集八卷

釋居簡北澗文集十卷　詩集九卷

釋子騰　鳳城集一卷

葛長庚　海瓊白玉蟾集八卷　續集四卷　閩人,一云瓊州人。

黄希旦　支離子詩集一卷　邵武道士。

鄧道樞　東遊集　字應叔，繇州人，住持吴文昌宫。

湯漢注陶靖節詩四卷

任淵　黄太史精華録八卷　内集注二十卷　字子淵，新津人。

史容注黄山谷外集十七卷　字公儀，青衣人。

史季温注黄山谷别集二卷　容孫，字子威。

右别集類，二百十五家，三千八百八卷。

趙鼎　得全居士詞一卷

張元幹　蘆川詞一卷　字仲宗，長樂人。

張輯　東澤綺語債二卷　字宗瑞，鄱陽人。

謝懋　静寄居士樂章二卷　字勉仲。

黄機　竹齋詩餘一卷　字幾仲，東陽人。

吴禮之　順受老人詞五卷　字子和，錢塘人。

李洪等　李氏花萼集五卷　洪及弟漳、泳、淦、浙所著詞。廬陵人。

嚴仁　清江欸乃一卷　字次山，邵武人。

郭應祥　笑笑詞一卷　字承禧，臨江人。

高觀國　竹屋癡語一卷　字賓王，山陰人。

史達祖　梅溪詞二卷　字邦卿，汴人。

趙以夫　虚齋樂府二卷　字用父，長樂人。

陳經國　龜峯詞一卷　閩三山人。

張榘　芸窗詞一卷　字方叔，潤州人。

洪瑹　空同詞一卷　字叔璵。

方千里　和清真詞一卷　三衢人。

盧炳　哄堂詞一卷　字叔陽。

蔣捷　竹山詞一卷

沈端節　克齋詞一卷　字約之，吴興人。

吴文英　夢窗甲乙丙丁四稿四卷　補遺一卷　字君特，四明人。

石孝友　金谷遺音一卷　字次仲，南昌人。
周密　草窗詞二卷　一名《蘋洲漁笛譜》。　絶妙好詞八卷
張掄　蓮社詞一卷　字才甫。
朱敦儒　樵歌三卷　字希真，洛陽人，居嘉禾。
康與之　順菴樂府五卷　字伯可。
曾覿海　野詞一卷　字純甫，汴人。
楊无咎　逃禪集二卷　字補之，清江人。
侯寘　嬾窟詞一卷　字彦周，東武人。
朱雍　梅詞三卷　《詞綜》作二卷。紹興中人。
劉過　龍洲詞一卷
姚寬　西溪居士樂府一卷　字令威，剡川人。
韓元吉　南澗詩餘一卷　字無咎，許昌人。
京鏜　松坡居士樂府一卷　字仲遠，豫章人。
李處全　晦菴詞一卷　字粹伯。
趙彦端　介菴詞四卷　字德莊。
管鑑　養拙堂詞一卷　字明仲。
張鎡　玉照堂詞一卷　字功甫，西秦人。
王千秋　審齋詞一卷　字錫老，東平人。
姜夔　白石道人歌曲四卷　别集一卷
楊炎　西樵語業一卷　號止清翁，廬陵人。
孫惟信　花翁詞一卷　字季蕃。
陳德武　白雪遺音一卷　三山人。
林正大　風雅遺音四卷　字敬之。一作二卷。
趙長卿　惜香樂府十卷　南豐宗室。
程貴卿　梅屋詞一卷
陳允平　日湖漁唱二卷　字君衡，明州人。
李廷忠　橘山樂府一卷

吴潛　履齋詩餘三卷

戴復古　石屏詞一卷

許棐　梅屋詞一卷

汪元量　水雲詞二卷

王沂孫　碧山樂府二卷　字聖與，會稽人。一名《花外集》。

張炎　玉田詞三卷　山中白雲八卷　字叔夏，張循王俊後裔，居臨安。

朱淑真　斷腸詞一卷

黄大隅　梅苑十卷　字戴萬，蜀人。集北宋咏梅詞。

黄昇　一作昜。　**散花菴詞一卷　花菴絶妙詞選十卷**　北宋詞。　**中興絶妙詞選十卷**　南宋詞。昜字叔暘。

典雅詞三卷　姚述堯《蕭臺公餘詞》、倪稱《綺川詞》、邱密《文定詞》各一卷。

右詞曲類，五十七家，一百五十五卷。

吕祖謙　三蘇文選五十九卷

樓昉　崇古文訣三十五卷

湯漢　妙絶古今四卷　字伯紀，鄱陽人，謚文清。

魏齊賢　葉芬同編　五百家播芳大全文粹一百十卷

李文子湛溪編　近古文集三十卷

王柏　五先生文粹一卷　石笋清風録十卷

李庚　天台前集三卷　前集别編一卷　續集三卷　續集别編六卷　林師蒧及子表民增修輯。

林表民　赤城集十八卷

鄭虎臣　吴都文粹九卷

周應龍　文髓九卷　紹定進士。標注韓、柳、歐、蘇五家文。

方頤孫　黼藻文章百段錦三卷　三山太學生。

陳鑑　西漢文鑑二十一卷　東漢文鑑十九卷　建安人。

陳仁子　文選補遺四十卷

趙師秀　衆妙集一卷
謝枋得　文章軌範七卷
真德秀　文章正宗二十卷　續集二十卷
王霆震　古文集成前集七十八卷
蔡文子注三蘇文選十二卷
毛直方　詩宗羣玉府三十卷
家求仁　增廣蟲魚雜詠十八卷　字直夫,眉山人。《宋志》有《草木昆蟲詩》六十八卷,此當在外。
李龏　唐僧宏秀集十卷
黄應　輪華川文派録六卷　號瓊巖,義烏人。録唐宋邑人之文。
陳思　兩宋名賢小集一百五十七卷　元陳世隆補。
陳起　江湖小集九十五卷　江湖後集二十四卷
成都文類五十卷　程遇孫等八人同編。
蘇門六君子文粹七十卷　以下不知撰人。
類編層瀾文選十卷　後集二十卷　别集十卷
聖宋文選三十二卷　凡十四家。有十六卷者,見《宋志》。
十先生奥論四十卷　程、張、朱、吕已下,共十五人。
增注唐策十卷
羣公四六十卷
四六叢珠四十卷
詩家鼎臠二卷
事文類聚啟劄青錢十卷

右總集類,三十四家,一千一百五十三卷。

陳騤　文則十卷　天台人。
陳謨　懷古録三卷
王應麟　詞學指南四卷

吴幵　優古堂詩話一卷

吴沆　環溪詩話三卷

朱弁　風月堂詩話二卷

趙與虤　娱書堂詩話一卷

韋居安　梅澗詩話二卷

范晞文　對牀夜話五卷　字景文，臨安人。

魏慶之　詩人玉屑二十卷

姜夔　詩説一卷

張炎　樂府指迷二卷

詩律武庫二十卷　失名。

右文史類，十三家，七十四卷。

段昌武　詩義指南一卷

魏昌一作天。應　綸學繩尺十卷林子長注。

徐滘生　易義矜式　周易擬題三卷字行可，建安人。

永嘉八面鋒十三卷　以下失名。

經義模範一卷

元中軍論三卷

右制舉類，六家，三十一卷。

凡集部三百四十三家，五千三百十一卷。

以上總四部六百七十八家，一萬二千七百四十二卷。

宋史藝文志
宋史新編藝文志
文志歧異表

上海書報合作社編譯所 編

李凌 整理

底本：民國上海大光書局排印《中國歷代藝文志》本

宋史藝文志　宋史新編藝文志歧異表

明莆田柯維騏積三十餘載之日力，撰《宋史新編》以匡糾《宋史》之違失。世傳其作是書時，至於發奮自宫，以專思慮，其用心之苦，可謂至矣。書凡二百卷，具紀表志傳，體例悉同正史，正謬補遺，厥功甚偉。以《新唐書》、《新五代史》相衡，則此書固亦其儔也。顧《四庫全書》館臣怵於文字之禍，以其書帝宋而夷遼金，恐其於清廷多所違礙，遂抑置於别史類存目之中。不特黄鐘毁棄，瓦釜雷鳴，爲有識者所嗟嘆，且草上之風必偃，二百年來此書海内漸鮮傳本矣。去秋，本社有刊行全史之舉，志在提倡學術，發揚文化，雅不欲爲傳統成説所囿，而仍委荊璞於草莽，以坐視其澌泯。是用抉破藩籬，立斥鉅金覓取本書，以與魏默深之《元史新編》並加入舊有二十四中爲二十六史。今兹本社又集各史藝文志而有《中國歷代藝文志》之印行，其上編所收，即二十六史中各史之藝文志也。惟柯書之與《宋史》雖多所歧異，而藝文志則大體仍因《宋史》舊貫，舍卷端總叙以外，其他不過各書排列之次序及卷數之多寡稍有出入而已。苟依照原書刊入，則重複拖沓，徒佔篇幅，於此書之庋藏移帶皆感不便，殊非本社用小字精印古書以便利讀者之本意。苟屏而不取，則不特自亂其編置之例，抑即此僅有之異同，考古者有時固亦視之爲絶佳資料，正無可以妄行割棄之理。籌維再四，爰決計抽去柯書藝文志，而另代以《宋史藝文志宋史新編藝文志歧異表》，舍柯書藝文志卷首之總叙全録外，其二書之歧異者一一爲之分别校列，而其相同者，則不復羅陳。庶乎爲量可省,爲質不減,既庋攜皆便,亦考古有徵矣。列表既竟,付印有期,用誌本社區區斟酌進退之苦心以告我讀者。

上海書報合作社編譯所識

宋史新編藝文志總叙

明南京户部主事莆田柯維騏

自庖羲作而八卦畫，更唐虞三代君臣之陳述，孔門師弟子之删脩講授，而藝文備矣。後世君國者憲其謨，蓄德者淑其教，飾治者敷其華，應務者涉其博，脩辭者規其製，誠致理之蓍龜，志學之標的歟。秦不師古，并百家之書燔滅之。漢興，始購民間充祕府，雖街謡萶語，有可採者，咸不廢也，兼以世儒之經箋、史纂、論議、詩歌，各表見其所長。歷代相沿，迄于宋，彌彬彬盛矣。宋初貯書有三館：太宗有崇文院，有祕閣，真宗有太清樓，神宗有祕書省。仁宗嘗命儒臣倣開元類編爲四部，號《崇文總目》，凡三萬卷有奇。逮徽宗《祕書總目》，倍之。靖康之難，悉亡于金。南渡仍建祕書，搜訪補輯，十得五六。嗣是世遘虜患，戎事方殷，而其君猶留意經術，不替家法，其臣暨草野之士，亦孜孜習以成俗，故一代述作，前莫之與侔。舊史所列，合古今書蓋九千八百十九部，十二萬卷云，嗚乎！右文之效，累朝熙治徵矣。道君而下，或溺異教，或斥正學，或累多欲，是皆飾名而遺實，庸益于治乎。然則宋之不競，雖文勝之弊，要未可一槩論也。

宋　史	宋史新編
一	
易傳十卷　［題卜子夏傳］	卜子夏易傳十卷
繫辭説卦序卦雜卦三卷　［韓康伯注］	韓康伯注繫辭説卦序卦雜卦三卷

易髓八卷 [晋人撰不知姓名]	晋人易髓八卷
古易十三卷 [出王洙家] 王洙言象外傳十卷	王洙言象外傳十卷 又所藏古易十三卷
觀物外篇六卷 [門人張㟭記雍之言]	觀物外篇六卷
觀物内篇解二卷 [雍之子伯温篇]	觀物内篇解二卷
鄭揚庭時用書十二卷	鄭揚庭時用書二十卷
安泳周易解義一部 [卷亡]	安泳周易解義一部
周易六十四卦賦一卷 [題潁川陳君作名亡]	周易六十四卦賦一卷
楊文焕五十家易解四十三卷	楊文焕五十家易解四十二卷
孫份周易先天流衍圖十二卷 [程敦厚序]	孫份周易先天流衍圖十二卷
尚書十二卷 [漢孔安國傳]	孔安國尚書傳十二卷
古文尚書二卷 [孔安國隸]	又隸古文尚書二卷
伏勝大傳三卷 [鄭玄注]	鄭玄注伏勝大傳三卷
汲冢周書十卷 [晋太原中於汲郡得之孔晁注]	孔晁注汲冢周書十卷
書説一卷 [程頤門人記]	程頤門人記書説一卷
吴棫稗傳十二卷	吴棫稗傳十三卷
三墳書三卷 [元豐中毛漸所得]	毛漸所得三墳書三卷
韓詩外傳三卷 [漢韓嬰傳]	韓詩外傳三卷
毛詩二十卷 [漢毛萇爲詁訓傳鄭玄箋]	鄭玄箋毛詩二十卷
新解一卷 [程頤門人記其師之言]	程頤新解一卷

吴氏詩本義補遺二卷　[名亡]	吴氏詩本義補遺二卷
儀禮十七篇　[高堂生傳]	儀禮十七篇
禮記二十卷　[戴望纂]	禮記二十卷　[戴聖纂]
胡先生中庸義一卷　[盛喬纂集]	胡先生中庸義一卷
十先生中庸集解二卷　[朱熹序]	朱熹序十先生中庸集解二卷
真德秀大學衍義四十二卷	真德秀大學衍義四十三卷
蕭祐　[一作祜]無射商九調譜一卷	蕭祐　[祐一作祜]無射商九調譜一卷
吕謂　[一作濆]廣陵止息語一卷	吕謂　[謂一作濆]陵止息譜一卷
沈氏琴書一卷　[失名]	沈氏琴書一卷
春秋七卷　[正經]	春秋七卷
杜預春秋左氏傳經傳集解三十卷	杜預春秋左氏傳經傳集解二十卷
春秋人譜一卷　[孫子平練明道同撰]	孫子平陳明道同撰春秋人一卷
張翰　[一作幹]春秋排門顯義十卷	張翰春秋排門顯義十卷　[翰一作幹]
袁希　[一作孝]政春秋要類五卷	袁希政春秋要類五卷　[希一作孝]
李塗春秋事對五卷　[蔡延龜注]	李塗春秋事對五卷
鞏叡　[一作濬]春秋琢瑕一卷	鞏濬春秋琢瑕一卷　[濬一作濬]
崔昇春秋分門屬類賦三卷[楊均注]	崔昇春秋分門屬類賦三卷
尹玉羽卿春秋音義賦十卷[冉遂良注]	尹玉羽卿春秋音義賦十卷

又春秋字源賦二卷 [楊文舉注]	又春秋字源賦二卷
春秋纂類義統十卷 [本十二卷第三十第四闕]	春秋纂類義統十卷
又春秋統論一卷	陳禾春秋統論一卷
左氏博議綱目一卷 [祖謙門人張成招標注]	左氏博議綱目一卷
左氏國語類編二卷 [祖謙門人所編]	左氏國語類編二卷
古文孝經一卷 [凡二十二章]	古文孝經一卷
吉觀國孝經新義一部 [卷亡]	吉觀國孝經新義一部
論語十卷 [何晏等集解]	何晏等集解論語十卷
龔原論語解一部 [卷亡]	龔原論語解一部
孔子家語十卷 [魏王肅注]	魏王肅注孔子家語十卷
丘光庭兼明書三卷	丘先庭兼明書三卷
爾雅三卷 [郭璞注]	郭璞注爾雅三卷
千字文一卷 [梁周興嗣次韻]	梁周興嗣次韻千字文一卷
林罕字源偏傍小説三卷	林罕字源偏傍小説二卷
景德韻略一卷 [戚倫等詳定]	戚倫等詳定景德韻略一卷
邵昺爾雅疏十卷	邢昺爾雅疏十卷
唐耜字説集解三十册 [卷亡]	唐耜字説集解三十册
蔡氏口訣一卷 [名亡]	蔡氏口訣一卷
洪邁次李翰蒙求二卷	洪邁次李翰蒙求三卷

二

魏澹後魏書紀一卷 [本七卷]	魏澹後魏書紀一卷
張太素後魏書天文志二卷 [本百卷惟有此]	張太素後魏書天文志二卷

三劉漢書標注六卷 [劉敞劉攽劉奉世]	三劉漢書標注六卷
唐創業起居注三卷 [温大雅撰]	温大雅撰唐創業起居注三卷
唐高祖實録二十卷 [許敬宗房玄齡等撰]	許敬宗房玄齡等撰唐高祖實録二十卷
唐太宗實録四十卷 [許敬宗撰]	許敬宗撰唐太宗實録四十卷
唐玄宗實録一百卷 [元載令狐峘撰]	元載令狐峘撰唐玄宗實録一百卷
唐肅宗實録三十卷 [元載撰]	元載撰唐肅宗實録三十卷
唐代宗實録四十卷 [令狐峘撰]	令狐峘撰唐代宗實録四十卷
唐德宗實録五十卷 [裴洎等撰]	裴洎等撰唐德宗實録五十卷
唐建中實録十五卷 [沈既濟撰]	沈既濟撰唐建中實録十五卷
唐順宗實録五卷 [韓愈撰]	韓愈撰唐順宗實録五卷
唐敬宗實録十卷 [李讓夷等撰]	李讓夷等撰唐敬宗實録十卷
唐文宗實録四十卷 [魏纂修撰]	魏纂修撰唐文宗實録四十卷
五代梁太祖實録二十卷 [張衮郄象等撰]	張衮郄象等撰五代梁太祖實録二十卷
五代唐明宗實録三十卷 [姚顗等撰]	姚顗等撰五代唐明宗實録三十卷
五代唐愍帝實録三卷 [張昭遠等撰]	張昭遠等撰五代唐愍帝實録三卷
五代唐廢帝實録十七卷 [張昭等同撰]	張昭等同撰五代唐廢帝實録十七卷
五代漢高祖實録十卷 [蘇逢吉等撰]	蘇逢吉等撰五代漢高祖實録十卷

五代周世宗實録四十卷 [宋王溥等撰]	王溥等撰五代周世宗實録四十卷
南唐烈祖實録二十卷 [高遠撰]	高遠撰南唐烈祖實録二十卷
宋太祖實録五十卷 [李沆沈倫修]	李沆沈倫修宋太祖實録五十卷
太宗實録八十卷 [錢若水修]	錢若水修太宗實録八十卷
真宗實録一百五十卷 [晏殊等同修]	晏殊等同修真宗實録一百五十卷
仁宗實録二百卷 [韓琦等修]	韓琦等修仁宗實録二百卷
英宗實録三十卷 [曾公亮等修]	曾公亮等修英宗實録三十卷
神宗日曆二百卷 [趙鼎范冲重修]	神宗日録二百卷 [自高宗以下日曆竝趙鼎范冲重修]
神宗實録考異五卷 [范冲修]	范冲修神宗實録考異五卷
徽宗實録二百卷 [李燾重修]	李燾重修徽宗實録二百卷
欽宗實録四十卷 [洪邁修]	洪邁修欽宗實録四十卷
高宗實録五百卷 [傅伯壽撰]	傅伯壽撰高宗實録五百卷
胡仔孔子編年五卷	胡存孔子編年五卷
歐陽迥 [一作炳]唐録備闕十五卷	歐陽迥唐録備闕十五卷 [迥一作炳]
程光榮 [一作柔]唐補注記 [注記一作紀]三卷	程光榮唐補注記十三卷 [一作柔][注記一作紀]
吴兢開元名臣録三卷	吴兢開九名臣録三卷
張傳靖唐編記 [一作紀]十卷	張傳靖唐編記十卷
胡旦唐乘 [一作策]七十卷	胡旦唐乘七十卷 [乘一作策]
劉攽五代春秋一部 [卷亡]	劉攽五代春秋一部
六朝寶訓一部 [卷亡]	六朝寶訓一部

瞿　［一作翟］驤帝王受命編年録三十卷	瞿驤帝王受命編年録三十卷　［瞿一作翟］
龔頴年　［一作運］曆圖八卷	龔頴年曆圖八卷　［年一作運］
張敦素通記　［一作紀］建元曆二卷	張敦素通記建元曆二卷　［記一作紀］
曹玄圭五運圖　［一作録］十二卷	曹玄圭五運圖十二卷　［圖一作録］
焦璐聖朝年代記　［一作紀］十卷	焦璐聖朝年代記十卷　［記一作紀］
洪偃五朝史述論八卷　［洪邁孫］	洪偃五朝史述論八卷
周護三吏菁英三十卷	周護三吏菁英二十卷
東萊先生西漢財論十卷　［吕祖謙論門人編］	東萊先生西漢財論十卷　［門人編］
唯室先生兩漢論一卷　［陳長方］	唯室先生兩漢論一卷
何博士備論四卷　［何去非］	何博士備論四卷
葉學士唐史鈔十卷　［不知名］	葉學士唐史鈔十卷
蘇頌邇英要覽一部　［卷亡］	蘇頌邇英要覽一部
鄭略敕語堂刊五卷	鄭略敕語堂判五卷
汾陰后土故事三卷　［自漢至唐］	汾陰后土故事三卷
三朝訓覽圖十卷　［仁宗製序］	三朝訓覽圖十卷
神宗寶訓五十卷　［不知集知姓名］	神宗寶訓五十卷
高宗聖政編要二十卷　［乾道淳熙中修］	高宗聖政編要二十卷
永熙寶訓二卷　［李妨子宗諤纂］	永熙寶訓二卷
趙氏唐典備對六卷　［不知名］	趙氏唐典備對六卷　［不知作者］

宋朝相輔年表一卷　[中興舘閣書目云臣繹上續表曰臣易記]	宋朝相輔年表一卷
金國明昌官制新格一卷　[不知何人撰]	金國明昌官制新格一卷
越國公行狀一卷　[唐鍾紹京事迹]	越國公行狀一卷
臨川名　[一作賢]士賢　[一作名]迹傳三卷	臨川名士賢迹傳三卷
李淑　[一作渤]六賢傳一卷	李淑六賢傳一卷
温龠　[一作畬]　天寶亂離記一卷	温龠天寶亂離記一卷
劉諫　[一作練]　國朝傳記三卷	劉諫國朝傳記三卷
宋巨　[一作宗柜]　明皇幸蜀録一卷	宋巨明皇幸蜀録一卷
蘇特　[一作時]唐代衣冠盛事録一卷	蘇特唐代衣冠盛事録一卷　[特一作時]
乾明　[一作寧]會稽録一卷	乾明會稽録一卷　[明一作寧]
曹希逵　[一作逢]孝感義聞録三卷	曹希逵孝感義聞録一卷
李隱　[一作隨]唐記奇事十卷	李隱唐記奇事十卷　[隱一作隨]
樂史廣孝悌　[一作新]書五十卷	樂史廣孝悌書五十卷　[悌一作新]
紹興名臣正論一卷　[題瀟湘樵夫序]	紹興名臣正論一卷

吕頤浩遺事一卷　[頤浩出處大槩]	吕頤浩遺事一卷
吕頤浩逢辰記一卷　[頤浩歷官次序]	吕頤浩逢辰記一卷
朱勝非年表一卷　[勝非孫昱上]	朱勝非年表一卷
朱勝非行狀一卷　[劉岑撰]	朱勝非行狀一卷
奉神述一卷　[真宗製]	真宗製奉神述一卷
吕文靖公事狀一卷　[不知作者]	吕文靖公事狀一卷
韓忠獻公家傳一卷　[韓琦五世孫庚卿作]	韓忠獻公家傳一卷
韓莊敏公遺事一卷　[韓宗武記]	韓莊敏公遺事一卷
胡剛中家傳一卷　[男胡興宗撰]	胡剛中家傳一卷
談氏家傳一卷　[談鑰撰]	談氏家傳一卷
英顯張侯平寇録一卷　[不知作者]	英顯張侯平寇録一卷
劉氏傳忠録三卷　[劉學裘撰]	劉氏傳忠録三卷
丁齊陳先生言行録一卷　[陳瓘男正同編]	丁齋陳先生言行録一卷
趙文定公遺事一卷　[不知何人編]	趙文定公遺事一卷
常諫議長洲政事録一卷　[常安名撰]	常諫議長洲政事録一卷
朱文公行狀一卷　[黄幹撰]	朱文公行狀一卷
劉岳李魏傳二卷　[張潁撰]	劉岳李魏傳二卷
柳程柳氏家學一卷	柳理柳氏家學一卷
崔氏登科記一卷　[不知作者]	崔氏登科記一卷

曹彬别傳一卷 ［曹彬之孫偃撰］	曹彬别傳一卷
又乖崖語録一卷 ［載張詠政績］	又乖崖語録一卷
楊貴妃遺事二卷 ［題岷山叟上］	楊貴妃遺事二卷
李昉談録一卷 ［李宗諤撰］	李昉談録一卷
郭贊傳略一卷 ［並不知作者］	郭贊傳畧一卷
孫沔遺事一卷 ［並不知作者］	孫沔遺事一卷
宋景文公筆記五卷 ［契丹官儀及碧雲霞附］	宋景文公筆記五卷
杜滋談録一卷 ［杜師秦等撰］	杜滋談録一卷
黄靖國再生傳一卷 ［廖子孟撰］	黄靖國再生傳一卷
曾鞏行述一卷 ［曾肇撰］	曾鞏行述一卷
曾肇行述一卷 ［楊時撰］	曾肇行述一卷
韓琦别録三卷 ［王嵓叟撰］	韓琦别録三卷
胡氏家傳録一卷 ［不知作者］	胡氏家傳録一卷
河南劉氏家傳二卷 ［劉唐老上］	河南劉氏家傳二卷
趙君錫遺事一卷 ［趙演撰］	趙君錫遺事一卷
韓文公歷官記一卷 ［程俱撰］	韓文公歷官記一卷
羅誘［一作羅綺］宜春傳信録三卷	羅誘宜春傳信録三卷
安燾行狀一卷 ［滎輯撰］	安燾行狀一卷
范祖禹家傳八卷 ［並范冲編］	范祖禹家傳八卷
韓琦定策事一卷 ［韓肖胄撰］	韓琦定策事一卷
劉安世譚録一卷 ［韓瓘撰］	劉安世譚録一卷
种諤傳一卷 ［趙起撰］	种諤傳一卷
胡瑗言行録一卷 ［關注撰］	胡瑗言行録一卷

三	
王彦威［一本作崔靈恩］續曲台禮三十卷	王彦威續曲台禮三十卷［一本作崔靈恩］
大中祥符封禪記五十卷［丁謂李宗諤等撰］	大中祥符封禪記五十卷
大中祥符祀汾陰記五十卷［丁謂等撰］	大中祥符祀汾陰記五十卷［竝丁謂等撰］
横渠張氏祭儀一卷［張載撰］	横渠張氏祭儀一卷
藍田吕氏祭説一卷［吕大均撰］	藍田吕氏祭説一卷
伊川程氏祭儀一卷［程頤撰］	伊川程氏祭儀一卷
宣和重修鹵薄圖記三十五卷［蔡攸等撰］	宣和重修鹵簿圖記三十五卷
中興禮書二卷［淳熙中禮部太常寺編］	中興禮書二卷［淳熙中禮］
淳熙編類祭祀儀式一卷［齊慶胄所撰］	淳熙編類祭祀儀式一卷
潘徽江都集禮一百四卷［本百二十部今殘闕］	潘徽江都集禮一百四卷
陳暘北郊祀典三十卷	陳暘北郊祀典三十卷
蔣猷貞祭敕令格式一部［卷亡］	蔣猷貞祭敕令格式一部
明堂拾饗太禮令式三百九十三卷［元豐間］	明堂拾饗大禮令式三百九十三卷［元豐間編］
明堂大饗視朔頒朔布政儀範敕令格式一部［宣和初卷亡］	明堂大饗視朔頒朔布政儀範敕令格式一部［宣和初］
諸陵荐獻禮文儀令格式并例一百五十一册［紹聖間卷亡］	諸陵荐獻禮文儀令格式并例一百五十一册［紹聖間］

祭服圖三册 [卷亡]	祭服圖三册
劉筠五服年月 [年月一作用]敕一卷	劉筠五服年月敕一卷
朝會儀注一卷 [元豐間]	朝會儀注一卷
大禮前天興殿儀二卷 [元豐間]	大禮前天興殿儀二卷 [竝元豐間]
閤門集例并目録大臣特恩三十卷	閤門集例并目録大臣特恩三十卷
閤門令四卷	閤門令四卷
皇后册禮儀範八册 [大觀間卷亡]	皇后册禮儀範八册 [大觀間]
王巖叟中宫儀範一部 [卷亡]	王巖叟中宫儀範一部
高中六尚供奉式二百册 [卷亡]	高中六尚供奉式二百册
營造法式二百五十册 [元祐間卷亡]	營造法式二百五十册 [元祐間]
諸蕃進貢令式十六卷 [董氈鬼章一闍婆一占成一層檀一大食一勿巡一注贊羅龍方張石蕃一闐拂菻一交州一龜兹回鶻一伊州沙州一三佛齊一丹流眉一大食陀婆離一大俞盧和地一陀婆離一俞盧和地一]	諸蕃進貢令式十六卷
司馬光家範一卷	司馬光家範四卷
説家祭儀一卷	孟説家祭儀一卷
律疏三十卷 [唐長孫無忌等作]	律疏三十卷 [唐長孫無忌等撰]
蕭旻開元禮律格令要訣一卷	蕭旻開元禮律格令要訣一卷
王行先 [一作仙]令律守鑑二卷	王行先令律手鑑二卷

河南東齋［一作齊］史書目三卷	河南東齋史書目三卷［齋一作齊］
逐安堂書目二卷［尤袤集］	尤袤集遂安堂書目二卷
滕強恕東湖書［自志］一卷	滕強恕東湖目志一卷
李匡文天潢源派譜説［一作統］一卷	李匡文天潢源派譜説一卷
李茂嵩［一作高］唐宗系譜一卷	李茂嵩唐宗系譜一卷
文宣王四十二［一作三］代家狀一卷	文宣王四十二代家狀一卷
毛漸毛氏世譜一部［卷亡］	毛漸毛氏世譜一部
洪興祖韓愈年譜一部［卷亡］	洪興祖韓愈年譜一部
宋仙源積慶圖一卷［起僖宗迄哲宗］	宋仙源積慶圖一卷
向敏中家譜一卷［向緘撰］	向敏中家譜一卷
符彦卿家譜一卷［符承宗撰］	符彦卿家譜一卷
方志圖二卷	方志圖三卷
劉之推文括九土［一作州］要略三卷	劉之推文括九土要畧三卷［土一作州］
沈括天下郡縣圖一部［卷亡］	沈括天下郡圖一部
又元和國記圖十卷	又元和圖計十卷
韋宙［一作寅］零陵録一卷	韋宙零陵録一卷［宙一作寅］
韋齊［一作濟］沐雲南行記二卷	韋齊沐雲南行記二卷
韋臯［一作皐］西南夷事狀二十卷	韋臯西南夷事狀二十卷［臯一作皐］

達奚洪［一作通］海外三十六國記一卷	達奚洪海外三十六國記一卷［洪一作通］
劉恂嶺表録一卷	劉恂嶺表録異二卷
陳傅歐冶拾遺一卷	陳傅歐冶拾遺一卷
毛漸地理五龍祕法一部［卷亡］	毛漸地理五龍祕法一部
廣西郡邑圖志一卷［張維序］	廣西郡邑圖志一卷
李和篪輿地要覽二十三卷	李和箎輿地要覽二十三卷
安南土貢風俗一卷［乾道中安南入貢客省承詔具其風俗及貢物名數］	安南土貢風俗一卷［乾道中安南久貢客省承詔撰］
談掞邕管溪洞雜記一卷	譚掞邕管溪洞雜記一卷
李韋之邵陽圖志三卷	李韋之邵陽圖志二卷
韓琦端拱以來宣敕劄子六十卷	韓琦端拱以來宣敕劄子七十卷
又學士院等處敕式交并看詳十二卷	又學士院等處敕式交并看詳二十卷
崔台符元丰編敕令格式并赦書德音申明八十一卷	又元丰編敕令格式并赦書德音申明八十一卷
吏部四選敕令格式一部［元祐初卷亡］	吏部四選敕令格式一部［元祐初］
元豐户部敕令格式一部［元祐初卷亡］	元豐户部敕令格式一部［元祐初］
六曹條貫及看詳三千六百九十四册［元祐初卷亡］	六曹條貫及看詳三千六百九十四册［元祐初］
元祐諸司市務敕令格式二百六册［卷亡］	元祐諸司市務敕令格式二百六册

樞密院條二十册看詳三十册［元祐間卷亡］	樞密院條二十册看詳三十册［元祐聞］
紹聖續修律學敕令格式看詳并淨條十二册　［建中靖國初卷亡］	紹聖續修律學敕令格式看詳并淨條十二册　［建中靖國初］
諸路州縣敕令格式并一時指揮十三册　［卷亡］	諸路州縣敕令格式并一時指揮十三册
六曹格子十册　［卷亡］	六曹格子十册
尚書省官制事目格參照卷六十七册　［卷亡］	尚書省官制事目格參照卷六十七册
門下省官制事目格并參照卷舊文淨條釐析總目目録七十二册［卷亡］	門下省官制事目格并參照卷舊文淨條釐析總目目録七十二册
徽宗崇寧國子監算學敕令格式并對修看詳一部　［卷亡］	徽宗崇寧國子監算學敕令格式并對條看詳一部
崇寧國子監畫學敕令格式一部　［卷亡］	崇寧國子監畫學敕令格式一部
諸路州縣學法一部　［大觀初卷亡］	諸路州縣學法一部
大觀新修内東門司應奉禁中請給敕令格式一部　［卷亡］	大觀新修内東門司應奉禁中請給敕令格式一部
國子大學辟廱并小學敕令格式申明一時指揮目録看詳一百六十八册　［卷亡］	國子大學辟廱并小學敕令格式申明一時指揮目録看詳一百六十八册
李圖南宗子大小學教令格式十五册　［卷亡］	李圖南宗子大小學教令格式十五册

何執中政和重修敕令格式五百四十八册 〔卷亡〕	何執中政和重修敕令格式五百四十八册
政和禄令格等三百二十一册〔卷亡〕	政和禄令格式等三百二十一册
宗祀大禮敕令格式一部 〔政和間卷亡〕	宗祀大禮敕令格式一部 〔政和間〕
張動直達綱運法并看詳一百三十一册 〔卷亡〕	張動直達綱運法并看詳一百三十一册
接送高麗敕令格式一部 〔宣和初卷亡〕	接送高麗敕令格式一部 〔宣和初〕
奉使高麗敕令格式一部 〔宣和初卷亡〕	奉使高麗敕令格式一部 〔宣和初〕
明堂敕令格式一千二百六册〔宣和初卷亡〕	明堂敕令格式一千一百六册〔宣和初〕
兩浙福建路敕令格式一部〔宣和初卷亡〕	兩浙福建路敕令格式一部〔宣和初〕
薛昂神霄宫使司法令一部〔卷亡〕	薛昂神霄宫使司法一部
崇寧學制一卷 〔徽宗學校新法〕	崇寧學制一卷
新編續降并叙法條貫一卷 〔編治平熙寧詔旨并官吏犯罪叙法條貫等事〕	新編續降并叙法條貫一卷
八路差官敕一卷 〔編熙寧總條審官東院條流内銓條〕	八路差官敕一卷
紹興重修六曹寺監庫務通用敕令關格式五十四卷 〔秦檜等撰〕	秦檜等撰紹興重修六曹寺監庫務通用敕令關格式五十四卷

紹興重修吏部敕令格式五十四卷　[秦檜等撰]	秦檜等撰紹興重修吏部敕令格式五十四卷
紹興重修貢舉敕令格式申明二十四卷　[紹興中進]	紹興重修貢舉敕令格式申明二十四卷
紹興參附尚書吏部敕令格式七十卷　[陳康伯等撰]	陳康伯等撰紹興參附尚書吏部敕令格式七十卷
紹興重修在京通用敕令格式申明五十六卷　[紹興中進]	紹興重修在京通用敕令格式申明五十六卷
乾道重修敕令格式一百二十卷　[虞允文等撰]	虞允文等撰乾道重修敕令格式一百二十卷
淳熙重修吏部左選敕令格式申明三百卷　[龔茂良等撰]	龔茂良等撰淳熙重修吏部左選敕令格式申明三百卷
淳熙吏部條法總類四十卷　[淳熙敕令二年所編]	淳熙吏部條法總類四十卷
慶元重修敕令格式及隨敕申明二百五十六卷　[慶元三年詔重修]	慶元重修敕令格式及隨敕申明二百五十六卷
慶元條法事類八十卷　[嘉泰元年敕令所編]	慶元條法事類八十卷
開禧重修吏部七司敕令格式申明三百三十三卷　[開禧元年上]	開禧重修吏部七司敕令格式申明三百三十三卷
嘉定編修百司吏職補授去一百三十三卷　[嘉定六年上]	嘉定編修百司吏職補授法一百三十三卷
嘉定編修吏部條法總類五十卷　[嘉定中詔修]	嘉定編修吏部條法總類五十卷
大宗正司敕令格式申明及目録八十一卷　[紹興重修]	太宗正司敕令格式申明及目録八十一卷　[紹興重修]

歐陽伸〔一作坤〕經書目録十一卷	歐陽伸經書目録十一卷
四	
荀卿子二十卷〔戰國趙人荀況書〕	荀卿子二十卷
魯仲連子五卷〔戰國齊人〕	魯仲連子五卷
董子一卷〔董無心撰〕	董無心撰董子一卷
尸子一卷〔尸佼撰〕	尸佼撰尸子一卷
玄測一卷〔漢宋衷解吴陸績釋之〕	玄測一卷
聱隅子歔欷鏁微論一卷〔黄晞撰〕	黄晞撰聱隅子歔欷鏁微論一卷
集注太玄經六卷〔並司馬光集〕	集注太玄經六卷
語録二卷〔程頤與弟子問答〕	語録二卷
孟子解四卷〔程頤門人記〕	程人門人記孟子解四卷
宋衷解太玄義經訣十卷〔李沂集〕	宋衷解太玄義經訣十卷
語録四卷〔尹惇門人馮忠恕祁寬吕堅中記〕	語録四卷
語録四十三卷〔朱熹門人所記〕	朱熹門人所記語録四十三卷
諸儒鳴道集七十二卷〔濂溪涑水横渠等書〕	諸儒鳴道集七十二卷
近思録十四卷〔朱熹吕祖謙編類周敦程頤程顥張載等書〕	朱熹吕祖謙編近思録十四卷
外書十二卷〔程顥程頤講學〕	程顥程頤講學外書十二卷
麗華論説集十卷〔吕祖謙門人記〕	吕祖謙門人記麗澤論説集十卷
周揆聖傳録一卷	周蔡聖傳録一卷

吕氏鄉約儀一卷 [吕大鈞撰]	吕大鈞撰吕氏鄉約儀一卷
何涉治道中説三十篇 [卷亡]	何涉治道中説三十篇
陸脩靜老子道德經羅説一卷	陸脩靜老子道德經雜説一卷
唐玄宗注老子道德經二卷 [有序]	唐玄宗注老子道德經二卷
墨布 [一作希] 子文子注十二卷	墨布子文子注十二卷 [布一作希]
范乾元 [一作九] 四子樞要二卷	范乾元四子樞要二卷
衛偕 [一作稽] 白术子三卷	衛偕白术子三卷
蔡珪陰符經注一卷	蔡望陰符經注一卷
老子道德經内節解二卷 [題尹先生注]	尹先生注老子道德經内節解二卷
吕知常老子講義十二卷	吕知常老子講義十三卷
鶡冠子三卷 [不知姓名漢志云楚人居深山以鶡羽爲冠因號云]	鶡冠子三卷
亢倉子三卷 [一名庚桑子戰國時人老子弟子]	亢倉子三卷
法林辨正論八卷 [陳子良注]	陳子良注法林辨正論八卷
淨本和尚論語一卷	淨本和尚論一卷
偈宗秘論一卷 [四論不知撰人]	偈宗祕論一卷 [竝失作者]
楞加山主小參録一卷	楞伽山主小參録一卷
紹脩漳州羅漢和尚法要三卷 [持琛]大雲和尚要法一卷 [惠海]	紹脩漳州羅漢和尚法要三卷
元覺一宿覺傳一卷	惠海元覺一宿覺傳一卷

寶覺禪師見道頌一卷　[寓言居士注]	寶覽禪師見道頌一卷
石頭和尚參同契一卷　[宗美注]	石頭和尚參同契一卷
惠忠國師語一卷　[冉氏]	惠忠國師語一卷
楊士達禪關八問一卷　[宗美]	楊士達禪關八問一卷
句令禪門法印傳五卷	宗美句令禪門法印傳五卷
覺旻高僧纂要五卷	覺旻高僧纂要五卷
德山集一卷　[仰山溈山語]	德山集一卷
潤文官録一卷　[唐人]	潤文官録一卷
釋門要録五卷　[紫陵以下不知撰人]	釋門要録五卷　[竝失作者]
廷壽感通賦一卷	延壽感通賦一卷
僧辨機唐西域志千二卷	僧辨機唐西域志十二卷
華嚴法界觀門一卷　[僧法順集僧宗密注]	華嚴法畍觀門一卷　[僧法順集僧宗密注]
無住和尚説法二卷　[僧純林集]	僧純林集無住和尚説法二卷
龐藴語録一卷　[唐于頔編]	唐于頔編龐藴語録一卷
唐六譯金剛經贊一卷　[鄭覃等撰]	鄭覃等撰唐六譯金剛經贊一卷
釋迦方志一卷　[唐終南大一山僧撰]	唐終南人一山僧撰釋迦方志一卷
僧自嚴行狀一卷　[陳嘉謨撰]	陳嘉謨撰僧自嚴行狀一卷
僧宗杲語録五卷　[黄文昌撰]	黄文昌撰僧宗杲語録五卷
僧菩提達磨存想法一卷	僧菩提達摩存想法一卷
又菩提達磨胎息訣一卷	又菩提達摩胎息訣一卷

頌證道歌一卷　［篇首題正覺禪師撰］	頌證道歌一卷　［正覺禪師撰］
淨土文十一卷　［王日休撰］	王日休撰淨土文十一卷
語録二卷　［松源和尚講解答問］	松源和尚語録二卷
普燈録三十卷　［僧正受集］	僧正受集普燈録三十卷
諸天傳二卷　［僧行霆述］	僧行霆述諸天傳二卷
奏對録一卷　［佛照禪師淳熙間奏對之語］	佛照禪師奏對録一卷　［淳熙間奏對之語］
崇正辨三卷　［胡演撰］	胡演崇正辨三卷
陸脩靜老子道德經雜説一卷	［缺］
黄庭經一卷　［其文初爲五言四章後皆七言論人身扶養修治之理］	黄庭經一卷
驪山母黄帝陰符大丹經解一卷　［房山長集］	房山長集驪山母黄帝陰符大丹經解一卷
大易誌圖參同經一卷　［玄深與葉答問靜能一行語］	大易誌圖參同經一卷　［玄宗與葉靜能一行答問語］
黄庭［内景］五藏六腑圖一卷［大白山見素女子胡愔撰］	黄庭内景五藏六腑圖一卷［大白山見素女子胡愔撰］
脩仙要訣一卷　［華子期授角里於先生］	脩仙要訣一卷　［華子期授於角里先生］
右道家附釋氏神仙類凡七百十七部二千五百二十四卷	［缺］
管子二十四卷　［齊管夷吾撰］	管子二十四卷
商子五卷　［衛公孫鞅撰］	商子五卷
慎子一卷　［慎到撰］	慎子一卷
韓子二十卷　［韓非撰］	韓子二十卷

丁度管子要畧五篇 [卷亡]	丁度管子要略五篇
董仲舒春秋決事 [作獄]十卷 [丁氏主黄氏正]	董仲舒春秋決事十卷 [事一作獄]
右法家類十部九十九卷	[缺]
公孫龍子一卷 [趙人]	公孫龍子一卷
尹文子一卷 [齊人]	尹文子一卷
鄧析子二卷 [鄭人]	鄧析子二卷
右名家類五部八卷	[缺]
墨子十五卷 [宋墨翟撰]	墨子十五卷
右墨家類一部十五卷	[缺]
夏小正戴氏傳四卷 [傅崧卿注]	傅崧卿注夏小正戴氏傳四卷
徐鍇歲時廣記一百二十卷 [内八卷闕]	徐鍇歲時廣記一百二十卷
許狀元節序故事十二卷 [許尚編]	許狀元節序故事十二卷
劉靖時鑑雜 [一作新]書四卷	劉靖時鑑雜書四卷 [雜一作新]
僧仲林花品記一卷	[缺]
吴輔竹譜二卷	吴良輔竹譜二卷
張宗誨花木録七卷	[缺]
淮南子鴻烈解二十一卷 [淮南王安撰]	淮南子鴻烈解二十一卷
通幽子靈台隱秘寶符一卷 [扶風隱者]	通幽子靈台隱秘寶符一卷
坐忘論一卷	坐忘論二卷

潘祖志筌書二卷	潘祖志筌書三卷
魏玄成祥應［一作瑞］圖十卷	魏玄成祥應圖十卷
柳氏小説舊聞六卷［柳公權撰］	柳公權柳氏小説舊聞六卷
闕史一卷［參寥子述］	參寥子述闕史一卷
佛孝經一卷［舊題名不知姓］	佛孝經一卷［舊題名鸎不知姓］
漢武帝洞溟記四卷［東漢郭憲編］	東漢郭憲編漢武帝洞溟記四卷
李綽［一作緯］尚書故實［一作事］一卷	李綽尚書故實一卷
賂子解［一作録］一卷	賂子解一卷
蒲仁裕蜀廣政雜記［一作紀］十五卷	蒲仁裕蜀廣政雜記十五卷
楊九齡三感志三卷	楊九齡三感志二卷
張舜民南還録一卷	張舜民南遷録一卷
林思［一作黄仁望］史遺一卷	林思史遺一卷［一作黄仁望］
王轂［亦作穀］報應録三卷	王轂報應録三卷
夏大珏［一作侯大］奇應録五卷	夏大珏奇應録五卷
麻安石祥異集驗三卷	麻安石祥異集驗二卷
陳邵［一作召］通幽記三卷	陳邵通幽記三卷
李攻［一作政］纂異記一卷	李攻纂異記一卷［攻一作政］
秉［一作乘］異三卷	秉異三卷
陳翰［一作翶］卓異記一卷	陳翰卓異記一卷［翰一作翶］
求吉凶影響録八卷	岑象求吉凶影響録八卷
宋肇筆録三卷［次其祖祥遺語］	宋肇筆録三卷

李孝友歷代錢録十卷	李孝友歷代錢譜十卷
秦再思洛中記異十卷	[缺]
閭丘業大象玄機歌一卷　[本三卷殘闕]	閭丘業大象玄機歌一卷
星説繫記　[一作紀]一卷	星説繫記一卷
七曜會聚　[一作曆]一卷	七曜會曆一卷
桑道茂大方廣　[一作大廣方」經神圖曆一卷	桑道茂大方廣經神圖曆一卷
郭穎夫　[一作士]符天大術休咎訣一卷	郭穎夫符天大術休咎訣一卷
辨負　[一作真]經二卷	辨負經二卷　[負一作真]
珞琭子賦一卷　[不知姓名宋李企注]	珞琭子賦一卷
地理觀風水歌一卷	地理觀風水歌二卷
周易鬼御算一卷	周易鬼銜算一卷
黄子　[一作景]玄易頌一卷	黄子玄易頌一卷　[子一作景]
王守一周易探玄九卷　[本十卷]	王守一周易探玄九卷
易杜祕林　[一作作林祕]一卷	易杜祕林一卷
法易　[一作易法]一卷	法易一卷
管公明隔山照一卷	管公明隔山照二卷
陰陽遁八　[一作入]局立成法一卷	陰陽遁八局立成法一卷
乾坤祕　[一作要]七卷	乾坤祕七卷
宅體　[一作髓]經一卷	宅髓經一卷
九天祕記　[一作訣]一卷	九天祕記一卷
通玄玉鑑頌　[一作領]二卷	通玄玉鑑頌二卷

封演元正［一作正元］占書一卷	封演元正占書一卷
袁天綱［一作孫思邈］九天玄女墜金法一卷	袁天綱九天玄女墜金法一卷［一作孫思邈］
玉升縮［或無縮字］占夢書十卷	王升縮占夢書十卷［或無縮字］
陰陽律體［一作髓］一卷	陰陽律髓一卷
年代風雲［一作雨］占一卷	年代風雲占一卷
掘鑑經［一作握鑑經］五卷	掘鑑經五卷
王承昭［一作紹］占風雲歌一卷	王承昭占風雲歌一卷
杜惟翰［一作幹］太一集八卷	杜惟翰太一集八卷
馬先天寶靈應式經［一作紀一作記］五卷	馬先天寶靈應式經五卷
六壬七曜氣神星禽經［一作紀］一卷	六壬七曜氣神星禽經一卷
僧重輝［一作耀］正德通神曆三卷	僧重輝正德通神曆三卷
劉玄［一作先］之月令圖一卷	劉玄之月令圖一卷［玄一作先］
蕭古［一作吉］五行大義五卷	蕭古五行大義五卷
杜百［一作相伯］子禽法一卷	杜百子禽法一卷
始［一作姑］布子卿相法［一作書］一卷	始布子卿相法一卷
雲蘿通真神相［一作明］訣十卷	雲蘿通真神相訣十卷

柳陰［一作隨］風占氣色歌一卷	柳陰風占氣色歌一卷
谷神［一作鬼谷］子辨養馬［一作養良馬］論一卷	谷神子辨養馬論一卷
七曜神氣經二卷［楊惟德王六翰李自立河堪等撰］	七曜神氣經二卷
兵濬霸國環周立成曆一卷	［缺］
碧眼先生壬髓經三卷［茅野叟湯渭注］	碧眼先生壬髓經三卷
玄女關格經一卷［皆六壬占驗之訣］	玄女關格經一卷
六壬金經玉鑑一卷［載六壬生旺尅殺之數］	六壬金經玉鑑一卷
萬年祕訣一卷［載檢擇日辰吉凶之法］	萬年祕訣一卷
玉女肘後述一卷［以六壬三傳之法爲歌］	玉女肘後述一卷
玉關歌一卷［載六壬三傳之驗］	玉關歌一卷
會靈經一卷［載六壬雜占之法］	會靈經一卷
雲雨賦一卷［崇文總目有劉式啓明占候雲雨書即此也］	雲雨賦一卷［即劉啓明占候雲賦武］
山海經圖十卷［郭璞序不著姓名］	山海經圖十卷
李仙師五音地理訣一卷	李仙師五音地理訣三卷
余考［一作秀］旦暮經一卷	余秀旦暮經一卷
假黃帝問答淮南子術一卷	淮南子術一卷

周易三備三卷　[題孔子師徒所述蓋依託也]	周易三備三卷　[題孔子師徒所述]
楊緯　[一作繹]符天曆一卷	楊緯符天曆一卷
沈括熙寧奉元曆一部　[卷亡]	沈括熙寧奉元曆一部
七曜細行一卷	[缺]
劉微　[一作徽]九章筭田草九卷	劉徽九章筭田草九卷
夏翰　[一作翶]新重演議海島筭經一卷	夏翰新重演議海島筭經一卷
僧一行心機筭術括　[一作格]一卷　[僧棲巖注]	僧一行心機筭術括一卷
合元萬分曆三卷　[作者名術不知姓名]	合元萬分曆三卷　[作者名術]
注九章筭經九卷　[魏劉徽唐李淳風注]	魏劉徽唐李淳風注九章筭經九卷
五曹筭經五卷　[李淳風等注]	李淳風等注五曹筭經五卷
觀天曆經一卷　[紹聖元符頒行]	觀天曆經一卷
龍受益法王守忠求一術歌一卷	王守忠求一術歌一卷
風后握機一卷　[晉馬隆略序]	風后握機一卷
蕭吉注　[或題曹蕭注]孫子一卷	蕭吉注孫子一卷　[或題曹蕭注]
白起陣書　[一作圖]一卷	白起陣書一卷
占風雲　[一作雲]氣三卷	占風雲氣三卷
又軍旅　[一作放]指歸三卷	又軍旅指歸三卷
閫外紀　[一作記]事十卷	閫外紀事十卷
胡萬項軍鑑式二卷	胡萬頃軍鑑式二卷

羅子昷［一作忌］神機武略歌三卷	羅子昷神機武略歌三卷
論天鏡［一作鑑］出戰要訣一卷	論天鏡出戰要訣一卷
武師左領記二卷	武師左領記三卷
尉繚子五卷［戰國時人］	尉繚子五卷
曹杜注孫子三卷［曹操杜牧］	曹杜注孫子三卷
黄帝太公兵法三卷［虞彦行進］	黄帝太公兵法三卷
六十甲子出軍祕訣［一作略］一卷	六十甲子出軍祕訣一卷
劉玄［一作定］之兵家月令一卷	劉玄之兵家月令一卷
又行軍環珠一部［卷亡］	又行軍環珠一部
又四路獸守約束一部［卷亡］	又四路戰守約束一部
余台兵籌類要十五卷	［缺］
溱播州勝兵法二部	溱播州勝兵法三部［卷亡］
皇甫松醉鄉日月三卷	胡嶠廣梁朝目三卷
劉敞漢官儀三卷［亦投子選也］	劉敞漢官儀三卷［亦骰子選也］
射經三卷	又射經三卷
法射指訣一卷	又法射指訣一卷
吕惠卿弓試一部［卷亡］	吕惠卿弓試一部
楊希璪［一作璨］四聲角圖一卷	楊希璨四聲角圖二卷
李嗣真畫後品一卷	［缺］
胡嶠廣梁朝畫目三卷	［缺］
郭若虛圖畫見聞誌六卷	［缺］

前後六帖三十卷　[前白居易撰後朱孔傳撰]	又前後六帖三十卷　[前白居易撰後朱孔傳撰]
又戚苑英華十卷	劉揚名戚苑英華十卷
又會要四十卷	蘇冕國典會要四十卷
章得象國朝會要一百五十卷[宋初玉慶曆四年]	章得象國朝會要一百五十卷
大孝　[一作存]	大孝
李知實　[一作實]檢志三卷	李知實檢志三卷
李慎微　[一作徽]理樞七卷	李慎微理樞七卷
楊名廣　[一作唐]畧新書三卷	楊名廣略新書三卷
李德孫學堂要記　[一作紀]十卷	李德孫學堂要記十卷
彫金集三卷	彫金集二卷
蔣氏寶車　[一作庫]十卷	蔣氏寶車十卷
鄭嵎　[一作嵎]雙金五卷	鄭嵎雙金五卷
筆藏論三卷	又筆藏論三卷
文選喬　[一作奇]京國記二卷	文選喬京國記二卷
劉濟九經類議　[一作義]二十卷	劉濟九經類議二十卷
續會要三百卷　[虞允文等撰]	虞允文等撰續會要三百卷
中興會要二百卷　[梁克家等撰]	梁克家等撰中興會要二百卷
孝宗會要二百卷　[楊濟鍾必萬總脩]	楊濟鍾必萬總脩孝宗會要二百卷
國朝會要五百八十八卷　[張從祖纂輯]	張從祖纂輯國朝會要五百八十八卷

黄帝内經素問二十四卷 [唐王冰注]	唐王冰注黄帝内經素問二十四卷
素問八卷 [隋全元起注]	隋全元起注素問八卷
揚玄操素問釋音 [一作言]一卷	楊玄操素問釋音一卷
王叔和脉訣 [一作經]一卷	王叔和脉訣一卷
叚元 [一作允]亮五藏鑑元 [一作原]四卷	叚元亮五藏鑑元四卷
山眺 [一作兆]鍼灸經一卷	山眺鍼灸經一卷
黄帝大素經三卷 [楊上善注]	楊上善注黄帝大素經三卷
金匱玉函八卷 [王叔和集]	王叔和集金匱玉函八卷
吴希言風論山兆 [一作眺]經一卷	吴希言風論山兆經一卷
吕廣金韜玉鑑經二卷	吕廣金韜玉鑑經三卷
雷 [一作靈]公仙人養性治 [一作理]身經三卷	雷公仙人養性治身經三卷
蘇越羣方秘要 [一作會]三卷	蘇越羣方祕要三卷
邢 [一作郱]元朴癰疽論一卷	邢元朴癰疽論一卷
蘇巉 [一作游]玄感論一卷	蘇巉玄感論一卷
蕭 [一作蘭]宗簡水氣論三卷	蕭宗簡水氣論三卷
唐 [一作廣]陵正師口齒論一卷	唐陵正師口齒論一卷 [唐一作廣]
李越 [一作鉞]新脩榮衛養生用藥補瀉論十卷	李越新脩榮衛養生用藥補瀉論十卷
楊歸 [一作師]厚產乳集驗方三卷	楊歸厚產乳集驗方三卷

安方恢萬全［一作金］方三卷	安方恢萬全方三卷［全一作金］
劉氏五藏旁通遵［一作導］養方一卷	劉氏五藏通遵養方一卷
針眼［一作眼針］鈎方一卷	針眼鈎方一卷
穆昌緒［一作叔］療眼諸方一卷	穆昌緒療眼諸方一卷
孩孺［一作嬰孩］雜病方五卷	孩孺雜病方五卷
許詠［一作泳］六十四問祕要方一卷	許詠六十四問祕要方一卷
華宗壽昇天［一作元］廣濟方三卷	華宗壽昇天廣濟方三卷［天一作元］
段詠［一作永］走馬備急方一卷	段詠走馬備急方一卷
曾孚先保生護命集一卷	曾孚先保生護命集二卷
伯樂鍼經一卷	伯樂鍼經二卷
黄氏中藏經一卷［靈寳洞主探微真人撰］	黄氏中藏經一卷
右醫書類五百九部三千三百二十七卷	［缺］

七

［缺］	楚辭類
楚辭十七卷［後漢王逸章句］	王逸章句楚辭十七卷
［缺］	别集類
右楚辭十二部一百四卷	［缺］
吴筠［一作均］集十一卷	吴筠集十一卷
張琜［一作琛］文一卷	張琜文一卷

握蘭［一作簡］集三卷	握蘭集三卷
鄭賓［一作賓］行宮集十卷	鄭賓行宮集十卷［賓一作賓］
劉宗［一作榮］望制集八卷	劉宗望制集八卷［宗一作榮］
苕［一作昭］亭雜筆五卷	苕亭雜筆五卷
苕［一作昭］川總載十卷	苕川總載十卷［苕一作昭］
陳［一作劉］黯集一卷	陳黯集一卷［陳一作劉］
戴文［一作乂］廻文詩一卷	戴文迴文詩一卷［文一作乂］
李叔文［一作父］詩一卷	李叔文詩一卷
章［一作章］鄗詩一卷	章鄗詩一卷
王遒［一作遵］詠史一卷	王遒詠史一卷
趙容［一作谷］刺賢詩一卷	趙容刺賢詩一卷［容一作谷］
毛濤［一作鑄］渾天賦一卷	毛濤渾天賦一卷
劉惲悲甘陵賦一卷［張龍泉章孝標注］	劉惲悲甘陵賦一卷
張瑩［一作束］	張瑩
弔梁［梁下或有郊字］賦一卷	弔梁賦一卷［梁下或有郊字］
年譜一卷［王宗稷編］	譜年一卷
張行成觀物集三十卷	張行成觀物集二十卷
林待聘内外制十二卷	林待聘内外制十五卷
費氏芸山居士文集二十一卷［不知名］	費氏芸山居士文集二十二卷［不知名］
周孚鈞刀編二十二卷	周孚鉛刀編二十三卷
薛齊誼六一先生事證一卷［告詞附］	薛齊誼六一先生事證一卷
王庭雲蛩集三卷	王庭雲蛩集二卷
范浚香溪文集二十二卷	范浚香溪文集一卷

右别集類一千八百二十四部二萬三千六百四卷	[缺]
文選類聚十卷	吕文祚注文選三十卷
宋白文苑英華一千卷 目五十卷	宋白李昉等纂文苑英華一千卷 [缺]
吕廷祚注文選三十卷	[缺]
唐德音三十卷 [起武德元年五月迄天寳十三年正月]	唐德音三十卷 [起武德迄天寳]
高仲武中興間氣集二卷 [錢起張衆甫等詩]	高仲武中興間氣集二卷 [錢起等詩]
壯觀類編一卷 [劉燾揚萬里米芾等作]	劉燾揚萬里米芾等壯觀類編一卷
三洪制稾六十二卷 [洪适遵邁撰]	三洪制稾六十二卷 [洪适洪遵洪邁撰]
集者並不知名	自臨賀郡志以下並不知集者姓名
李昉扈蒙文苑英華一千卷	[缺]
陳充九僧詩集一卷	陳充九僧詩集一卷 [宋初僧惠崇等]
南犍唱和詩集一卷 [吴中復吴祕張谷等作]	吴中復吴祕張谷等南犍唱和詩集一卷
姚闢荆溪唱和一卷	姚闢荆溪唱和詩一卷
張修桂林集十二卷	張修桂林集二十卷
莫若沖清湘泮水酬和一卷	莫若沖清湘泮水酬和詩一卷
陳讜西江酬唱一卷	陳讜西江酬唱詩一卷

廖伯憲岳陽唱和一卷	廖伯憲岳陽唱和詩一卷
潯陽琵琶亭紀詠三卷	潯陽琵琶亭紀詠二卷
欒史登科記解題二十卷	欒史登科記解題一十卷
王杞 [一作超]詩格一卷	王杞詩格一卷 [杞一作超]
許文貴 [一作貢]詩鑑二卷	許文貴詩鑑二卷
魏泰隱居話詩一卷	魏泰隱居詩話一卷

宋國史藝文志輯本

趙士煒 輯
陳錦春 馬常録 整理

底本:1933 年國立北平圖書館中華圖書館協會合刊《古佚書録叢輯》排印本。整理者按,此本最後附録《宋國史藝文志校記》,共有校記二十二條,已於正文改正,而將此《校記》删棄不録。

序

《國史藝文志》者，宋世所修《國史》之《藝文志》也。宋世屢修《國史》，或成或輟。《宋史·藝文志》著録者凡六：王旦等之《國史》一百二十卷、太祖、太宗兩朝。吕夷簡等《三朝國史》一百五十卷、太祖、太宗、真宗三朝。王珪《兩朝國史》一百二十卷、仁宗、英宗兩朝。鄧洵武《神宗正史》一百二十卷、王孝迪《哲宗正史》一百五十卷、李燾《四朝國史》三百五十卷。神宗、哲宗、徽宗、欽宗四朝。未著録者，有淳祐間所修《中興四朝國史》。高宗、孝宗、光宗、寧宗四朝。《神》、《哲》兩史，紹興初，以褒貶失實，廢而不用。王旦之書，則南渡時已不傳。語見洪邁《容齋隨筆》。餘四者，《玉海》、《通考》並曾引用，《宋史》亦據以損益成書，是元世尚存也。且宋之《國史》，當時非僅秘在中内，亦有副本流布民間。觀晁公武《讀書志》、陳振孫《書録解題》均曾著録，足徵私家亦得藏《國史》。而迄今無一卷貽留，寧非憾事？嘗疑在元代曾遭禁燬，否則當不至如是。元以異族入主中華，其史官學識淺陋，故《宋史》疏略，而《藝文志》尤紕謬，重複顛倒，不可枚數，《四庫》譏其爲諸史志中最叢脞者。上元倪氏有《宋藝文志補》一卷，功僅拾遺補闕，未曾是正訛舛。清世治史學者、考經籍者，均未顧及。余嘗欲爲之整比疏理，别爲新編，用徵一朝文獻，而彌兹闕陷。唯欲求董理，則宋人書録首資佐證。考宋人書録十亡八九，存者晁《志》、陳《録》，及《遂初堂書目》而已。至官録，尤爲重要，蓋《宋志》之所自出。今《崇文》雖有輯本，惜攷覈不精，《中興》並輯本亦無。余乃從事網輯，纂録成書，《崇文目》亦重加校訂，更以《玉海》、《通考》中稱引《國史志》甚夥，復以餘暇從而輯之。雖僅得二百餘條,然亦可想見一般。至其體例,可略得言。昔班氏漢史因《七略》以志藝文,事出刱作,故通記古今。後有纂修,自以斷代爲宜。譬之《太史公書》上起軒轅,下迄孝武。班氏續作,則斷自漢高。隋、唐史官不明此誼,妄爲倣擬。前志已有,後志仍收,頻繁互出,頗病重叠。子玄之譏,固其宜矣。夫以斷代之史,而有通記之志,於體、於義均爲未得。《國史志》於此未能改正其失,與《隋》、《唐志》同。《國史志》每類有小序,每書有解題,此異於歷朝史志者。竊以爲史貴簡潔,藝文志難比書録,苟有不明,如《唐志》略加注釋可已。若並具解題,殊嫌蕪穢。且自輯得者攷之,多失於空疏敷衍。是其意衹在取盈卷帙,實非史志正體。謂爲其失,固無不可。考《三朝志》似本之咸平《館閣書目》,《兩朝志》本之《崇文總目》,見《兩朝志序》。《四朝志》似本之政和《秘書總目》,按《四朝志序》云:"今見於著録,往往多非曩時所訪求者。"然則亦未盡本於《秘書總目》也。《中興志》乃以《館閣書目》、《續書目》銓次而成。《宋志》云:"《三朝》所録,則《兩朝》不復登載,而録其所未有者,《四朝》於《兩朝》亦然。"又云:"今删其重複。"蓋《中興志》乃紀南渡後重收圖籍,故有重複也。又《玉海》所引,多曰《國史志》,未有區別,不悉其爲《三朝志》,抑《兩朝志》,故今所輯録,合前三《志》於一編,統曰《國史志》。其已明言某朝《志》者,亦予注明,庶便觀覽。《中興志》别析爲一卷。其次略用《宋志》,其例已具所輯《中興館閣書目》。疏漏舛謬,自知不免。海内明哲,幸教正之。歲在壬申七月十日,趙士煒識於燕寓。

原　序

〔三朝志〕宋建隆初，三館有書萬二千餘卷。乾德元年，平荆南，盡收其圖書，以實三館。三年，平蜀，遣右拾遺孫逢吉往收其圖籍，凡得書萬三千卷。四年，下詔購募亡書。《三禮》涉弼、《三傳》彭幹、學究朱載等，皆詣闕獻書，合千二百二十八卷，詔分置書府，弼等並賜以科名。閏八月，詔史館："凡吏民有以書籍來獻，當視其篇目，館中所無者收之，獻書人送學士院試問吏理，堪任職官者，具以名聞。"開寶八年冬，平江南。明年春，遣太子洗馬吕龜祥就金陵籍其圖書，得二萬餘卷，悉送史館。自是群書漸備。兩浙錢俶歸朝，[①]又收其書籍。先是，朱梁都汴。正明中，始以今右長慶門東北廬舍十數間列爲三館，湫隘卑庳，纔蔽風雨。周廬徼道，出於其側。衛士騶卒，朝夕喧雜。歷代以來，未遑改作。每諸儒受詔，有所論撰，即移於他所，始能成之。太平興國初，太宗因幸三館，顧左右曰："若此之陋，豈可以畜天下圖籍，[②]延四方之士邪？"即詔經度左昇龍門東北舊車路院别建三館，命中使督其役。棟宇之制，皆親所規畫。三年二月，書院成，詔曰："國家聿新崇構，大集群書，宜錫嘉名，以光策府。其三館新修書院，宜目爲崇文院。"自經始至於畢工，臨幸者再。輪奐壯麗，甲於内廷。西序啓便門，以備行幸，於是盡遷舊館之書以實之。院之東廊爲昭文書庫，南廊爲集賢書庫，西

① "俶"，原作"淑"，據文淵閣《四庫全書》本《文獻通考》（以下簡稱"《文獻通考》"）改正。

② "畜"，《文獻通考》作"蓄"。

廊有四庫,分經、史、子、集四部,爲史館書庫。六庫書籍,正、副本凡八萬卷。策府之文,焕乎一變矣。九年正月,詔曰:"國家宣明憲度,恢張政治,敦崇儒術,啓迪化源,國典朝章,咸從振舉。遺編墜簡,當務詢求。眷言經濟,無以加此。宜令三館以《開元四部書目》閲館中闕者,[1]具列其名,詔中外購募。有以亡書來上,及三百卷,當議甄録酬獎。餘第卷帙之數,等級優賜。不願送官者,借本寫畢還之。"自是,四方書籍往往間出。端拱元年,詔分三館之書萬餘别爲書庫,目曰秘閣,以禮部侍郎李至兼秘書監,右司諫直史館宋泌兼直秘閣,右贊善大夫史館檢討杜鎬爲校理。淳化二年五月,以史館所藏天文、曆算、陰陽、術數、兵法之書,凡五千十二卷,天文圖畫一百十四卷,悉付秘閣。八月,賜宴於秘閣。右僕射李昉、吏部尚書宋琪、左散騎常侍徐鉉,及翰林學士、諸曹侍郎、給事中、諫議、舍人等,皆預焉。大陳圖籍,令觀之。翌日,又詔御史中丞王化基及直館並賜宴,復令觀書。是歲,李至等上言曰:"王者藏書之府,自漢置未央宫,則有麒麟、天禄閣。命劉向、揚雄典校其書,皆在禁中,謂之中書,即内庫書也。後漢之東觀,亦禁中也。至桓帝,始置秘書監,掌禁中圖書秘記,謂之秘書。及魏文帝,分秘書,立中書,而秘書監專掌藝文圖籍之事。後以秘書屬少府,王肅爲《秘書監表》論曰:'魏之秘書,即漢之東觀也。'由是不屬少府。而蘭臺亦藏書,故薛夏云:'蘭臺爲外臺,秘書爲内閣。'然則秘閣之書,藏之於内明矣。晉、宋以還,皆有秘閣之號,故晉孝武好覽藝文,[2]敕秘書郎徐廣料秘閣四部書三萬餘卷。宋謝靈運爲秘書監,補秘閣之遺逸。齊末兵火,延燒秘閣,經籍遺散,梁江子一

① 《文獻通考》"館中"後有"所"。

② "藝文",《文獻通考》作"文藝"。

亦請歸秘閣觀書。隋煬帝寫秘閣之書，分爲三品，於觀文殿東、西廊貯之。然則秘閣之設，其來久矣。及唐開元中，繕寫四部書以充内庫，命散騎常侍褚無量、秘書監馬懷素總其事。事成，列於乾元殿之東廊。然則秘閣之書，皆置之於内也。自唐室陵夷，中原多故，經史文籍，蕩然流離。僅及百年，斯道幾廢。國家承衰敝之季，開政治之源。三館之書，購求漸廣。經籍之道，於是復興。陛下運獨見之明，下維新之詔。復建秘閣，以藏奇書。總群經之博要，資乙夜之觀覽。斯實出自宸心，非因群下之建議也。况睿藻神翰，盈溢編帙，其所崇重，非復與群司爲比。然自創置之後，載歷寒暑，而官司所處，未有定制。望降明詔，令與三館並列，叙其先後，著爲永式。其秘書省既無籍，元隸百司，請如舊制。"詔可其奏，列秘閣次於三館。三年八月，館閣成，上製贊，親書，并篆額，勒石立於閣前。《通考》卷一七四《序》引。

〔兩朝志〕祖宗藏書之所曰三館、秘閣，在左昇龍門北，是爲崇文院。自建隆至大中《玉海》引無此二字。祥符，著録總三萬六千二百八十卷。八年，館閣火，移寓右掖門外，謂之崇文外院。[①]借太清樓本補寫，既多損蠹，更命繕還。天聖三年，成萬七千六百卷，歸於太清。九年冬，新作崇文院。館閣復，而外院廢。時已《玉海》無此字。增募寫書史，專事完《玉海》作"全"。緝。景祐初，命翰林學士張觀、知制誥李淑、宋郊《玉海》作"祁"。編四庫書判館閣官，覆視録校。二年，上經、史八千四百二十五卷。明年，上子、集萬二千三百六十六卷，差賜官吏器幣，就宴。輔臣兩制館閣官，進管勾内侍官一等。"就"下十七字，《玉海》引無。詔購《玉海》引無此字。求逸書。復以書有謬濫不完，《玉海》作"全"。始命定其存廢，因倣《開元四部録》爲《崇文總目》。慶曆初成書，凡三萬六百六十

---

① "謂之"，原誤倒，據浙江書局本《玉海》(以下簡稱《玉海》)與《文獻通考》乙正。

九卷。然或相重,亦有可取而誤棄不録者。嘉祐四年,右正言秘閣校理吴及言:"内臣監館閣久不更,書多亡失,補寫不精,請選館職,分吏編寫,重借書法,《玉海》引無此四字。求訪所遺。"事並施用。《玉海》引無此四字。令陳襄、蔡抗、[①]蘇頌、陳繹編定四館書,不兼他局,二年一代。遂用黄紙寫印正本,以防蠹敗。又選京朝官、《玉海》引無此字。州縣官四人編校。二年,遷館職,闕即隨補。歲餘,詔曰:"國初承五代之後,簡編散落,三館聚書,僅纔萬卷。其後,平定列國,先收圖籍,亦嘗分遣使人,屢下詔令,訪募異本,校定篇目。聽政之暇,無廢覽觀。然比開元遺逸尚衆,宜加購《玉海》引缺此字。賞,以廣獻書。中外士庶並許上館閣闕書,卷支絹一匹,五百卷與文資官。"明年冬,奏黄本書六千四百九十六卷,補白本二千九百五十四卷,賜宴如景祐。自是編寫不絶,收獻書三《玉海》作"二"。百一十七部,千三百六十八卷,合《崇文總目》,除前志所載,删去重複訛謬,定著一千四百七十四部,八千四百九十四卷、篇,列次于此。上五字《通考》無。

《通考》卷一七四、《玉海》卷五二引。

〔四朝志〕熙寧四年,集賢院學士、史館宋敏求言:"前代崇建策府,廣收典籍,所以備人君覽觀,以成化天下。今三館、秘閣各有四部書,外經、史、子、集,其書類多訛舛,累加校正,尚無善本。蓋逐館幾四萬卷,校讐之時,務存速畢,每帙止用元本寫一册校正而已,更無兼本照對。第數既多,難得精密。故藏書雖富,未及前代。欲乞先以《前漢書·藝文志》所載者,廣求其本,令在館供職官重複校正。校正既畢,然後校後漢時諸書。竊緣戰國以後及於兩漢,皆是古書,文義簡奥,多有誤脱,須得他本參定。乞依昨來十七史例,於京師及下諸路藏書之家,借

① "抗",原作"杭",據《文獻通考》与《玉海》改正。

本謄寫送官。俟其已精,方及魏晉,次及宋齊至唐,則分爲數等,取其堪傳者則校正。庶幾秘府文籍,得以全善。"事雖不行,然補寫校正,訪求闕遺,未嘗廢也。七年,命三館、秘閣編校所看詳成都府進士郭有直及其子大亨所獻書三千七百七十九卷,得秘閣無者五百三卷,詔官大亨爲將作監主簿。自是,中外以書來上,凡增四百四十部,六千九百三十九卷。元豐三年,改官制,廢館職,以崇文院爲秘書省,刊寫分貯集賢院、史館、昭文館、秘閣經籍圖書,以秘書郎主之。編緝校定,正其脱誤,則校書郎、正字主之。歲於仲夏曝書,則給酒食費,諫官、御史及待制以上官畢赴。元祐中,詔秘書省見校對黄本書籍可添一員,以選人秦觀充。黄本書,即嘉祐中寫印正本。紹聖初,罷不復置。崇寧中,詔兩浙、成都府路,有民間鏤板奇書,令漕司取索,上秘書省。大觀二年,詔大司成分委國子監、太學、辟雍等官校本監書籍,候畢,令禮部覆校。四年,秘書監何志同言"漢著《七略》,凡爲書三萬三千九百卷。隋所藏,至三十七萬卷。唐開元間,八萬九千六百卷。慶曆間,常命儒臣集四庫爲籍,名曰《崇文總目》,凡三萬六百六十九卷。慶曆距今未遠也,按籍而求,十纔六七。號爲全本者,不過二萬餘卷,而脱簡斷編、亡散缺逸之數浸多",謂"宜及今有所搜採,視舊録有所未備者,頒其名數於天下,選文學博雅之士求訪。《總目》之外,别有異書,並借傳寫。或官給札,即其家傳之,就加校正,上之策府"。即從其請。政和七年,校書郎孫覿言:"太宗皇帝建崇文殿爲藏書之所,景祐中,仁宗皇帝詔儒臣即秘書所藏,編次條目,所得書以類分門,賜名《崇文總目》。神宗皇帝以崇文院爲秘書省,釐正官名,獨四庫書尚循崇文舊目。頃因臣僚建言,訪求遺書,今累年所得,《總目》之外,凡數百家,幾萬餘卷。乞依景祐故事,[①]詔秘書官以所訪遺書討論撰次,增入《總目》,合爲一書。乞别製美名,以更"崇文"之號。"迺命覿及著作佐郎倪濤、校書郎汪藻、劉彦通撰次,名曰《秘書總目》。宣和初,提舉秘書省官建言,置補寫御前書籍所於秘書省,稍訪天下之書,以資校對。以侍從官十人爲參詳官,餘官爲校勘官,進士以白衣充檢閲者數人,及年,皆命以官。四年四月,詔曰:"朕惟太宗皇帝底寧區宇,[②]作新斯文,屢下詔書,訪求亡佚,策府四部之藏,庶幾乎古。歷歲浸久,有司玩習,多致散缺。私室所閟,世或不傳。可令郡縣諭旨訪求,許士民以家藏書在所自陳,不以卷帙多寡,先具篇目申提舉秘書省以聞,聽旨遞進。可備收録,當優與支賜。或有所秘未見之書,有足觀采,即命以官,議加崇奬,其書録竟給還。若率先奉行,訪求最多州縣亦具名聞,庶稱朕表章闡繹之意。"又詔曰:"三館圖書之富,歷歲滋久,簡編脱落,字畫訛舛,校其卷帙,尚多逸遺,甚非所以示崇儒右文之意。"迺命建局,以補全校正文籍爲名,設官總理,募工繕寫,一置宣和殿,一置太清樓,一置秘閣,俾提舉秘書省官兼領。"凡所資用,悉出内帑,毋費有司,庶成一代之典。"三詔同日而下,四方奇書,自是間出。五年二月,提舉秘書省言:"有司搜訪士民家藏書籍,悉上送官,參校有無,募工繕寫,藏之御府。近與三館參校榮州助教張頤所進二百二十一卷、李東一百六十二卷,皆係闕遺,乞加褒賞。"詔頤賜進士出身,東補迪功郎。七年,提舉秘書省又言:"取索到王闡、張宿等家藏書,以三館、秘閣書目比對,所無者凡六百五十八部,二千四百一十七卷。及集省官校勘,悉善本,比前後所進書

① "乞",原作"迄",據《文獻通考》改正。

② "惟",原脱,據《文獻通考》補正。

數稍多。”詔闓補承務郎,宿補迪功郎。然自熙寧以來,搜訪補輯,至宣和盛矣。至靖康之變,散失莫考。今見於著録,往往多非曩時所訪求者,凡一千四百四十三部,二萬五千二百五十四卷。《通考》卷一七四。

《玉海》卷五二所引文頗删節。

按右《序》文三首,《通考》卷一百七十四《經籍考·總叙》引之,不著所出。考《玉海》卷五十二引其次段,云《兩朝志》云云,復稽之,三文各具首尾,爲《序》之體製,故斷以爲《國史志序》。末段則以之屬《中興國史志》,《總序》末云“右歷代收書之數,藏書之所,備見前《志》”,又其引前《志》叙録,並頂格書,其他則低一格,考證低兩格,二者尤足證明。

經　部

易　類

〔**三朝志**〕**二十七部,二百四十卷**。《通考》一七五引,下同。

〔**兩朝志**〕**十一部,七十三卷**。

〔**四朝志**〕**三十七部,二百一十九卷**。

右並見《通考》。《漢》、《隋》諸志,每類結數概在一類之末,今既爲輯録,已非原書,故列之一類之首,庶免與輯本結數混淆。

子夏易傳十卷

[**原釋**]**假託**。**真《子夏易傳》,一行所論是,然殘缺**。《玉海》三五。

按《隋志》"《卜子夏傳》二卷",云:"殘缺,梁六卷。"《唐志》亦二卷,《四庫闕書目》有《周易子夏》十八章一卷。此十卷,唐人僞託也。晁以道云:"出自張弧,今本十一卷,益僞。"

王弼　易論一卷

[**原釋**]**大類《略例》,而不及**。《玉海》三六。

按《隋志》、《崇文目》並不載,《館閣書目》、《宋志》祇有《易辨》一卷,《宋志》一作二卷。疑即此書。《書録解題》有王輔嗣《周易窮微》一卷,云:"爲論五篇。《館閣書目》有王弼《易辨》一卷,其論彖、論象亦類《略例》。意即此書也。"卷一。然則此三書雖異名,其實一也。

(周易口訣義六卷)据《書録解題》補。

按《書録解題》云:"史之徵撰,不詳何代人,《三朝史志》有其書,非唐則五代人也。避諱作'證'字。"卷一。《宋志》作"史文徽"。

(周易外義三卷)据《書録解題》補。

按《書録解題》云:"不知何人作,載於《三朝史志》,則其來亦久矣。大抵於《易》中所言及於制度名物者,皆詳著之。於《易》之本旨,無所發明,故曰'外義'。"卷一。《宋志》作蔡廣成撰,不悉何據。

李翱　易詮三卷《玉海》三六。

按《唐志》不載,《宋志》作七卷。

冀震　周易義略十卷亦曰《疏》。《玉海》三五。

按《宋志》同。

何氏講疏十三卷《玉海》三五。

按《宋志》作何氏《易講疏》,卷同,注云:"不著名。"

裴通　周易玄解三卷《玉海》三六。

按《宋志》同。

任奉古　周易發題一卷《玉海》三六。

按《宋志》同,《秘書省闕書目》作五卷。

周易正經明疑録一卷①

[原釋]**不知撰人**。《玉海》三六。

按《宋志》同,《秘書省闕書目》作《周易明疑録》。

右共輯得十條。

---

① "録"字原缺,據《玉海》補。

書　類

〔三朝志〕**十一部，一百一卷**。《通考》一七七引，下同。

〔兩朝志〕**二部，一十三卷**。

〔四朝志〕**一十二部，一百二十卷**。

(古文尚書)据《玉海》補。

[原釋]**唐孝明寫以今字，藏其舊本。開寶别定今文音義，與古文並行**。《玉海》三七。

按《隋志》、《唐志》、《崇文目》、《郡齋讀書志》均作十三卷，獨《宋志》作二卷，注云："孔安國隸。"

王晦叔　周書音訓十二卷《玉海》三七。

孟先　禹貢治水圖一卷《玉海》五六。

按《宋志》同。

右共輯得三條。

詩　類

〔三朝志〕**十三部，一百四十一卷**。《通考》一七九引，下同。

〔兩朝志〕**一部，一卷**。

〔四朝志〕**二十一部，三百二十八卷**。

詩譜(一卷)据《玉海》補。

[原釋]**世傳太叔求注，不在秘府。《經典釋文·叙録》所稱徐整暢，太叔裘隱，蓋整既暢演，而裘隱括之。求，字訛也**。歐陽修《補注》一卷。《玉海》卷三八。

〔**兩朝志**〕〔**原釋**〕**歐陽修於絳州得注本，卷首殘闕，因補成進之，而不知注者爲太叔求也**。《通考》一七九。

按《隋志》："鄭玄《詩譜》二卷，太叔求及劉鉉注。"《唐志》："《譜》三卷。"《崇文目》不載。《書録解題》、《宋志》並三卷，與《唐志》同。《館閣書目》、晁公武《讀書志》均作一卷，與此同。《玉海》所引，當即《兩朝志》之文也。以原書未著明，故仍分别録之。

右共輯得一條。

禮　類

〔**三朝志**〕**四十部，一千五十六卷**。《通考》一百八十引，下同。

〔**兩朝志**〕**三部，五十二卷**。

〔**四朝志**〕**二十五部，三百六十七卷**。

（唐月令一卷）据《通考》補。

〔**三朝志**〕〔**原釋**〕**初，《禮記·月令篇》第六，**[①]**即鄭注。唐明皇改黜舊文，附益時事，號"御删《月令》"，升爲首篇，集賢院别爲之注。厥後學者傳之，而《釋文》、《義疏》皆本鄭注，遂有别注小疏者，詞頗卑鄙。淳化初，判國子監李至請復行鄭注，詔兩制、三館、祕閣集議，史館修撰韓丕、張佖、胡旦條陳唐本之失，請如至奏，餘皆請且如舊，以便宣讀時令。大中祥符中，龍圖閣待制孫奭又言其事，羣論復以改作爲難，遂罷**。《通考》一八一。

按《宋志》"《鄭注月令》一卷"。又農家有唐玄宗删定《禮記·月令》一卷，又李林甫注一卷。亦在農家。此從《通考》入禮類。

---

① "禮"，原作"體"，據《文獻通考》改正。

右共輯得一條。

春秋類

〔三朝志〕**七十二部,六百五十八卷**。《通考》一八二引,下同。

〔兩朝志〕**十七部,一百一十四卷**。

〔四朝志〕**三十六部,三百七十五卷**。

春秋繁露十七卷《書録解題》三。

按《館閣書目》云:"《三朝國史志》十七卷。"《書録解題》云:"《隋》、《唐》及《國史志》卷皆十七,《崇文總目》凡八十二篇,《館閣書目》止十卷。"卷三。《宋志》亦作十七卷。

春秋闡微纂類義統十卷《玉海》四十。

按《玉海》引《館閣書目》,注云:"《國史志》同。"卷四十。原十二卷,趙匡撰。

春秋兩霸列國指要圖

[原釋]**《序》有晉霸、楚霸之語**。《玉海》四十。

按《館閣書目》作《春秋圖》一卷,唐會昌中,黄敬密撰。《宋志》作黄恭密《春秋指要圖》一卷。

春秋指掌圖二卷

[原釋]**融據李瑾《指掌》爲圖,不著姓**。《玉海》四十。

按《唐志》:"李瑾《春秋指掌》十五卷。"《宋志》增一"圖"字,非是。《宋志》别有《指掌圖》二卷。

春秋新義十卷《玉海》四十。

按《宋志》同,不著撰人。

春秋十二國年曆一卷

[原釋]**不知撰人**。《玉海》四十。

按《宋志》同。

林概　辨國語三卷《玉海》四十。

按《宋志》同。

右共輯得七條。

樂　類

〔**三朝志**〕**四十五部,四百九卷**。《通考》一八六引,下同。

〔**兩朝志**〕**三十三部,一百七十四卷**。

〔**四朝志**〕**二十一部,三百一十卷**。

樂髓新經一卷《玉海》一零五。

按仁宗御撰。《宋志》同。《玉海》引《館閣書目》兩作二卷,一作三卷。

審樂要紀二卷《玉海》一零五。

按仁宗康定元年撰。《館閣書目》云:"上卷述聲律、均吕、占候之法,下卷載歷代樂制。"又引御集内作四卷。

景祐廣樂記八十一卷

[**原釋**]**馮元、宋祁等撰**。孫奭撰《樂記圖》。《玉海》一零五。

按《宋志》作"宋郊",《書録解題》作八十卷,云:"元闕八卷。"《通攷》不著卷數。

宋祁　大樂圖二卷《玉海》一零五。

按《崇文總目》作《大樂圖義》,《宋志》作一卷,並與此異。

景祐大樂圖二十卷《玉海》一零五。

按《崇文總目》云:"聶冠卿撰,爲書一百二十六篇。"《宋志》同。

房庶　補亡樂書三卷

[原釋]庶字次元。《玉海》一零五。

按《館閣書目》、《宋志》並作《補亡樂書總要》,《郡齋讀書志》、《通考》與此同。

驃國樂頌一卷《玉海》一零八。

按《唐》、《宋志》樂類並不載,《秘書省闕書目》有《驃風樂頌》一卷。《唐會要》:"驃國在雲南西,與天竺國相近,故樂曲多演釋氏詞云。每爲曲齊唱,有類中國柘支舞。"《唐書·樂志》"貞元十七年,驃國王雍羌遣弟悉利移域主舒難陀獻其國樂"云云。以上並見《玉海》一零八引。

謝莊　琴譜三均手訣一卷

[原釋]疑假託。《玉海》一百一十。

按《崇文目》同,《通攷》不著卷數。《館閣書目》、《宋志》有《琴論》一卷,而無此。《書目》云:"叙堯至宋善琴者姓名,古曲名琴,通三均之制。"疑即一書。

劉氏周氏琴譜四卷

陳懷　琴譜二十一卷

琴集歷頭拍簿一卷

按《玉海》云"《志》唐以前有"云云,卷一百一十。《志》當即《國史志》也,而《宋志》無之。

蕭祐　無射商九調譜一卷《玉海》一百一十。

按《宋志》同,注云:"祐,一作祜。"

王大力　琴聲律圖一卷《玉海》一百一十。①

按《館閣書目》、《宋志》均作王大方《琴聲韵圖》一卷。

道英　琴德譜一卷《玉海》一百一十。

按《崇文總目》:"唐因明寺僧。述吴蜀異音及辨析指法。"道

① "十"字原缺,據《玉海》及前後文意補。

英與趙邪利同時，蓋從邪利所授。

沈氏　琴書一卷《玉海》一百一十。

按《崇文總目》云："不著名。"蓋諸家曲譜沈氏集之。

李勉　琴説一卷

[原釋]**勉傳善鼓琴，有響泉韻磬，張茂樞有《響泉記》**。上原小注。《玉海》一百一十。

按《宋志》同，《唐志》不載。

張淡　正琴譜一卷《玉海》一百一十。

按《宋志》同。《崇文目》云："不詳何代人，解琴指法。"

琴譜調三卷

[原釋]**李翱用指法**。《玉海》一百一十。

按《宋志》作八卷。《崇文目》不著撰人，云："舊本或題李翱用指法。"

王邈　琴譜一卷《玉海》一百一十。

按《崇文目》、《宋志》同，《通攷》引《崇文目》作二卷，梁開平中人。

蔡翼　琴調一卷《玉海》一百一十。

按《崇文目》云："僞唐蔡翼撰。"

琴略一卷《玉海》一百一十。

按《崇文目》云："不著撰人名氏。《序》有七例，頗鈔歷代善琴者，各爲門類，又載拍法及雜曲名。"《宋志》同。

琴式圖一卷《玉海》一百一十。

按《宋志》、《崇文目》同。《崇文目》云："不著撰人名氏，以琴制度爲圖，雜載趙邪利指訣。"《通攷》引《總目》作二卷。

琴譜纂要五卷《玉海》一百一十。

按《崇文目》云："不著撰人名氏，圖琴制度及載古曲譜曲名。"

笛律一卷《玉海》一百一十。

按《宋志》不載。

右共輯得二十四條。

孝經類

〔三朝志〕**六部,十卷**。《通考》一八五引,下同。

〔**兩朝志**〕**一部,一卷**。

〔**四朝志**〕**六部,五卷**。

〔三朝志〕**《古文孝經》世不傳,歷晉至唐,所行唯鄭氏者,世以爲鄭玄。唐開元中,史官劉子玄證其非鄭玄者十有二,諸儒非子玄之説。天寶中,玄宗自注,元行冲造疏,授學官。凡今儒者傳習焉。五代以來,孔、鄭二注皆亡。周顯德末,新羅獻《别序孝經》,即鄭注者。皇朝咸平中,令祭酒邢昺取行冲疏删定正義,行焉**。《通考》一八五。

按右一條,蓋即類之小序也。《書録解題》復引"五代以來"至"即鄭注者"數句,又謂《崇文總目》云"咸平中,日本僧奝然所獻",未悉孰是。

孔安國傳古二十二章,有《閨門篇》,爲世所疑。鄭氏注今十八章,相承言康成作。《鄭志·目録》不載,通儒皆驗其非。開元中,孝明纂諸説自注,以奪二家。然尚不知鄭氏之爲小同。《玉海》四一、《困學紀聞》七。

按右一條。《玉海》引《國史志》旨誼大異《三朝志》,其體製亦不似解題,疑或爲《兩朝志》、《四朝志》之《叙》也。

右共輯得二條,並《序》文。

論語類

〔三朝志〕**十六部,一百三十九卷**。《通考》一八四引,下同。

〔兩朝志〕二部，二十卷。
〔四朝志〕十三部，七十八卷。

皇侃　（論語）疏（十卷）據《宋志》補。
[原釋]雖時有鄙近，然博極羣言，補諸家之未至，爲後學所宗。咸平中，詔邢昺刊定正義。《玉海》四一。

按《孟子》不附《論語》，説見子部儒家類。

右共輯得一條。

經解類

〔三朝志〕十五家，一百七十一卷。《通考》一八五引，下同。
〔兩朝志〕二家，七十九卷。
〔四朝志〕四家，一百九十五卷。

唐末益州始有墨板，多術數、字學小書。後唐詔儒臣田敏校九經，鏤本于國子監。國初廣諸義疏音釋，令孔維、邢昺讐定頒布。後又作《三體石經》，訂正文字，於是經書大備。《玉海》四三。又《困學紀聞》八引至"讐定頒布"句。

按右一條。疑是經解類《序》，姑附於此。

小學類

〔三朝志〕六十七部，六百八卷。《通考》一八九引，下同。
〔兩朝志〕二十部，一百四十二卷。
〔四朝志〕二十二部，二百七十七卷。

〔三朝志〕《漢志》六藝以《爾雅》附《孝經》，六書爲小學。《隋》沿

其制。《唐》録有詁訓、小學二類,《爾雅》爲詁訓,偏傍、音韻、雜字爲小學。今合爲一。自齊、梁以後,音韻之學始盛,顧野王《玉篇》、陸法言《切韻》尤行於世。《通考》一八九。

字林一卷《書録解題》三、《玉海》四四引《館閣書目》。

按《館閣書目》作五卷,云:"或疑非本書,《三朝史》止一卷。"《輯考》卷一。《書録解題》作五卷,晉吕忱撰,云:"《隋》、《唐志》皆七卷,《三朝國史志》惟一卷,董氏《藏書志》三卷。其書集《説文》之漏略者凡五篇,然雜揉錯亂,未必完書也。"卷三。《崇文目》不載,《秘書省闕書目》及《宋志》並作五卷。

天寶元年集切韻五卷《玉海》四四。

按《切韻》,陸法言撰。天寶中,孫愐加字重修,名曰《唐韻》。同時未聞别有撰集,此殆愐所修也。《宋志》既載此,復載孫愐《唐韻》五卷,豈二書歟?《秘書省闕書目》有李舟《切韵》。

重修廣韻(五卷)據《宋志》補卷數。

[**原釋**]**皇朝陳彭年等**。《書録解題》三。

按《宋志》同。

群經音辨七卷或作十卷。《玉海》四三。

按賈昌朝撰,今本同。《宋志》作三卷。

(書苑)二十九卷《玉海》四五。

按《實録》:"景祐三年十月,周越上纂集古今人書并隸體法,名《書苑》,凡二十卷。"《玉海》四五引。本傳、《館閣書目》、《書録解題》、《宋志》並作十卷,《郡齋讀書志》作十五卷,云:"成於天聖八年。"

筆陣圖一卷

[**原釋**]**不知撰人**。《玉海》四五。

按《宋志》同,亦不知作者。《玉海》曾引羊欣《筆陣圖》、衛夫人《筆陣圖》,未悉是此否。

聲韻圖一卷

［**原釋**］**不知撰者**。《玉海》四五。

按《宋志》作夏竦撰。

右共輯得八條，内《序》一條。

讖緯類

〔三朝志〕**四部，三十二卷**。《通考》一八八。

〔兩朝志〕**舊有讖緯七經雜解，今緯書存者獨《易》，而《含文嘉》乃後人著爲占候兵家之説，與諸書所引禮緯乖異不合，故以《易緯》附經，移《含文嘉》於五行**。《通考》一八八。

右一條。疑是讖緯類《叙》，然《兩朝志》似無此類。若爲《含文嘉》之解題，體制語氣亦未盡似，故今兩著之。

右經部，凡十一類，共輯得五十九條，内《序》五條。

史　部

正史類

〔三朝志〕二十六部,二千一十卷。《通考》一九一引,下同。

〔兩朝志〕六部,五百五十六卷。

〔四朝志〕一十三部,一千一百六十七卷。

〔兩朝志〕國初,承唐舊,以《史記》、兩《漢書》爲三史,列於科舉,而患傳寫多誤,雍熙中始詔三館校定摹印,自是刊改非一,然猶未精。咸平中,校《三國志》、《晉》、《唐書》後,又校《隋書》、《南北史》。獨《唐書》以訛略不用,改修,十七年乃成。又以《宋》、《齊》、《梁》、《陳》、《後魏》、《北齊》、《周》七史,各有正書,或殘或缺,令天下悉上異本,崇文院校定,與《唐書》鏤板頒之,唯《五代史》未得立。《玉海》四九。

(新唐書)二百二十五卷　録一卷

[原釋]慶曆五年,五月四日己未。詔王堯臣、張方平、宋祁等刊修,久而未就。至和初,乃命歐陽修撰紀、表、志,宋祁撰列傳,范鎮、王疇、宋敏求、吕夏卿、劉羲叟同編修,凡十有七年,至嘉祐五年而成。提舉曾公亮上之,紀十、志五十、表十五、列傳百五十,凡廢舊傳六十一,增新傳三百三十一,又增三志、四表,凡二百二十五卷,《録》一卷。修等進秩。《玉海》四六。

按《宋志》作二百五十五卷,非是,今本亦二百二十五卷。

(李繪　補注唐書二百二十五卷)據《宋志》補。

[原釋]宣和中，進士李繪以《舊書》參《新書》而爲注。《玉海》四六。

(唐書)釋音二十五卷據《宋志》補。

[原釋]崇寧五年，董衡(撰)。《玉海》四六。

按《宋志》二十卷，列在小學類，今南監本附刻亦二十五卷。

吴縝　(新唐書)糾謬二十卷《玉海》四六。

按《郡齋讀書志》云："初名《糾謬》，其後改名《辨證》。"《宋志》同。

余靖　漢書刊誤三十卷

[原釋]景祐初，靖言《漢書》差舛，詔與王洙盡取秘閣古本對校，踰年乃定著此，議者譏其疏謬。《玉海》四九。

按《宋志》同。《崇文目》有余靖《三史刊誤》四十五卷，或即此書也。

右共輯得六條，内《序》一條。

編年類

〔四朝志〕二十四部，一千二百一十卷。宋敏求武宗以下元人雜史門，今附此。《通考》一九一。

按《三朝》、《兩朝志》此類總數《通攷》闕。

〔三朝志〕編年之作，蓋《春秋》舊自東漢後，變名滋多。至北齊，或曰紀，或曰春秋，或曰略，或曰典，或曰志。梁有《皇帝實録》。唐貞觀中，作《高祖實録》。自是訖皇朝爲之。《通考》一九一引。

按《通考》云："按實録即倣編年之法，惟《唐志》專立實録一門，隋史以實録附雜史，《宋志》以實録附編年，今從《宋志》。"《通考》一九一。《宋志》當即《國史志》也。

胡旦　漢春秋一百卷　問答一卷

[原釋]**因四百年行事立褒貶,以擬《春秋》**。以上十三字,原注文。**淳化五年,且自言願給借館吏繕寫,帝曰:"褒貶出於胸臆,豈得容易流傳?"祥符三年,謝泌又爲言,敕襄州給紙寫。天聖中,獻之,仁宗稱歎,遷且秘書監**。《玉海》四一。

陸長源　唐春秋十八卷《玉海》四一。

按《唐志》六十卷,此殘闕矣。《秘書省闕書目》作二十八卷,《宋志》不載。

右共輯得三條,内《序》一條。

起居注類

按此類總數,《通考》闕載。

〔三朝志〕**古者左史記言,右史記動。厥後有起居注,蓋記動也。時政記,蓋記言也。又有日曆,兼言、動而成之。淳化以來,悉備其書。唐録編年之外,又有起居注類。前代記注,今惟《唐創業起居注》存焉,餘悉亡逸。國朝起居注、時政記、日曆,秘在有司,不列於此**。《通考》一九一。

右共輯得一條,《序》文。

雜史類

〔三朝志〕**九十一部,九百六十八卷**。《通考》一九五引,下同。

〔兩朝志〕**三十一部,六百三十卷**。

〔四朝志〕**二十四部,一千七十三卷**。内《唐武宗實録》以十六部入實録門,不重具。

〔三朝志〕**雜史者,正史編年之外,别爲一家。體制不純,事多異聞,言或過實。然藉以質正疑謬,補輯闕遺。後之爲史者,有以取資。如司馬遷采《戰國策》、《楚漢春秋》,不爲無益也**。《通考》一九五。

(高氏小史)一百九卷　目録一卷《書録解題》四。

按《書録解題》:"一百三十卷,唐高峻撰。蓋鈔節歷代史也。"卷四。《唐志》云:"初六十卷,其子迥釐益之爲一百二十卷。"《郡齋讀書志》、《館閣書目》並百二十卷,《崇文目》、《宋志》並百十卷。《解題》又云:"館閣本止於文宗,今本多十卷,直至唐末。峻元和中人,其書當止於德、順間。其止於文宗及唐末者,迨皆後人傅益之。"

唐武宗實録二十卷《解題》作三十卷,今據《宋志》、《館閣書目》校改。

宣宗實録三十卷

懿宗實録三十卷

僖宗實録三十卷

昭宗實録三十卷

哀宗實録八卷

〔兩朝志〕[原釋]**初爲一百卷,其後增益爲一百四十八卷**。《書録解題》四。

按右六書並宋敏求撰。《通考》引《四朝志》編年類總數,注云:"宋敏求武宗以下元入雜史。"本類《四朝志》下亦注云:"内《武宗實録》以下六部入實録門,不重具。"則此六書當在此類,固無疑矣。唯《解題》引作《兩朝志》,此則注於《四朝志》下,未詳孰是。以理推之,《解題》較合。《解題》又云:"《懿宗實録》止有二十五卷,始終皆備,非闕也。實一百四十三卷。《館閣書目》又言闕第九一卷,今本亦不闕。"卷四。《宋志》《懿宗實録》作二十五卷,餘同。又今輯本《書録解題》於

《武録》下據《唐志》補"監修韋保衡"一句,大誤。

王沿　唐志二十一卷《玉海》四七。

按《宋志》同。

孫沖　五代紀七十七卷《玉海》四七。

按《宋志》同。

王軫　五朝春秋二十五卷《玉海》四一。

按《宋志》同。

右共輯得十一條,内《序》一條。

史抄類

[三朝志]**二十六部,六百一十二卷**。《通考》一九五引,下同。

[兩朝志]**四部,一百三十八卷**。

[四朝志]**三部,三十三卷**。

按《通考》云:"《隋》、《唐》史部皆附在雜史,《宋志》方别立史抄門。"卷一百九十五。

賈昌朝　通紀八十卷《玉海》四七。

按《宋志》同。

右共輯得一條。

故事類

[三朝志]**十六部,八十六卷**。《通考》二零一引,下同。

[兩朝志]**六部,六十三卷**。

[四朝志]**六十四部,九百二十卷**。

[三朝志]**西漢有掌故之吏,以主故事,則名之所起,不其遠乎?魏相爲丞相,務在奉行故事。孔光領樞機,亦守法度,修故事耳。然則師古之學,當世之要務。《隋》、《唐》載故事數十家,皆臺閣府署舊制,及諸遺風曩跡之事。今所存惟二三書,又取後之纂類附近者著之**。《通考》二零一。

觀文鑒古圖十卷《玉海》五六。

按《宋志》"仁宗撰",故事類兩見,别史類一見。

李淑　耕籍類事五卷《玉海》七六。

按《宋志》同。

(曾致堯　清邊前要)三十卷《玉海》二五。

按《宋志》《館閣書目》與《宋志》同。故事類作五十卷,又見子部兵家作十卷。《館閣書目》云列爲十三門,兵家類又云三十門。

汾陰后土故事三卷

[原釋]**自漢至唐**。**不知撰人**。《玉海》九四。

按《宋志》同。

辛怡顯　至道雲南録三卷

[原釋]**皇朝至道初書所歷**。《玉海》十六。

按《宋志》同,《書録解道》謂疑係僞書。

右共輯得六條,内《序》一條。

職官類

[三朝志]**三十四部,二百一十三卷**。《通考》二零一引,下同。

[兩朝志]**八部,三十二卷**。

[四朝志]**十二部,一百三十二卷**。

傳記類

[三朝志]一百三十九部,四百三十七卷。《通考》一九五引,下同。

[兩朝志]一十六部,八十一卷。

[四朝志]五十三部,五百二十二卷。

[三朝志]傳記之作,蓋史筆所不及者,方聞之士得以紀述,而爲勸戒。《通考》一九五。

[兩朝志]傳記之作,近世尤盛,其爲家者亦多可稱。采獲削稿,爲史所傳。然根據膚淺,好尚偏駁,滯泥一隅,寡通方之用。至孫冲、胡訥收摭益細,而通於小説。《通考》一九五。

孫冲　遺士傳一卷《玉海》五八。

按《宋志》作孫仲撰。

孝行録二卷

賢惠録二卷

民表録三卷

[原釋]天聖七年七月己卯,泰州泰興簿胡訥上所著云云。《玉海》五八。

按《宋志》同。《賢惠録》,《郡齋讀書志》作三卷,云:"胡訥撰國朝賢惠之女,後一卷瑗嗣成之。"又《民表録》條云:"胡訥撰録國朝循吏善政,李淑以爲雖淺俗,亦可備廣記。"卷三。《孝行録》,《書録解題》作三卷。

孝悌贊五卷

[兩朝志][原釋]樂史(撰)。《玉海》五八。

李略　(孔子弟子贊傳)六十卷《玉海》五七及五八兩引。

按《館閣書目》及《宋志》"略"並作"畋",餘同。

戴斗奉使録二卷

[**原釋**]**王晦叔(撰)**。《玉海》五八。

按晁公武《讀書志》作王曙撰。《宋志》王曙撰一卷。晦叔豈曙之字耶？別有《周書音訓》,已見前。

右共輯得九條,内《序》二條。

儀注類

[**三朝志**]**三十一部,一百二十九卷**。《通考》一八七引,下同。

[**兩朝志**]**二十一部,四百三十九卷**。

[**四朝志**]**五十五部,三千七百七十三卷**。

開元禮類釋十二卷《玉海》六九。

按《宋志》同,不著撰人。

(禮閣新編六十三卷)據《宋志》補。

[**原釋**]**大率吏文,無著述之體,而所載本末全具,有司便於檢用**。《玉海》六九。

按《玉海》云:"天聖五年十月,王皥所撰。六十卷,或作五十卷。書盡乾興,類以五禮之目"。卷六十九。卷數與《宋志》異。《秘書省闕書目》及《宋志》並六十卷。

宋綬　内東門儀制五卷《玉海》六九。

按《玉海》云:"天聖九年六月,宋綬、曹琮、夏元亨新編皇太后儀制五卷,詔名《内東門儀制》。"卷六十九。《宋志》同。

梁顥　閤門儀制六卷[①]《玉海》六九。

按《玉海》云:"景德元年二月,梁顥、李宗諤、焦守節等言,詔

① "閤",原作"閩",據《玉海》改正。

詳定《閤門儀制》,令重加刊正,以類分門,共成六卷"。卷六十九。《宋志》同。

李淑　閤門儀制十二卷《玉海》六九。

按康定元年修成,《宋志》同。

(慶曆祀儀六十三卷)據《宋志》補。

[**原釋**]**漏略,短於采獲**。《玉海》六九。

按慶曆四年,賈昌朝等纂上。《宋志》同。

宋祁　通議二卷《玉海》九六。

按《實録》、《宋志》並作《明堂通議》。

右共輯得七條。

刑法類

[三朝志]**四十三部,六百九十四卷**。《通考》二零一引,下同。

[**兩朝志**]**三十四部,三百七十七卷**。

[**四朝志**]**一百一十二部,一萬七千三百卷**。

裴光庭　開元格令科要一卷《玉海》六六。

按《唐志》、《崇文總目》、《宋志》並同。光庭,開元中侍郎。

大中已後雜敕三卷《玉海》六六。

按《宋志》同,不著撰人。《唐志》未著録。

端拱以來宣敕劄子六十卷　目録二卷《玉海》六四。

按嘉祐三年十二月,樞密院上。《宋志》"韓琦編",無《目録》。

王皐　續疑獄集四卷《玉海》六七。

按《宋志》"皐"作"皥"。和凝有《疑獄集》三卷,趙仝《玉海》作趙全。亦有《疑獄集》三卷,此蓋續之。

令文三十卷　附令敕一卷《玉海》六六。

按《玉海》:"天聖七年五月己巳,詔以新修令三十卷又附令敕頒行。初,修令官修令成,又録罪名之輕者五百餘條爲附令敕一卷,十年,下崇文院鏤板頒行。"卷六十六。《館閣書目》云:"時《令文》尚依唐制,夷簡等據唐舊文,斟酌衆條,益以新制,附令敕十八卷。"拙輯本卷二。《宋志》與《館閣書目》同。

續附令敕一卷《玉海》六六。

按《館閣書目》、《宋志》並云:"慶曆中編,不知作者。"

續降赦書德音三卷《玉海》六六。

按《宋志》未載,厪有崔台符《元豐編敕令格式並赦書德音申明》八十一卷,此或其續歟?《玉海》又作二卷。見《嘉祐編敕》條下。

嘉祐禄令(十卷)　嘉祐驛令(三卷)據《宋志》補。

[原釋]**嘉祐初,韓琦言内外吏兵俸禄雖等差而無著令,乃命官郎三司類次爲《禄令》。又以驛料名數著爲《驛令》**。《玉海》六六。

按《玉海》引此條厪云《志》云云,未悉爲《藝文志》抑《刑法志》,今姑附此。《玉海》又云:"嘉祐二年十月甲辰朔,三司使張方平上《秘書省闕書目》,《驛令》作四卷。"

(嘉祐編敕)十八卷據《玉海》補。

[原釋]**卷大,分上中下**。《玉海》六六。

按《玉海》云:"韓琦上言,所修《嘉祐編敕》,起慶曆四年冬,盡嘉祐三年,凡十二卷,《總例》一卷,《目録》五卷。其元降敕但行約束不在刑名者,又折爲《續降附令敕》三卷,《目録》一卷。"卷六十六。《宋志》又有韓琦《嘉祐詳定編敕》三十卷。

審官院編敕十五卷《玉海》一一七。

按《玉海》:"王珪以審官院皇祐一司敕至嘉祐七年以前續降敕劄一千二十三道,編成條貫,并《總例》共四百七十六條,爲十五卷。以《嘉祐審官院編敕》爲目。熙寧三年,以審官院爲東院。七年,《編敕》二卷成,凡一百十四條。"卷六十六。《宋志》

所載不著撰人。

(諸司條式)一百三十卷《玉海》六六。

按《宋志》作《在京諸司庫務條式》,治平二年六月王珪等上。

銓曹格敕十四卷[①]《玉海》一一七。

按《宋志》同。

右共輯得十二條。

目録類

[**三朝志**]**十六部,一百四十一卷**。《通考》二零一引,下同。

[**兩朝志**]**十一部,九十二卷**。

[**四朝志**]**六部,三十卷**。

乾德六年史館新定書目四卷《玉海》五二。

按《館閣書目》、《宋志》與此同,唯無"乾德六年"四字。《通志略》作二卷,張方平撰。《秘書省闕書目》作《史館書目》一卷,晁公武《讀書志》、《遂初堂書目》並同。晁《志》上多"大宋"二字,尤《目》上多"皇祐"二字。史館乃宋三館之一,諸家著録互異者,蓋時有修定也。晁《志》謂有書一萬五千餘卷,《館閣書目》謂有書萬四千餘卷,分四部。

崇文總目六十六卷　序録一卷

[**原釋**]**多所謬誤**。原注文。《玉海》五二。

按《館閣書目》、《通志》、《宋志》及今輯本所注舊卷數均同,唯無《叙録》。《皇朝事實類苑》六十七卷,似合《叙録》言之。晁公武《讀書志》作六十四卷,《通考》同,蓋據之。《續通鑑長編》及《玉海》均作六十卷。

---

① "卷",原作"條",據《玉海》改正。

右共輯得二條。

譜諜類

[三朝志]**五十三部,一百五十四卷**。《通考》二零一引,下同。

[兩朝志]**九部,六十二卷**。

[四朝志]**十六部,七十九卷**。

崔表　世本圖一卷《玉海》五十。

按《宋志》未見。

唐書總紀帝系三卷[①]《玉海》五十。

按《宋志》"紀"作"記"。

帝系圖一卷《玉海》五十。

按《宋志》同。

聖朝臣僚家譜一卷《玉海》五一。

按《宋志》無"聖朝"二字。

李衢　皇室維城録一卷《玉海》五一。

按《宋志》作李匡文,《唐志》無撰人,《崇文目》與此同。

皇宋玉牒三十三卷《玉海》五一。

按《玉海》:"祥符六年正月辛酉,判宗寺趙世長、可封等,請於皇屬籍之上別崇懿號,詔名《皇宋玉牒》。"卷五十一。《宋志》同。

(積慶圖)

[原釋]**八年,進《集慶圖》**。《玉海》五一。

按《玉海》:"詳符九年,趙安仁言唐故事,祖宗玉牒皆首載混元皇帝,請以御製《聖祖降臨記》冠於列聖玉牒及別修皇朝新

---

① "紀",原作"記",據《玉海》改正。

譜,如《唐天潢源派譜》,製爲美名,詔曰《仙源積慶圖》。從之。"注云:"《藝文志》'八年,進《積慶圖》,'與此不同。"

仙源類譜三十卷

[**兩朝志**][**原釋**]**祥符八年,建玉牒殿屬籍堂于新寺。趙安仁重修玉牒屬籍,因上《仙源積慶圖》。歲寫一本,藏龍圖閣。明年,又請御製《降臨記》冠玉牒、別修皇室新譜,賜名《仙源類譜》二十卷。景祐五年,歲寫皇族名位一編,黄綾裝,題《宗藩慶緒録》,與《仙源積慶圖》同上,並在有司**。《玉海》五一。

按《宋志》不載,廑有《天源類譜》一卷。

右共輯得八條。

地理類

[**三朝志**]**九十五部,二千三百二十九卷**。《通考》二零一引,下同。

[**兩朝志**]**二十八部,一百八十三卷**。

[**四朝志**]**四十二部,六百七十七卷**。

元和郡國志四十卷《玉海》十五。

按《唐志》:"李吉甫《元和郡縣圖誌》五十四卷。"《館閣書目》:"四十卷,《目》二卷。"《宋志》作《元和郡國圖志》,蓋已闕圖矣,猶名《圖志》,似未當,故此削之。

(皇華四達記十卷)據《宋志》補。

[**原釋**]**地理名家者賈耽,世之所傳有《皇華四達記》,餘多殘缺**。《玉海》十五。

按《唐》、《宋志》並同。蓋記驛程遠近書也。此條是否解題,抑爲《叙》文,尚待考訂,姑列於此。

賈耽　國要圖一卷《玉海》十四。

按《唐志》不載,《宋志》同。《崇文目》五卷,"國"上有"唐"字,云:"賈耽撰,褚璆重修。"

諸道山河地名要略九卷一名《處分語》,一名《新集地理書》。

按《玉海》引《唐志》,注云:"《崇文目》、《國史志》同。"卷十五。韋澳撰,《宋志》同。

韓郁　十道四蕃引一卷《玉海》十六。

按《宋志》同。

崔峻　華夷列國入貢圖二十卷《玉海》十六。

按《崇文目》不著撰人,《宋志》"峻"作"峽",似誤,又無"華夷"二字。

(皇祐方域)圖記三卷《玉海》十四。

按《宋志》:"王洙撰,三十卷,《要覽》一卷。"《玉海》:"皇祐三年,王洙掌禹錫,上《新修地理圖》五十卷,《圖繪要覽》一卷,詔賜名《皇祐方域圖志》。"《會要》云"九域"。卷四。三卷,疑爲"三十卷"之誤。

林特　宋朝會計録三十卷《玉海》五八。

按《玉海》引《國史》地理類,《宋志》同,唯"計"字作"稽",上無"宋朝"二字。

丁謂　景德會計録六卷《玉海》五八。

按凡六門,四十目,集户賦、郡縣課入、歲用禄食出納之數,以一歲爲準。

田況　皇祐會計録六卷《玉海》五八。

按略依丁謂所述,集成六卷。又爲《儲運》一篇,以補其闕。一《户口》,二《課入》,三《經費》,四《儲運》,五《禄賜》,六《雜記》。

蔡襄　治平會計録六卷《玉海》卷五八、卷一八五兩引。

按治平四年,韓絳上。

右輯得十一條。

霸史類

〔**三朝志**〕**二十七部,三百七十二卷**。《通考》一九五引,下同。

〔**兩朝志**〕**五部,五十四卷**。

(十六國春秋)

[**原釋**]**鴻書世有二十餘卷,舊《志》乃五十卷,蓋獻書者妄分篇第**。《玉海》四一。

按《隋志》一百卷,《唐志》一百二十卷。《北史》云:"百卷,《序例》一卷,《年志》一卷。"今本亦百卷,又有別本十六卷者。

右共輯得一條。

右史部,凡十四類,共輯得七十八條,内《序》一條。

子　部

儒　家

〔**三朝志**〕**五十一部,三百七十一卷**。《通考》二零八引,下同。

〔**兩朝志**〕**二十部,一百四十三卷**。

〔**四朝志**〕**二十四部,一百九十七卷**。

文明政化十卷《玉海》二八。

按太宗御撰,《宋志》同。《玉海》云:"《國史藝文志》儒家以太宗《文明政化》十卷、真宗《正説》十卷爲首。"卷二十八。

正説十卷《玉海》二八。

按真宗御撰。摭取經史可爲後世法者,著《正説》,凡五十篇,始於《正心》,終於《諍臣》。

答邇英聖問一卷

〔**兩朝志**〕[**原釋**]**慶曆四年三月,仁宗於邇英閣出御書十有三軸,凡三十五事,一曰遵祖宗之訓,二曰奉真考之業,三曰念祖宗艱難,四曰思祖宗愛民,五曰守信義,六曰不巧詐,七曰親碩學,八曰精六藝,九曰慎言語,十曰待耆老,十一曰崇靜退,十二曰求忠正,十三曰懼貴驕,十四曰招勇將,十五曰尚儒術,十六曰議釋老,十七曰重良臣,十八曰廣視聽,十九曰功無跡,二十曰戒喜怒,二十一曰明巧媚,二十二曰杜希旨,二十三曰從民欲,二十四曰慎滿盈,二十五曰傷暴露兵,二十六曰哀鰥寡,二十七曰訪屠釣,二十八曰講遠圖,二十九曰絶朋比,三十曰斥諂**

佞,三十一曰察小忠,三十二曰鑒迎合,三十三曰罪己爲民,三十四曰損躬撫軍,三十五曰求善補過。又出《危竿論》一篇,述居高慎危之意,顧丁度等曰:"朕觀書之暇,取臣僚上言及進對事目可施於政治者,書以分賜卿等等。"度暨曾公亮、楊安國、王洙等既拜賜,因請注釋其義。是月,丁度等上《答邇英聖問》一卷,上覽之終篇,指其中體大者六事,付中書樞密院令奉行之。答聖問者,即所釋前所賜三十五事也。《通考》二零一。①

按《宋志》同,云:"仁宗書三十五事,丁度等答。"《館閣書目》載仁宗御集有《邇英聖問》三卷,未悉即此否。《玉海》引《國史》本傳云"度著有《邇英聖覽》十卷",當非此書也。又謂《國史志》以《文明政化》、《正説》爲首,是其例以御撰冠每類也,故以此書附之,其餘則仍以時代爲先後。注釋之書,則以原書之次爲次。

徐庸　注太玄經十二卷《玉海》三六。

按《宋志》同。晁公武《讀書志》作徐庸註《太玄經解》十卷,云:"庸,慶曆間人,以范望解指義不的,因王涯林氏瑀也。諸解,重爲之注,取王涯《説玄》附於後,自爲《玄頣》,通名之爲《太玄性總》,其《自序》云爾。又多改其文字。"卷十。《館閣書目》、《宋志》别有《玄頣》一卷。

張齊　太玄正義統論一卷《玉海》三六。

按《宋志》同,唯列在王涯前,非是。

釋文玄説二卷《玉海》三六。

按《宋志》作《太玄釋文玄説》,亦張齊所撰。

宋咸　(太玄)音一卷《玉海》三六。據《宋志》補二字。

按《宋志》同。

① "二零一",案以上引文見於《文獻通考》卷二百十,當據正。

師望　玄鑒十卷《玉海》三六。

按《宋志》同。

陳漸　演玄七卷

[原釋]**本十卷,其間多言星曆,自焚三卷。前世多詆《太玄》,自王涯著説,發明奥淵,其學遂盛**。《玉海》三六。

按《宋志》同。晁公武《讀書志》作十卷,云:"漸,堯佐族子。凡十四篇。漸謂史以揚雄非聖人而作經,猶吴、楚僭王。按子雲《法言·解嘲》止云《太玄》,然則'經'非其自稱,弟子侯芭之徒尊之耳。"卷十。本傳云:"著書十五篇,號《演玄》,奏之。"《玉海》卷三十六引之,即《宋國史》也。

(中樞龜鏡一卷)

按《玉海》引《唐志》云:"《國史志》儒家蘇瓌撰。"《館閣書目》云:"初,瓌謂子頲有公輔器,[①]因以宰相事業訓之,凡二十七條。"《唐志》在小説家,《宋志》在史部故事類。

刁衎　本説十卷《玉海》五五。

按咸平二年五月,獻三十三篇。《崇文總目》、《宋志》同。《館閣書目》作刁衍,三卷,云:"凡三十篇,括古議今,雜論治要。"

趙鄰幾　鯫子一卷《玉海》五三。

按《玉海》引《國史志》云"儒家",《崇文目》、《宋志》同。

張弧　素履子一卷《玉海》五三。

按《玉海》引《國史志》云"儒家",《宋志》同。《崇文總目》作"張弘撰"。

治道中説三篇

[原釋]**何涉(撰),嘉祐中進**。《玉海》五五。

按《玉海》:"嘉祐二年十一月,何涉上《治道要術》三十篇。"卷

① "頲",原作"颋",據《玉海》卷五十五及武英殿本兩《唐書》改正。

五十五。《宋志》同,唯作三十篇,卷亡。《秘書省闕書目》作《治道中術》六卷,《宋志》雜家别有刁衎《治道中術》三卷,疑即此也。

右共輯得十四條。

道　家

〔三朝志〕**四十三部,二百五十卷**。《通考》二一一引,下同。

〔兩朝志〕**八部,十五卷**。

〔四朝志〕**九部,三十二卷**。

嚴君平　指歸十三卷《玉海》五三。

按《隋志》:"《老子指歸》十一卷,《玉海》引作十二卷。嚴遵注。"《舊唐志》十四卷,《新唐志》作嚴遵《指歸》十四卷。晁公武《讀書志》、《中興館閣書目》則皆作"嚴遵撰,谷神子注",《宋志》同。《讀書志》云:"《唐志》十四卷,馮廓注《指歸》十三卷。此本卷數與廓注同,其題谷神子而不顯名姓,疑即廓也。"卷十一。今本亦十三卷。

諸家道德經疏二卷

[原釋]**河上公、葛仙公、鄭思遠、睿宗、玄宗并自疏,不知姓名**。《玉海》五三。

按《宋志》同,題谷神子撰。《崇文目》亦不著撰人,錢侗疑爲即趙至堅《道德經疏》。趙書今存《道藏》,非是。王君重民《老子考》云:"疑谷神子即鄭思遠。"今考《國史志》所云集諸家并自疏,則鄭思遠與谷神子固二人也,以爲一人亦未當。

道德經節解二卷《玉海》五三。

按《玉海》引《國史志》不著撰人,《宋志》作葛玄撰。

右共輯得三條。

神仙家

〔三朝志〕**九十七部,六百二十五卷**。《通考》二二四引,下同。

〔兩朝志〕**四百一十三部**。

〔四朝志〕**二十部**。

〔三朝志〕**班志藝文,道家之外,復列神仙在方技。東漢後,道教始著,而真仙經誥別出焉。唐開元中,列其書爲藏目,曰《三洞瓊綱》,總三千七百四十四卷。厥後亂離,或至亡缺。宋朝再遣官校定,事具《道釋志》。嘗求其書,得七千餘卷。命徐鉉等讐校,去其重複,裁得三千七百三十七卷。大中祥符中,命王欽若等照舊目刊補,凡四千三百五十九卷**。洞真部六百二十卷,洞元部一千一十三卷,洞神部一百七十二卷,太真部一千四百七卷,太平部一百九十二卷,太清部五百七十六卷,正一部三百七十卷。**合爲新録,凡四千三百五十九。又撰篇目上獻,賜名《寶文統録》。《隋志》以道經目附四部之末,唐毋煚《録》散在乙丙部中。**[①] **今取修鍊、服餌、步引、黄治、符籙、章醮之説素藏館閣者,悉録於此**。《通考》二二四。

右共輯得一條,《序》。

釋　家

〔三朝志〕**五十八部,六百一十六卷**。《通考》二二六引,下同。

① “煚”,原作“照”,據《文獻通考》改正。

〔兩朝志〕一百一十三部。
〔四朝志〕十部。

〔三朝志〕唐《開元釋藏目》凡五千四十八卷,《正元藏目》又二百七十五卷,而禪觀之書不預焉。迄於皇朝,復興翻譯。太平興國後至道二年,二百三十九卷。又至大中祥符四年,成一百七十五卷。潤文官趙安仁等編纂新目,爲《大中祥符法寶》。咸平初,雲勝奉詔編《藏經隨函索隱》六百六十卷入,令詔訪唐正元以後未附藏諸經益之,並令摹刻。劉安仁又分《太宗妙覺秘銓》爲名《真宗法音》,集論、頌、贊、詩爲三卷,以《法音旨要》爲名,摹印頒行。訖於天禧末,又譯成七十卷。凡大乘經三百三十四卷,大乘律一卷,大乘論二十九卷,小乘經八十一卷,小乘律五卷,西方聖賢集二十九卷。今取傳記禪律纂之書參儒典者具之。《通考》二二六。

右共輯得一條,《序》。

法　家

〔三朝志〕七部,六十七卷。《通考》二一二引,下同。
〔兩朝志〕三部,二十六篇。

(管子)尹知章注十九卷
[原釋]唐杜佑抄管氏書爲《指略》,《序》稱房喬所注,而舊録皆作尹知章。文句無復小異,今本房玄齡注,五十八篇有注,有《經言》、《外言》、《内言》、《短語》、《區言》、《雜篇》、《解輕重》。《牧民》第一至《輕重庚》第八十六。《玉海》五三。

按《漢志》八十六篇,在道家。《隋志》十九卷,此後皆列法家。《唐志》同,别有尹知章注三十卷。吴兢《書目》尹注尚三十卷，《崇文目》則爲十九卷，自《形勢解》下十一卷亡，《宋志》同，別有《管子》二十四卷。《館閣書目》釐《管子》二十四卷，晁、陳志亦然。蓋南宋時尹注已佚，行世者題房玄齡注。晁《志》謂其淺陋，疑爲即尹書，究無确據以證明之。

丁度　管子要略五篇《玉海》五三。

按《宋志》同，注云："卷亡。"

右共輯得二條。

名　家

〔**三朝志**〕**五部，一十八卷**。《通考》二一二。

墨　家

按《通考》云"《宋志》只《墨子》一部"，不悉是否《國史志》，抑《中興國史志》也。

縱橫家

按《通考》未引《國史志》總數，然以理測之，不能無也。《宋志》儒家類《承華要略》下突出"名墨縱橫家無所增益"九字，當係錯簡，然可證《國史志》備此三家也。

雜　家

〔**三朝志**〕**七十部，七百三十三卷**。《通考》二一三引，下同。

〔**兩朝志**〕**十二部，七十卷**。

〔四朝志〕一十七部,九十五卷。

陸機　正訓十卷

[原釋]《唐志》有二十卷,辛源撰。此題陸機,疑誤。《玉海》五五。

按《玉海》引《國史志》云雜家,《通志》云:"出於荆州田氏。"《唐志》辛書列在儒家。

右共輯得一條。

農　家

〔三朝志〕三十二部,二百一十三卷。《通考》二一八引,下同。

〔兩朝志〕十二部,四十七卷。又《玉海》一七八亦引之。

〔四朝志〕一十九部,三十三卷。

〔三朝志〕歲時者,本於敬授平秩之義。殖物寶貨著譜録者,亦佐助衣食之源,故咸見於此。《通考》二一八。

(齊民要術十卷)

[原釋]天禧中,頒《齊民要術》于天下,教種植畜養之方。《玉海》一七八。

按《宋志》:"賈思勰《齊民要術》十卷。"

陳靖　勸農奏議二十篇《玉海》一七八。

按《宋志》作三十篇。《玉海》云:"陳靖多所建言,尤於農事爲詳。取淳化至咸平以來陳利害表章,合三十餘通,目曰《勸農奏議》,録上之。然其説多泥古,難盡行。"卷一百七十八。則"二十篇"者,或爲"三十篇"之誤也。

土牛經(一卷)

**[原釋]《土牛經》四篇,景祐元年,詔日官取舊文删定,丁度

《序》,頒之。《玉海》一七八。

按《宋志》"丁度撰,一卷",考丁度僅撰《序》,題曰度撰,非也。

張台　錢録一卷《玉海》一七八。

按《宋志》同。晁公武《讀書志》云:"梁顧烜撰《錢譜》一卷,唐張台亦有《錢録》兩卷。本朝紹聖中,李孝美以兩人所撰舛錯,增廣成十卷。"卷十四。此書《唐志》不載,所收已至湖南馬氏,據《錢譜彙考》。蓋五代人也。

錢寳録

[**原釋**]**本朝金光襲(撰)**。《玉海》一七八,原前條下之注文。

按《宋志》不載,洪遵《泉志》嘗稱之。

于公甫　古今泉貨圖一卷《玉海》一七八。

按《宋志》同。

右共輯得七條,内《序》一條。

小説家

〔**三朝志**〕**一百四十六部,一千一百五十二卷**。《通考》二一五引,下同。

〔**兩朝志**〕**四十六部,一百一十三卷**。

〔**四朝志**〕**四十六部,四百一十二卷**。

海鵬　忠經(一卷)《玉海》四一。

按《玉海》引《兩朝志》,《宋志》同。

史道碩　畫八駿圖一卷《玉海》一四八。

按《宋志》同,《崇文目》作史道規,諸家書目或有書名上多"周穆王"三字。

右共輯得二條。

天文家

〔**三朝志**〕**八十四部,三十二卷**。《通考》二一九引,下同。

按此數不确,部有八十四,卷纔三十二,寧有是理?

〔**兩朝志**〕**二十八部,一百六卷**。

〔**四朝志**〕**三十九部,二百四十六卷**。

〔**三朝志**〕**國家建官庀局,觀文察變,尤重慎其事。太宗即位,知私習冒禁,頗爲誑燿,悉搜訪考驗,黜去繆妄,遂下詔禁止之。至真宗,復申明詔旨,重其罪罰。自茲澄汰旌别,濫學方息,而民無所惑矣**。《通考》二一九。

〔**兩朝志**〕**天文圖書,藏秘閣西編**,編,或是"偏"。**有内侍專掌,禁私習者。嘉祐中,大校經、史,而兵法、小學、醫術、禮書皆分局命官,編校定寫,唯天文、五行未嘗是正,諸儒亦莫得考也**。《通考》二一九。又《玉海》卷三亦節引。

天文録經要訣一卷

[**原釋**]**鈔祖晅書**。《玉海》三。

按《崇文目》、《宋志》同,梁祖晅《隋志》作"祖師"。天監中受詔,集古天官及圖緯舊説,撰《天文録》三十卷。《通志略》作三卷。

天文星經五卷《玉海》三。

按《玉海》引《崇文目》,注:"《國史志》經五卷。"《崇文目》云:"陶弘景校,合三垣列宿、中外官三百十九名,各設圖象,著咸巫、石申、甘德所記。"卷四。《宋志》同。《隋志》有陶弘景《天儀説要》一卷,無此。又《星經》二卷,不著撰人。《館閣書目》有《像曆》一卷,《宋志》亦載之。

乾坤秘奥七卷《玉海》三。

按《唐志》、《崇文目》、《宋志》並同,《館閣書目》作一卷,云:"太史令李淳風撰,自乾災至錯紀,凡三十五篇。"《輯考》卷四。淳風貞觀中直太史局,别撰有《法象志》、《乙巳占》等。

開元占經四卷《玉海》三。

按《宋志》同。《唐》作一百一十卷,《崇文目》作四卷,今本百二十卷。《四庫簡明目録》云:"唐瞿曇悉達奉敕撰,所言占候之法,大抵術家之異學。唯所載《麟德》、《九執》二曆,爲他書所不謂。又《隋志》著録緯書八十一篇,尚十存其七八,皆孫瑴《古微書》所未見。"卷十一。

長慶算五星所在宿度圖一卷

[原釋]**司天少監徐昇撰**。《玉海》一。

按《唐志》、《宋志》並同,《崇文目》作二卷,"慶"作"麻",誤也。長慶,穆宗年號,昇時官司天。《唐志》别有《長慶宣明曆》。

岳臺晷景新書三卷

[原釋]**翰林學士范鎮《序》曰:"觀天地陰陽之體,以正位辨方,定時考閏,莫近乎圭表。何承天始立表候日景,十年間,知冬至比舊用《景初曆》常後天三日。唐一行造《大衍曆》,用圭表測知舊曆氣節後天一日。今司天監圭表石晉趙延義所建,表既欹傾,圭亦墊陷,天度無所取正。皇祐初,詔周琮、于淵、舒易簡改制之,考古法,立八尺銅表,厚二寸,博四寸,下連石圭一丈三尺,以盡冬至景長之數。面有雙水溝爲平準,於溝雙刻尺寸分數,又刻二十四氣。岳臺晷景所得尺寸,置於司天監。候之三年,知氣節比舊曆後天半日。書成三卷,名曰《岳臺晷景新書》,其論前代測候是非步算之法頗詳。琮謂二十四氣所得之尺寸,比《欽天曆》王朴算爲密。"**《五代司天考》:"王朴曆法測岳臺之中晷,以辨二至之日夜,而晷漏實矣。"《玉海》三。

(渾儀法要十卷)據《崇文總目》補。

[**原釋**]**顯符自著經十卷,上于書府,銅儀之制有九**。《玉海》四。

按《續通鑑長編》:“祥符三年,冬官正韓顯符造銅渾儀成,並上所著經十卷。其制則本唐李淳風及一行之遺法云。”《玉海》云:“顯符上《法要》十卷。”《崇文目》有《渾儀法要》十卷,則所謂“自著經”者,即此《法要》也。《宋志》“韓顯符《天文明鑑占》十卷”,別有《渾儀法要》十一卷,不著撰人。考至道祥符以後,渾儀屢修,書亦數改訂,此十一卷者,未必即顯符書也。

徐承嗣　星書要略六卷《玉海》三。

按《崇文目》、《宋志》並同。

徐彦卿　證應集三卷《玉海》三。

按《宋志》同。《崇文目》作《徵應集》,不著撰人。

宿曜度分城名録一卷《玉海》三。

按《宋志》同,不著撰人。《崇文目》“城”作“域”,“域”是也。

元象應驗録二十卷《玉海》三。

按《宋志》同,不著撰人。《玉海》引《崇文目》有《天象應驗録》二十卷,《輯本》列在補遺。當即此書。

右共輯得十三條,内《序》二條。

曆算家

〔**三朝志**〕**五十三部,二百卷**。《通考》二一九引,下同。

〔**兩朝志**〕**三十三部,六十四卷**。又《玉海》十亦引之。

〔**四朝志**〕**五十三部,二百四十三卷**。

〔**兩朝志**〕**曆以算成,自建隆迄治平,五正曆象,作爲銅儀,經法具於所司,蓋有知算而不知曆者,故曆爲算本。治曆之善,積算**

遠,其驗難而差遲。治曆之不善,積算近,其驗易而差亦速。《通考》二一九。《玉海》十亦引之,中節去"自建隆"至"不知曆者"一段。

太平興國七年新修曆經三卷《玉海》十。

按《玉海》:"太平興國七年十月,司天冬官正吴昭素造成新曆,以應天置潤差也。凡《律經》二卷,《記晨昏分》一卷,《日躔陰陽經》一卷,《日出入刻》一卷,《晝夜刻分》一卷,《五更中星》一卷,共九卷。以獻,賜號《乾元曆》。"卷十。節引。《宋志》同,《崇文目》作八卷。《宋志》又别有《新修曆經》三卷,疑此三卷即《乾元曆》中之一部。

崇文萬年曆十七卷

[**原釋**]**御製《序》,楊惟德等編**。《玉海》十。

按李淑《書目》有《萬年曆》十七卷,康定初,司天監楊惟德編次,即此書也。《崇文目》、《宋志》並不載。

右共輯得三條,内《序》一條。

附《國史·楚衍傳》:

天聖初,授靈臺郎,與掌曆官宋行古等九人製《崇天曆》,進司天監丞。皇祐中,同造《司辰星漏曆》十二卷。《玉海》三。

五行家

〔**三朝志**〕**四百四十二部,一千四百九十七卷**。《通考》二一九引,下同。

〔**兩朝志**〕**一百一十五部,一百六十一卷**。

〔**四朝志**〕**一百三十四部,三百九十二卷**。

按《通考》云:"然《隋書》、《唐書》及宋九朝史,凡涉乎術數者,總以五行一門包之,殊欠分别。"

京房周易律曆一卷

［原釋］**題虞翻注**。《玉海》五。

按《隋》、《唐志》並衹虞翻《周易集林律曆》一卷,《崇文目》無注者名,唯《宋志》同。《書録解題》有《京氏參同契律曆志》一卷,云:"虞翻注。寄言占象,而不可盡通。"或與此爲一書也。

商紹　太史堪輿曆一卷《玉海》五。

按《宋志》同。《崇文目》作"殷紹"。

禮含文嘉

〔兩朝志〕［原釋］**舊有讖緯七經雜解,今緯書存者獨《易》,而《含文嘉》乃後人著爲兵家之説,與諸書所引《禮緯》乖異不合,故以《易緯》附經,移《含文嘉》於五行**。《通考》一八八。

按《崇文目》三卷,《宋志》有《禮緯》三卷。此條重見。

右共輯得三條。

兵　家

〔三朝志〕**一百八十二部,五百五十三卷**。《通考》二二一引,下同。

〔兩朝志〕**三十二部,一百二十七卷**。

〔四朝志〕**九十七部,八百二十八卷**。

兵書論一卷《玉海》四一。

按《宋志》、《崇文目》並作三卷,《崇文目》題彦卿撰。

右共輯得一條。

醫　家

〔三朝志〕**四十六部,一百四十卷**。《通考》二二二引,下同。

〔兩朝志〕**二十九部,四十五卷**。

以上經脉。

〔三朝志〕一百九十一部，二千九十九卷。

〔兩朝志〕八十四部，二百二十六卷。

以上醫術。按《唐志》即分明堂經脉與醫術二類，此或本之。

〔四朝志〕三十六部，二百九卷。

扁鵲鍼傳一卷《玉海》六三。

按原注云："許希請興扁鵲廟，築于城西隅，因立太醫局，其旁希著《神應鍼經要訣》。"《玉海》六三。《宋志》同。此書應屬經脉。

慶曆善救方一卷[①]

〔兩朝志〕［原釋］詔以福州奏獄醫林士元藥下蠱毒人以獲全，録其方，令國醫類集附益，八年頒行。《通考》二二三。又《玉海》六三引之，注云："紀二月癸酉。"

按《宋志》同。此書與下者並屬醫術。

皇祐簡要濟衆方《玉海》引，注云："一云廣濟。"

〔兩朝志〕［原釋］皇祐中，仁宗謂輔臣曰："外無善醫，民有疾疫，或不能救療，其令太醫簡《聖惠方》之要者，頒下諸道，仍敕長史按方劑以時拯濟。"令醫官使周應編以爲此方，三年頒行。《通考》二二三。又《玉海》六三節引，注云："紀三年五月乙亥頒。"命長吏按方劑救民疾。

按《宋志》："周應《簡要濟衆方》五卷。"《玉海》云："標脉證，叙病源，去諸家之浮冗。"

開寶修《本草》，興國中纂《聖惠方》，皇祐擇取精者爲《簡要濟衆方》。嘉祐間，命掌禹錫等校正醫書，置局編修院，後徙太學。

① 附録《校記》云："善"疑當作"普"。

十餘年,補注《本草》,修《圖經》,而《外臺秘要》、《千金方翼》、《金匱要略》悉從摹印,天下皆知學古方書。《玉海》六三。

按此條在前條後,隔一字。審其文義,疑爲《國史志》之文,故附録於此。

右共輯得三條。附録者不計。

雜技術類

〔**三朝志**〕**四十八部,一百五卷**。《通考》二二九引,下同。

〔**兩朝志**〕**十七部,二十三卷**。

〔**四朝志**〕**一十三部,二十九卷**。

太宗棊圖一卷《玉海》五六。

按《宋志》同。

右共輯得一條。

類事類

〔**三朝志**〕**一百一十五部,五千一百一十九卷**。《通考》二二八引,下同。

〔**四朝志**〕**一十六部,五百一十四卷**。

按《通考》,《兩朝志》此類總數闕。

諫史一百卷《玉海》六一。

按《玉海》:"祥符二年,賜太常博士石待問緋魚。待問集歷朝諫疏曰《諫史》,故有是獎。"卷六十一。按《宋志》同。此書與御集書同其性質,宜入總集,列類事,不當也。

王純臣　清宫懿典十五卷

[原釋]**慶曆中集,詔藏秘閣**。《玉海》一二九。

按《崇文總目》、《宋志》同。

程俱 班左論蒙三卷《玉海》四九。

按《宋志》同。

崔端詩 廣蒙三卷《玉海》四九。

按《宋志》不載。

右共輯得四條。

右子部,凡十八家,共輯得五十九條,内《序》六條。

集　部

别集類

〔三朝志〕五百五十四部,四千六百四十五卷。《通考》二百三十引,下同。

〔兩朝志〕一百七十七部,一千五百一十七卷。

〔四朝志〕二百五十一部,六千八百四十九卷。

按《通考》楚詞類不載《國史志》總數。考《崇文目》即無楚詞類,楚詞即列於總集之首,因疑《國史志》或竟無楚詞類。否則,《通考》考似不應遺之也。

〔兩朝志〕别集者,人别爲集。古人但以名氏命篇,南朝張融始著《玉海》之號,後世爭效,制爲集名,一家至有十數者,爵里年氏,各立意義,或相重複,而文亦不勝其繁矣。《通考》二百三十。

英宗御製一卷《玉海》二八。

按《玉海》云:"《兩朝志》别集類《英宗御製》一卷。"《宋志》同。

右共輯得兩條,内《序》一條。

總集類

〔三朝志〕一百一十七部,四千一百八卷。《通考》二四八引,下同。

〔兩朝志〕二十九部,四百一十三卷。

〔四朝志〕六十二部，五百一十四卷。

群書麗藻一千卷

〔三朝志〕［原釋］崔遵度編。《直齋書録解題》十五。

按《書録解題》六十五卷，云："按《三朝藝文志》一千卷，崔遵度編。《中興館閣書目》但有《目録》五十卷，云以六例括古今之文，編爲二百六十七門，總一萬三千八百首。今無《目録》，合三本共存此卷數，斷續訛缺，[1]不復成書，[2]當其傳寫時，固已如此矣。"卷十五。《宋志》亦千卷，《崇文目》亦厘《目録》五十卷。

文苑英華一千卷

〔三朝志〕［原釋］太宗太平興國七年九月，詔翰林學士承旨李昉、翰林學士扈蒙、給事中直學士院徐鉉、中書舍人宋白、知制誥賈黄中、吕蒙正、李至、司封員外郎李穆、庫部員外郎楊徽之、監察御史李範、秘書丞楊礪、著作佐郎吴淑、吕文仲、胡汀、著作佐郎直史館戰貽慶、國子監丞杜鎬、將作監丞舒雅等，閲前代文集，撮其精要，以類分之，爲《文苑英華》。其後李昉、扈蒙、吕蒙正、李至、李穆、李範、楊礪、吴淑、吕文仲、胡汀、戰貽慶、杜鎬、舒雅等並改他任，續命翰林學士蘇易簡、中書舍人王祐、知制誥范杲、宋湜與宋白等共成之。雍熙三年上，凡一千卷。見《文苑英華》卷首《纂修事始》。

御集諫書八十卷《玉海》六一。

按《玉海》謂《兩朝志》有云云。《宋志》同。張易亦有《諫書》

---

① "訛缺"，二字原脱，據文淵閣《四庫全書》本《直齋書録解題》與《文獻通考》卷二百四十八補正。

② "成"，原作"存"，據文淵閣《四庫全書》本《直齋書録解題》與《文獻通考》卷二百四十八改正。

八十卷,《崇文目》、《宋志》並著録。

唐奏議駁論一卷《玉海》六一。

按《宋志》同。《崇文目》上無“唐”字。《玉海》引《兩朝志》云云。

大唐統制三十卷

〔**兩朝志**〕[**原釋**]**滕宗諒集唐制誥**。《玉海》六四。

按《宋志》同。《玉海》謂《兩朝志》總集類。

五代國初内制雜編十卷《玉海》六四。

按《宋志》同,《崇文目》無“五代國初”四字。

建隆景德雜麻制十五卷《玉海》六四。

按《玉海》謂《兩朝志》在總集。《宋志》同,《崇文目》無“建隆景德”四字。

右輯得七條。

文史類

〔三朝志〕**三十八部,一百二十五卷**。《通考》二四八引,下同。

〔**兩朝志**〕**八部,五十九卷**。

〔**四朝志**〕**一十八部,一百四十卷**。

〔三朝志〕**晉李光**按當爲“充”之誤。**始著《翰林論》,梁劉勰又著《文心雕龍》,言文章體製。又鍾嶸爲《詩評》,其後述略例者多矣。至於揚確史法,著爲類例者,亦各名家焉。前代志録散在雜家,或總集,然皆所未安。惟吴競西齋有文史之别,今取其名而條次之**。《通考》二四八。

文史,魏晉以前尚古文,有李充《翰林論》。江左用聲律,有顔竣《詩例》、鍾嶸《詩品》。唐以來,詩賦有張仲素《賦樞》、范傳正

《賦訣》。史官欲明職業，有劉氏《史通》、《史例》。《玉海》五四引《國史志》，與《通考》所引微異。

林槩　史論二十卷《玉海》四九。

按《玉海》引國史《兩朝志》云云。《宋志》同。

邵必　史例十卷《玉海》四九。

按《玉海》引國史《兩朝志》云云。《宋志》同。

右共輯得四條，內《序》二條。

右集部，凡三類，共輯得十二條，內《序》三條。

四部凡四十六類，共輯得二百零八條，內《序》二十一條。

附 録

晁公武《郡齋讀書志》王先謙刻本卷五。

《三朝國史》一百五十卷,皇朝國史,紀十卷,志六十卷,列傳八十卷,吕夷簡等撰。初,景德中,詔王旦、先文元、楊億等九人撰《太祖太宗兩朝史》,至天聖五年,詔夷簡、宋綬、劉筠、陳堯佐、王舉正、[①]李淑、黄鑑、謝絳、[②]馮元加入《真宗朝史》,王曾監修。曾罷,夷簡代,八年書成,計七百餘傳。[③] 比之《三朝實録》,[④]增者大半,事覈文瞻,褒貶得宜,百世之所考信云。

《兩朝國史》一百二十卷,《仁宗英宗兩朝國史》也,王珪等撰。元豐五年六月奏御,[⑤]監修王珪、史官蒲宗孟、李清臣、王存、趙彦若、曾肇賜銀絹有差,蘇頌、黄履、[⑥]林希、蔡卞、劉奉世以他職罷去,吴充、宋敏求前死,皆有錫賚。紀五卷,志四十五卷。比之《實録》,事跡頗多,但非寇準而是丁謂,託之神宗詔旨。

洪邁《容齋三筆》明馬元調刻本卷四。

本朝國史凡三書,太祖、太宗、真宗曰《三朝》,仁宗、英宗曰《兩朝》,神宗、哲宗、徽宗、欽宗曰《四朝》。雖各自記事,至於諸志若天文、地理、五行之類,不免煩複。元豐中,《三朝》已

---

① “舉”,原作“居”,據《郡齋讀書志》王先謙刻本改。

② “絳”,原作“降”,據王先謙刻本改。

③ “傳”,原作“卷”,據王先謙刻本改。

④ “三”,原作“二”,據王先謙刻本改。

⑤ “六月”後王先謙刻本有“甲寅”二字。

⑥ “履”,原作“覆”,據王先謙刻本改。

就,《兩朝》且成,神宗專以付曾鞏使合之。鞏奏言:“五朝舊史,皆累世公卿、道德文學、朝廷宗工所共準裁,既已勒成大典,豈宜輒議損益。”詔不許,始謀纂成,會以憂去,不克成。其後神、哲,各爲一史,紹興初,以其是非褒貶皆失實,廢而不用。淳熙乙巳,邁承乏修史。丙午之冬,書成進御,遂請合九朝爲一,壽皇即以見屬。嘗奏云:“臣所謂區區有請者,蓋以二百年間典章文物之盛,分見三書,倉卒討究,不相貫屬。及累代臣僚,名聲相繼,當如前史以子係父之體,類聚歸一。若夫制作之事,則已經先正名臣之手,是非褒貶,皆有所據依,不容妄加筆削。乞以此奏下之史院,俾後來史官,知所以編纘之意,無或輒將成書擅行删改。”上曰:“如有未穩處,改削無害。”邁既奉詔開院,亦修成三十餘卷矣,而有永思攢宫之役,才歸即去國。尤袤以《高宗皇帝實録》爲辭,請權罷史院,於是遂已。祥符中,王旦亦曾修撰兩朝史,今不傳。

陳振孫《直齋書録解題》福刻聚珍本卷四。

《三朝國史》一百五十卷,景德四年,詔王欽若、陳堯佐、趙安仁、晁迥、楊億等修太祖、太宗正史,王旦監修。祥符九年書成,凡爲紀六、志五十五、列傳五十九、目録一,共一百一十卷。天聖四年,吕夷簡、夏竦、陳堯佐修《真宗正史》,王曾提舉,八年上之,增紀爲十,志爲六十,傳爲八十。

《兩朝國史》一百二十卷,熙寧十年,詔修仁宗、英宗正史,宋敏求、蘇頌、王存、黄履等編修,吴充舉。元豐五年,王珪、李清臣等上之。

《四朝國史》三《通考》引作“二”。百五十卷,紹興二十八年置修國史院,修《三朝正史》。三十一年提舉陳康伯奏紀成,乞選日進呈。至乾道二年閏九月,始與《太上聖政》同上。淳熙五年,同修史李燾言修四朝正史開院已十七年,乞責以近限。

七年十月,修史王希吕奏志成,十二月進呈。至十三年,修史洪邁奏昨得旨限一年内修成列傳,今已書成,十二月與《會要》同進,蓋首尾三十年,所歷史官,不知其幾矣。

李心傳《建炎以來朝野雜記》聚珍本甲集卷四。

《四朝正史》,始於李仁父,而終於洪景廬。乾道中,仁父初入史院,上《四朝帝紀》。再還朝,乃修諸志,未及進書,而仁父去國。時史館多以爲侍從兼職,往往不能淹貫,則私假朝士之有文學者代爲之。今《四朝藝文志》一書,實先君子筆也。淳熙中,趙衛公温叔爲相,史志告成,仁父時守遂寧。大臣言仁父之力爲多,進秩一等。

按心傳父名舜臣,字子思,井研人,四歲知書,八歲能屬文,乾道進士,官至宗正寺主簿。

《中興國史藝文志》《通考》卷一百九十二引。

紹興末始修神、哲、徽三朝正史,越三年紀成,乾道初進。時洪邁已出,李燾未入,史官遷移無常,莫知誰筆。後又進《欽宗本紀》,詔通爲《四朝國史》,乃修諸志。未進,而燾去國。淳熙初,志成,燾之力爲多。召修列傳,垂成而燾卒,上命洪邁專典之。初邁以孫覿熟宣、靖事,乃奏令撰蔡京、王黼、童貫、蔡攸、梁師成、譚稹、朱勔、种師道、何桌、劉延慶、聶昌、譚世勣等列傳。覿頗狥愛憎,邁多採之。邁又奏四朝諸臣有雖顯貴而無事跡可書者,用遷、固史劉舍、薛澤、許昌例,不爲立傳。踰年,書成,爲列傳八百七十。邁又嘗欲合九朝三史爲一書而不及成。

《玉海·藝文》浙局本卷四十六。

祥符九年,監修國史王旦上《太祖太宗兩朝國史》,其修《真宗實録》未爲紀傳。天聖五年二月癸酉,仁宗詔曰:"先朝正史,久而未修,年紀寖遠,事成淪墜。宜令參政吕夷簡、副樞密夏

竦修國史，宋綬、劉筠、陳堯佐同修。”乃命宰臣王曾監修，又命館閣王舉正、李淑、黄鑑、謝絳爲編修，復命馮元同修。初於宣徽院編纂，後移中書，命三司檢討食貨事件，三館供借書籍，擇司天官編綴《天文律曆志》。帝紀贊、論吕夷簡奉詔撰，紀即夷簡、夏竦修撰，餘皆同編修，分功撰録。六年八月，詔別修志、傳，委綬看詳，其《帝紀》專委夷簡、竦。八年六月十一日癸巳，夷簡等曾率夷簡等。詣崇政殿上進，賜宴遷官，賜衣帶器幣。先是，《太祖太宗》紀六，志五十五，傳五十九，目録一，凡百二十卷；至是，修《真宗史》成，增紀爲十，志爲六十，傳爲八十，總百五十。此所謂《三朝國史》也。凡紀十卷，志增《道釋》、《符瑞》爲六十卷，列傳八十卷，總一百五十卷。甲午，夏竦等遷官，各賜襲衣、金犀帶、器幣有差。監修而下進秩，而夷簡辭之。

按王旦《太祖太宗兩朝史》志五十五卷，此六十卷纔增五卷，且增《道釋》、《瑞》二志，則諸志卷帙或仍舊也。縱有修訂，亦不過稍有損益，《藝文》一志尤未必有大改易也。

熙寧十年五月戊午，詔修《仁宗英宗兩朝正史》，以宰臣吴充提舉，龍圖閣直學士史館修撰宋敏求編，集賢院學士蘇頌同，集賢校理王存、黄履、林希同爲編修官。七月辛未，率官屬以二帝《紀草》二册進呈。

熙寧十年丁巳五月戊午，命官修《兩朝正史》。元豐五年六月甲寅，修成一百二十卷。紀五卷，志四十五卷，《天文》至《河渠》。傳七十卷。比之《實録》，事跡頗多，但非寇準而是丁謂，託之神宗詔旨。

《三朝史》，天聖五年二月修，至八年六月成，凡歷四年。《兩朝史》，熙寧十年五月戊午修，至元豐四年六月成，凡歷五年。

淳熙五年四月，禮部侍郎同修史李燾言：“今修《四朝正史》開院已十七年，自開院至成書凡二十有八年。乞降睿旨責以近限，庶幾大典早獲備具。”詔限一年。至七年十二月十二日，國史院上

《四朝正史》志一百八十卷。《地理》一志全出李燾之手,餘多采《續通鑒》。**十二年七月,同修史洪邁奏:"神宗至于欽宗,傳叙相授,閱六十五年,除紀、志已進外,當立傳者千三百人,其間妃嬪、親王、公主、宗室幾當其半,乞倣前代諸史體例分類載述,不必人爲一傳。"至十三年十一月,**二十二日。**上國史列傳一百三十五卷,**《宣仁欽聖傳》居首。**目録二卷。初,乾道二年,胡元質言:"三朝之史開院纂輯,累年于兹,竊見靖康繼宣和之後,以功緒本末則相關,以歲月久近則相繼,伏望併修欽宗帝紀,繳進名爲《四朝國史》。"四年三月二十四日,詔進呈《欽宗實録》,并本紀已畢,就修纂《四朝正史》,從洪邁之請也。十三年八月十九日,邁又請通修《九朝正史》,上許之。復言:"制作之事已經先正名臣之手,是非褒貶皆有据依,乞命史官無或删改。"書未就而邁去國。初,元祐七年七月十二日,詔范祖禹、趙彦若修《神宗正史》,吕大防提舉。八年三月二十二己亥進《紀草》。元符元年四月,進《帝紀》二册,崇寧三年書成,八月三日進。大觀四年四月二十九日,命鄭久中等修《哲宗正史》,政和二年四月三日,《帝紀》成。四年五月二十二日進《哲宗正史》,帝紀、表、志、傳、目録,二百十卷。**

托克托《宋史·藝文志》

嘗歷考之,始《太祖太宗真宗三朝》,三千三百二十七部,三萬九千一百四十二卷。次《仁英兩朝》,一千七百四十二部,八千四百四十六卷。次《神哲徽欽四朝》,一千九百六部,二萬六千二百八十九卷。《三朝》所録,則《兩朝》不復登載,而録其所未有者,《四朝》於《兩朝》亦然。最其當時之目,爲部六千七百有五,爲卷七萬三千八百七十有七……宋舊史,自太祖至寧宗,爲書凡四。志藝文者,前後部帙,有亡增損,互有異同。今删其重複,合爲一志。卷二百零二。

吕夷簡《宋三朝國史》一百五十五卷。

王珪《宋兩朝國史》一百二十卷。

李燾、洪邁《宋四朝國史》三百五十卷。以上卷二零四。

梁啓超《圖書大辭典·簿録之部》《圖書館季刊》四卷三四期。

《三朝藝文志》,《兩朝藝文志》,《四朝藝文志》,《中興藝文志》,《續中興藝文志》。以上五書,其目見於《文獻通考》及《宋志·序》。編著姓名及年代皆無考,蓋當時國史稿也。宋人著述中所稱《國史藝文志》或《國史兩朝藝文志》、《國史中興藝文志》等,蓋即是書。《三朝志》,太祖、太宗、真宗三朝藏書,蓋仁宗時所編,以《崇文總目》爲藍本。《兩朝志》,記仁宗、英宗兩朝續收書,蓋神宗時所編。《四朝志》記神宗、哲宗、徽宗、欽宗四朝續收書,蓋徽宗時所編,而南渡後追題者以《政和秘書總目》爲藍本。《中興志》記高宗南渡初補收書,蓋孝宗時所編,以《中興館閣書目》爲藍本。《續中興志》記孝宗、寧宗兩朝續收書,蓋寧宗時所編,以《中興館閣續目》爲藍本。

按任公先生此文謂《續中興志》見於《通考》及《宋志·序》,遍檢不獲,或梁先生想當然耳。編者及撰成年月並詳前所引,《中興志》成於理宗淳祐、寶祐間,詳見拙撰《古今書録考》。事具《宋史》,謂爲無考,真失考也。《宋史·藝文志》云:"舊史自太祖至寧宗,爲書凡四。"梁先生云:"舊志有五,此僅言四是爲併中興兩志爲一。"不可深考。見原書《宋史·藝文志》條。按《玉海》、卷四十六。《宋史》、見《理宗紀》。《通考》並云《中興四朝史》。梁先生分爲兩志,實非確論。

余既輯《國史志》畢,復彙録諸書之言國史志者於卷末,蓋取錢氏考《崇文目》例也。

中興國史藝文志

趙士煒 輯
馬常録 整理

底本:《國立北平圖書館館刊》民國二十一年(1932)第六卷第四號

序

高宗渡江，書籍散佚，獻書有賞，或以官故家藏者，或命就録，鬻者悉市之。乃詔分經史子集四庫，仍分官日校。又内降詔，其略曰："國家用武開基，右文致治，藏書之盛，視古爲多。艱難以來，網羅散失，而十不得其四五。令監司郡守，各諭所部，悉上送官，多者優賞。"又復置補寫所，令秘書省提舉，掌求遺書，詔定獻書賞格，自是多來獻者。淳熙四年，秘書少監陳騤等言："中興館閣藏書，前後搜訪，部帙漸廣，乞倣《崇文總目》類次。"五年，書目成，計現在書四萬四千四百八十六卷，[①]較《崇文總目》所載，[②]實多一萬三千八百一十七卷。復參三朝所志，多八千二百九十卷，兩朝所志多三萬五千九百九十二卷。嘉定十三年，以四庫之外，書復充斥，詔秘書丞張攀等續書目，又得一萬四千九百四十三卷。而太常太史博士之藏，諸郡諸路刻板而未及獻者不預焉。蓋自紹興至嘉定，承平百載，遺書十出八九，著書立言之士又益衆，往往多充秘府。紹定辛卯火災，書多闕。今據《書目》、《續書目》及搜訪所得嘉定以前書，詮校而志之。《通考》卷一百七十四序引。

按，此序《通考》載之，舊與兩朝四朝志序文接寫，今前者定爲三朝兩朝四朝之序，説具《國史藝文志輯本》，此段當爲本志序也，故録之篇首。

---

① "四萬四千四百八十六卷"，1985 年華東師範大學出版社，點校本《文獻通考·經籍考》引明弘治單刻本《文獻通考》作"四萬四千八十六卷"。

② 文淵閣四庫全書本《文獻通考》(以下簡稱"四庫本《通考》")無"總目"二字。

經　部

易　類

一百四十家一百八十四部一千三百六十六卷《通考》卷一百七十五引,後凡注卷數不標書名者,皆《通考》也。

按《中興書目》,易一百一十二家七百六十卷,《續目》二十七家三十四部三百五卷。據拙輯《中興館閣書目輯考》,後同。

李鼎祚　周易集解十卷凡標題槩據《通考》,後同。

李鼎祚《易》宗鄭康成,排王弼。卷一百七十五。

馬椅　厚齋易學①

椅爲《輯註》、《輯傳》、《外傳》,蓋以程沙隨、朱文公雖本古《易》爲注,猶未及盡正《孔傳》名義。乃改"彖曰"、"象曰"爲"贊曰"。以繫卦之辭即爲彖,繫爻之辭即爲象。王弼本"彖曰"、"象曰",乃孔子釋彖象,②與商飛卿説同。又改《繫辭》上下爲《説卦》上中,以《隋經籍志》有《説卦》三卷云。卷一百七十六。

按,《宋志》作馮椅《易學》五十卷。

書　類

四十二家五十一部七百一十六卷卷一百七十七。

---

① "馬",四庫本《通考》作"馮"。

② "象",趙輯作"衆",據四庫本《通考》改。

按《中興書目》，書二十二家一百八十七卷，《續目》十二家二百二十六卷。

石林書傳十卷

其爲書頗採諸家之説，而折衷其是非。卷一百七十七。

按《書録解題》云："葉夢得撰。"《通考》引自序云："爲書二十卷，十二萬餘言。"

陳博士書解三十卷

紹興時太學始建，陳鵬飛爲博士，發明理學，爲《陳博士書解》。卷一百七十七。

詩　類

五十三家六十四部八百七十一卷。卷一百七十九。

按《中興書目》，詩三十二家三百七十卷，《續目》十一家二百二十卷。

廣川詩考四十卷①

董逌撰。逌謂班固言《魯詩》最近，今徒於他書時得之，《齊詩》所存不全，或疑後人託爲。然《章句》間有自立處，此不可易者。《韓詩》雖亡闕，《外傳》及《章句》猶存。《毛詩》訓故爲備，以最後出，故獨傳。乃据毛氏以考正於三家，且論《詩序》決非子夏所作。建炎中逌載是書而南，其志公學博，不可以人廢也。卷一百七十九。

① 1985年華東師範大學出版社點校本《文獻通考·經籍考》引元余謙補刻本《文獻通考》、明弘治單刻本《文獻通考》作"廣川詩故四十卷"。

按,《宋志》作《廣川詩故》。

禮　　類

六十四家九十一部一千二百六十五卷。卷一百八十。

按,儀注類云:"《宋志》又十部三百八十三卷,元入禮門,今釐入儀注門。"卷一百八十七。不悉在此數内否?《中興書目》禮四十三家七百九十八卷,《續目》十二家十六部四百六十三卷。

古禮經傳通解二十三卷　集傳集注十四卷

熹書爲《家禮》三卷,《鄉禮》三卷,《學禮》十一卷,《邦國禮》四卷,《王朝禮》十四卷。其曰《儀禮經傳通解》者,凡二十三卷,熹晚歲所親定,惟《書數》一篇,闕而未備。其曰《儀禮集傳集注》者,即此書舊名,凡十四卷,爲王朝禮,而《卜筮》篇亦闕,熹所草定,未及删改。卷一百八十。

按,《書録解題》云朱熹撰。《宋志》"古禮"作"儀禮"。

集釋古禮十七卷　釋宫一卷　綱目一卷

《儀禮》既廢,學者不復誦習,或不知有是書。乾道間有張淳,始訂其訛,爲《儀禮識誤》。淳熙中李如圭爲《集釋》,出入經傳;又爲《綱目》,以别章句之指;爲《釋宫》,以論宫室之制。朱熹嘗與之校定《禮》書,蓋習於禮者。卷一百八十。

《宋志》作《儀禮集釋》。

陳君舉　周禮説三卷

稱傅良之言曰:"《周官》之綱領三:養君德,正朝綱,均國勢

也。鄭注之誤三：漢儒之言，[①]**今以釋《周禮》；《司馬法》，兵制，今以證田制；漢官制皆襲秦，今以比《周官》。徐筠學於傅良，記所口授，而爲書曰微言。傅良爲説十二篇，專論綱領。**卷一百八十一。

按《宋志》作一卷。

史浩　周禮講義

孝宗爲建王，浩分講《周禮》多啓發，孝宗稱之。然止於司關。卷一百八十一。

按《宋志》作史浩《周官講義》十四卷。

鄭鍔　周禮解義

《周禮》一經，説者僅一二家，又多舛或鑿。淳熙中鍔爲解義，詳制度，明經旨，學者宗其書。卷一百八十一。

按《宋志》作二十二卷。

禮記新義

陸佃撰。亦牽於字説。宣和其子上之。[②] 卷一百八十一。

按《宋志》有《禮記解》四十卷，或即此書。

破禮記

夏休以《禮記》多漢儒雜記，於義有未安者，乃援《禮經》破之。[③] **然《中庸》、《大學》，實孔氏遺書也。**卷一百八十一。

按《宋志》作二十卷。

丁丑三禮辯

李心傳撰。以《儀禮》之説與鄭氏辯者八十四，《周禮》之説與鄭氏辯者二百二十六，皆有據。大戴之書疑者三十，小戴之書疑者一百九十八，鄭氏之注疑者三百七十五，亦各辯其所

① 四庫本《通考》"漢儒"前有"王制"二字。

② 四庫本《通考》"宣和"後有"末"字，"其子"後有"宰"字。

③ 四庫本《通考》"破"前有"以"字。

以而詳識之。卷一百八十一。

按《宋志》作二十三卷。

春秋類

一百二十九家一百七十四部二千二百七十一卷。卷一百八十二。

按《中興書目》,春秋一百二十三家,一千四百八十卷;《續目》十八家,二十部四百卷。

劉直夫　春秋十二卷[①]

絢傳説多出於頤書,而頤以爲不盡本意,故更爲之,未及竟,故。莊公以後,解釋多殘闕。卷一百八十三。

按《郡齋讀書志》云:"劉絢質夫撰,絢學於二程。"

胡文定　春秋傳、通例、通旨共三十二卷

安國書與孫覺合者十六七。卷一百八十三。

按《郡齋讀書志》云:"皇朝胡安國被旨撰。"《宋志》,《傳》三十卷,《通例》、《通旨》各一卷。

論語類

五十五家六十三部四百九十八卷。卷一百八十四。

按《中興書目》,《論語》二十三家一百八十一卷,《續目》十六家一百三十三卷。《書録解題》謂前志《孟子》列儒家,今合《語》《孟》爲一類,《通考》從之。今《宋志》《孟子》仍列於儒家,《中興書目》亦無《孟子》類,足證《中興志》《孟子》未列於

① "直",四庫本《通考》作"質"。

經，故此不録《孟子》書。

洪興祖　論語説

其説多可採。謂此書始於不愠，終於知命，蓋君子儒。卷一百八十四。

按《宋志》十卷。

論語續解、説例、考異共十二卷

吴棫撰。自謂考研甚衆，獨於何晏《集解》、邢昺《疏》所得爲多。又謂孔門弟子之言，多未盡善，而注信經疏信注太過。嘗作《指掌》十卷，亡於兵火，僅追記大略，以解何晏《集解》之未盡未安者，故曰《續解》。又考他書之文之説，異于《論語》者，爲《考異》。又爲《説例》，有《集語》、《明原》、《微言》、《略例》、《答問》、《正統》、《權道》、《弟子》、《雜説》，凡十篇，多發明。卷一百八十四。

按《宋志》，《續解》十卷，《考異》、《説例》各一卷。

孝經類

二十一家二十一部二十九卷。卷一百八十五。

按《中興書目》，《孝經》十五家，二十卷；《續目》一家一卷。

司馬君實　古文孝經指解一卷

自唐明皇時議者排毁古文，以《閨門》一章爲鄙俗，而古文遂廢。國朝司馬光取古文爲指解。[①] 卷一百八十五。

按《宋志》此書兩出，誤。

① 四庫本《通考》"取"前有"始"字。

晦庵孝經刊誤一卷

《刊誤》謂今文六章,古文七章,以前爲經,後爲傳。經之首統論孝之終始,乃敷陳天子、諸侯、卿大夫、士、庶人之孝。而其末曰:"故自天子至於庶人,孝經終始,①而患不及者,未之有也。"其首尾相應,文勢聯貫,②實皆一時之言,而後人妄分爲六、七。又增"子曰"及《詩》、《書》之文以雜乎其間。今乃合爲一章,而删去"子曰"者二,引《書》者一,引《詩》者四,凡六十一字,以復經文之舊。又指傳文之失,删去"先王見教"以下凡六十七字,"以順則逆"已下凡九十字,餘從古文。卷一百八十五。

張無垢　孝經解一卷

九成依今文爲解。其謂人各有入道處,曾子則由孝而入,亦名言也。卷一百八十五。

按《宋志》作四卷。

黄勉齋　孝經本旨一卷

榦繼熹之志,輯六經、《論》、《孟》之言孝者爲一書,釐爲二十四篇,名爲《孝經本旨》。卷一百八十五。

馮椅　古孝經輯註

椅祖朱氏,刊經文所引《詩》、《書》之妄,而《傳》則盡删其所託曾、孔答問與其增益之辭,爲《古孝經輯注》,并引蔡氏注。卷一百八十五。

按《宋志》作一卷。

楊慈湖　古文孝經解

《解》中如"德性無生,何從有死"之語,蓋近於禪。卷一百八十五。

---

① "經",四庫本《通考》作"無"。

② "貫",原脱,據四庫本《通考》補。

經解類

二十二家一百四十九卷。卷一百八十五。

按《中興書目》，二十一家，四百八十四卷；《續目》三家，十六卷。

三經義辯　辯學

《三經義辯》，楊時撰；《辯學》，王居正撰。居正爲舉子時，不習王氏新經、《字説》，流落十餘年。時出《義辯》示之曰："吾舉其端，子成吾志。"居正感厲，首尾十載，爲《三經辯學》。凡安石父子言不合道者，悉正之。紹興間，於上前論安石釋經無父無君處。上正色曰："是豈不害名教？"居正退，序上語，係《辯學》書首上之，與時《義辯》，并列秘府，自是天下不復言王氏學矣。卷一百八十五。

按《宋志》，《義辯》十卷，《辯學》七卷。

樂　類

六十四家七十一部六百五十五卷。卷一百八十六。

按《中興書目》，六十三家，四百四十卷；《續書目》二家，二百二卷。

律吕新書二卷

蔡元定季通撰。其法以律生尺，如房庶、范鎮之論，亦祖兩《漢志》蔡邕説，及我朝程子、張子，又主淮南太史小司馬之説，以九分爲寸。卷一百八十六。

樂舞新書

吴仁傑撰。論《關雎》者二,論風、雅、頌者九,論笙鏞雅頌者二,論《大雅》、《小雅》者一,論二《南》者二,論《雅》者九;凡二十五篇。卷一百八十六。

按《宋志》作二卷。

小學類

一百二十八家一百五十五部一千一百十三卷。卷一百八十九。

按《中興書目》,小學一百十八家,八百二十二卷;《續書目》二十家,二百二十四卷。

廣干禄字書五卷

婁機撰。機取許慎《説文》及諸家字書,按以蔡伯喈《五經備體》、張參《五經文字》、田放《九經字様》,與夫《經典釋文》子史古字,參以本朝丁度所書《集韻》,爲《廣干禄字書》,蓋廣唐人顔元孫之書也。卷一百九十。

象類書十一卷

鄭樵撰。中興後,安石之《字説》既廢,樵復理其緒餘,初有象類之書,復約而歸於六書。象形類六百八,指事類百七,會意類七百四十,轉注類三百七十二,諧聲類二萬一千八百十,假借類五百九十八。卷一百九十。

隸釋二十七卷　隸續二十一卷

洪适撰。适取古今石刻,法其字爲之韻,辨其文爲之釋,以辨隸書,曰《隸釋》、《隸續》。卷一百九十。

讖緯類

三家五部十二卷。卷一百八十八。

按《中興書目》五家十三卷。

右經部凡十一類,綜七百二十一家,八百七十九部,内經解類缺部數。八千九百三十五卷,今輯得二十九條。内讖緯類無書。

史 部

正史類

三十九家四十二部二千八百七十七卷。卷一百九十一。

按《中興書目》,正史三十二家,二千一百二十九卷;《續書目》三家,七十一卷。

四朝國史二百五十卷

紹興末始修神、哲、徽三朝正史,越三年紀成,乾道初進。時洪邁已出,李燾未入館,史官遷易無常,莫知誰筆。後又進《欽宗本紀》,詔通爲《四朝國史》,乃修諸志。未進,而燾去國。淳熙初志成,燾之力爲多。詔修列傳,垂成而燾卒,上命洪邁專典之。初邁以孫覿熟宣靖事,乃奏令撰蔡京、王黼、童貫、蔡攸、梁師成、譚稹、朱勔、种師道、何桌、劉延慶、聶昌、譚世勣等列傳。覿頗狥愛憎,邁多採之。邁又奏四朝諸臣,雖有顯貴而無事蹟可書者,[1]**用遷、固史劉舍、薛澤、許昌例,不爲立傳。踰年書成,爲列傳八百七十。邁又欲合九朝三史爲一書而不及成**。卷一百九十二。

編年類

七十一家八十七部二千四百九十一卷。卷一百九十一。

① "雖有",四庫本《通考》作"有雖"。

按《中興書目》，編年六十二家，一千三百二十卷。《通考》云："《宋志》以實録附編年，今從《宋志》。"又起居注條下云："本志元以實録、日曆俱入編年，今除實録入編年外，以日曆附於起居注。"陳氏《書録解題》云："《唐志》起居注類實録、詔令皆附焉。今唯存《穆天子傳》及《唐創業起居注》二種，餘皆不存，故用《中興館閣書目》例，與實録共爲一類。"考《中興志》，分類悉從《館閣書目》，何以此類獨異？馬氏所云，實有可疑。且《通考》内所載實録卷數，總四千有奇，與此所記，亦相懸殊。況《通考》實録實入起居注，故今從陳氏之説，以實録入起居注。

起居注類

七部四千三百一十二卷。卷一百九十一。

按，《中興書目》此類總數不存。《通考》云實録、日曆並附編年，其説未允，辨已見前。且《通考》實録亦入此類，其卷數又與此近。否則僅起居注，烏得如許卷帙邪？唯此僅云七部，復無家數，疑其上有脱簡也。

神宗實録考異二百卷

按，《通考》云趙鼎、范冲撰進。《宋志》云《日曆》二百卷，又《實録考異》五卷，范冲撰。

哲宗實録一百五十卷

按，《宋志》云湯思退進。

徽宗實録二百卷

按，《宋志》云湯思退進，又二百卷，李燾重修。

欽宗實録四十卷

按，《宋志》洪邁修。

高宗實録五百卷

按,《宋志》云傅伯壽撰;《書録解題》云慶元三年修撰傅伯壽撰。

孝宗實録五百卷

按《宋志》云傅伯壽、陸游等修。

光宗實録一百卷此條據《宋志》補。

高宗命范冲重修《神録》,已進,而冲去國,尹焞繼之,又進《哲宗徽宗實録》。紹興未嘗成書,建炎後史牘不存,皆仰搜討,故尤多脱略。孝宗命李燾增修之。《欽宗實録》,洪邁用龔茂良所補日曆,文直事核。《高宗實録》,慶元嘉泰間所上,時史無專官,莫知誰筆。《孝宗光宗實録》,初以付龔敦頤,卒專委傅伯壽、陸游,《孝録》比諸録爲疎。卷一百九十四。

按,此一條總釋前諸録,《通考》載於《孝録》下,今據《宋志》補入《光宗録》。

高宗日曆一千卷

《高宗日曆》,初年多爲秦檜改棄,專政以後,紀録尤不足信。韓侂胄當國,《寧宗日曆》亦多誣,後皆命刊修。然高宗《日曆》、《時政記》亡失多,不復可考。卷一百九十四。

按《通考》云李燾等修進。

别史類

三十一家三十六部一千三十四卷。卷一百九十五。

按《中興書目》,此類總數不存。

通志二百卷此條即《中興志》之原文。

中興初,鄭樵采歷代史暨他書,自三皇迄隋,爲書曰《通志》,

倣遷、固爲記傳，而改表爲譜，志爲略。卷二百零一。

按《通考》列在故事類，無卷數，云《中興四朝藝文志》别史類載《通志》二百卷，其後叙述云云。

史抄類

四十家四十六部六百八十一卷。卷一百九十五。

按《中興書目》，此類總數不存，此下次序，略準《宋志》。

西漢史鈔十七卷　兩漢博議十四卷

陳傅良撰。指摘精要，裨正闕誤。如制度始末因革，則條其大義，遺其煩碎，而一代之興衰、治體、人才、紀綱、風俗，亦略具矣。《博議》，陳季雅所撰，關涉尤大。卷二百。

故事類

一百七十家一百八十九部一千九百九卷。卷二百零一。

按《中興書目》，故事一百二十六家，七百三十六卷。

職官類

三十六家四十二部四百一十三卷。卷二百零一。

雜傳類

三百一十三家三百三十九部一千三百七十九卷。卷一百九十五。

按《中興書目》，此類總數不存。

國朝編年政要四十卷[①] **國朝實録列傳舉要十二卷** **皇朝宰輔拜罷録一卷** **續百官公卿表二十卷** **質疑十卷**

蔡幼學撰。幼學採國史實録等書,爲《國朝編年政要》以擬紀,起建隆迄靖康。又爲《國朝實録列傳》以擬傳,起國初,止神宗朝。又爲《宰輔拜罷録》,起建隆,盡紹熙。年經而官緯之。又以司馬光《百官公卿表》起建隆,訖治平,乃爲續表,終紹熙。經緯如宰輔圖,上方書年記大事,下列官,詳記除罷遷卒月日,而大事止及靖康,後未及録以擬表。又爲備志以擬志,而未成。卷一百九十七。

儀注類

七十九家九十四部一千六百七卷。卷一百八十七。

按《中興書目》,儀注六十家,一千二百二十三卷;《續書目》八家九部四十三卷。《通考》列此類於經。

中興禮書

《中興禮書》者,淳熙中禮部太常寺編次中興以來所行之禮也。其間如內禪慶壽之類,亘古所無,可謂盛矣。卷一百八十八。

按《宋志》二卷,淳熙中禮部太常寺編,《中興書目》作三百卷,成於紹興十一年,當非此書也。

謚法類

十二家一百七十四卷。卷一百八十七。

① "朝",四庫本《通考》作"史"。

按《中興書目》,此類總數不存。

刑法類

八十七家九十四部三千九百三十卷。卷二百零一。

按《中興書目》,刑法六十一家,一千五百三十七卷;《續書目》二十三家,一千九百三十九卷。

目録類

四十六家五十一部五百二十一卷。卷二百零一。

按《中興書目》,此類總數不存。

譜諜類

五十三家五十九部二百二十三卷[①]

按《中興書目》,譜諜五十五家,一百一十一卷;《續書目》四家,四十六卷。

時令類

前史時令,皆入子部農家類,惟《中興館閣書目》别爲一類,列之史部;以諸家之所載,不專爲農事故也。今從之。凡十七家,十八部,一百九十九卷。卷二百零一。

按《中興書目》,此類總數不存。

---

① 據四庫本《通考》,此出自"卷二百"。

地理類

三百二十二家三百三十六部三千四百七十一卷。卷二百零一。

按《中興書目》,此類總數不存。

霸史類

四十家四十三部四百三十七卷。卷一百九十五。

按《中興書目》,此類總數不存。

右史部凡十六類,總一千三百五十六家,内起居注類缺家數。一千四百八十三部,内起居注類部數不確,謚法類全缺部數。二萬五千六百五十八卷;今輯得七條。

子　部

儒　　家

九十六家一百一十八部八百五十七卷。卷二百零八。

按《中興書目》，子部除天文外，各類總數並闕，此後不復著明。

四註孟子

題揚雄、韓愈、李翱、熙時子四家注。旨意淺近，蓋依託者。卷一百八十四。

按，《宋志》作十四卷。《通考》《孟子》入經類，云《中興志》二十二部二百八十五卷。今儒家類總數不悉計入此數否？

道　　家

四十七家五十二部一百八十七卷。卷二百一十一。

法　　家

四家四部五十卷。卷二百一十二。

名　　家

按《通考》僅《三朝志》有五部,一十八卷;《中興志》或與之同也。

墨　　家

按《通考》云"《宋志》只《墨子》一部",蓋指《三朝志》及《中興志》二者而言。

縱橫家

三家三部四十六卷。卷二百一十二。

雜　　家

一百十九家一百四十九部一千七百六卷。卷二百一十三。[1]

宋景文筆録三卷

《筆録》三卷,皇朝紹聖中,宋肇次其祖庠遺語,凡一百七十條。卷二百一十四。

按《讀書志》云:"庠撰,皆故事異聞。"

---

① "卷二百一十三",原脱,據前後文例及四庫本《通考》補。

小說家

二百三十二家二百六十部一千九百五十五卷。卷二百一十五。[①]

燕丹子三卷

丹,燕王喜太子。此書載太子丹與荆軻事。卷二百一十五。[②]

農　　家

六十四家六十九部一百四十八卷。卷二百一十八。

天文類

二十家二十部一百二十七卷。卷二百一十九。

按《中興書目》,天文十六家,九十九卷。

曆譜類

三十八家五十一部一百五十八卷。卷二百一十九。

五行類

八十二家八十八部三百八十六卷。卷二百一十九。

---

① "卷二百一十五",原作"卷二百一十三",據四庫本《通考》改。

② 同上。

蓍龜類

三十三家三十六部一百一卷。卷二百一十九。

雜占類

八十家八十四部一百七十五卷。卷二百一十九。

刑法類

九十五家一百四部二百六十八卷。卷二百一十九。

按《通考》云:"《隋書》、《唐書》及宋九朝《史》凡涉乎術數者,總以五行一門包之,殊欠分别。獨《中興史志》乃用班《志》舊例,以五行、占卜、形法各自爲門,今從之。"

兵　　家

九十二家一百單七部一千七十四卷。卷二百二十一。

醫　　家

一百七十九家二百九部一千二百五十九卷。卷二百二十二。

神仙家

三百九十六家四百四十七部一千三百二十一卷。卷二百二十四。

太平經一百七十卷

按《通考》云："隋以來道書中並不收入，至宋《中興史志》方有之。然以爲襄楷撰，則非也。"卷二百二十五。

太上墨子枕中記一卷

不知作者，書載匿形幻化之術，殆依託墨子。卷二百二十五。

太一真君固命歌一卷

題真人勒於羅浮山朱明洞陰谷壁。古篆文字，東晉葛洪譯，鮑靚行於世，言房中術。卷二百二十五。

釋　家

一百家一十部七百七十五卷。卷二百二十六。

按，家已一百，部纔一十，當無是理，恐有闕文也。

類書類

一百七十一家一百九十七部八千三百九十七卷。卷二百二十八。

雜藝術類

五十八家六十部一百一十二卷。卷二百二十九。

右子部，凡二十一類，總一千九百一十九家。內名家、墨家二類家部卷並闕。二千零六十八部，內釋家部數不確。一萬九千一百零二卷，今輯得五條。

集　部

楚辭類

九家十二部二百四卷。卷二百三十。

按《中興書目》,楚辭九家,九十四卷。

別集類

一千一家一千二百六十六部一萬七千四百二十六卷。卷二百三十。

按《中興書目》,集部僅楚辭類有總數,餘並闕。

總集類

二百九十三家三百一十五部六千五百卷。卷二百四十八。

奇章集四卷

集唐李林甫至崔湜百餘家詩奇警者。集者不知名。卷二百四十八。

咸通初表奏集一卷

唐夏侯孜、令狐綯、于琮、白敏中等作,集者不知名。卷二百四十八。

送朱壽昌詩三卷

皇朝司農少卿朱壽昌生數歲而母嫁,五十年不相知。熙寧初

棄官，於同州求得之，乃屈資求爲蒲中倅；士大夫作詩送之。卷二百四十九。

江湖堂詩集一卷

皇朝知洪州元積中詠其局，和者數十人。卷二百四十九。

世綵堂集三卷

政和中，廖剛曾祖母與祖母享年最高，皆及見五世孫。剛作堂，名"世綵"以奉之。士大夫爲作詩。卷二百四十九。

文史類

六十二家六十五部四百八十七卷。卷二百四十八。

文史者，譏評文人之得失也。《通志·叙論》評史，《韻語陽秋》評詩，《藝苑雌黄》則並子、史、集之誤皆評之。卷二百四十八。

右集部凡四類一千三百六十五家，一千六百五十八部，二萬四千六百一十七卷；今輯得五條。

右四部凡五十二類，全無總數者二類。綜五千三百六十一家，内一類缺家數。六千零八十八部，内缺部數者二類，部數不確者二類。七萬八千三百一十二卷；共輯得四十六條。

中興國史藝文志輯本終

右《中興國史藝文志》一卷，余近輯《宋佚書目》之第三種也。案《宋史·藝文志》序云："宋世國史，自太祖至寧宗凡四修。太祖、太宗、真宗，三朝史也；仁宗、英宗，兩朝史也；神宗、哲宗、徽宗、欽宗，四朝史也。"高宗、孝宗、光宗、寧宗四朝，《宋志》不言何史，殆即《中興國史》也。《中興國史》撰者與撰時並未詳,據本序有紹定火災一語,蓋撰於理宗紹定以後也。此志據《館閣書目》及《續書目》增補以成,《宋志》復據之,更補其未備。說詳拙撰《古今書録考》。《宋志》每類去其不著録,輒與此合。此志序及每類總數,並載《通考》中,又有逸文若干條,均具解題。此宋世國史之異于前朝諸志也。今最爲一卷,聊助考證云爾。民國二十一年三月十六日黔南趙士煒識。

二十五史藝文經籍志考補萃編總目